卡薩諾瓦是個書癡

寫作、銷售和閱讀的真知與奇談

CASANOVA WAS A BOOK LOVER

約翰・麥斯威爾・漢彌爾頓 ◎著　　王藝 ◎譯
JOHN MAXWELL HAMILTON

謹獻給寶拉和傑克，
因為他們是我的好朋友，
還因為我在致辭裡已經把家人的名額都給用完了。
謹獻給所有的評論家，
因為只有不領情的人才會在得到本書的題獻之後
還抨擊它。

目錄

致辭

我們該把這本書的責任推給誰呢？

讓我們從為此項研究出力的學者們開始吧：肯尼斯．達曼（Kenneth Damann）、阿尼塔．張（Anita Chang）、克利斯蒂．大衛．杜艾特（Christie David Duet）、珍．裴隆涅（Jane Perrone），以及尼古拉．康—佛格爾（Nicholas Kahn-Fogel）。我已經畢業的助手波妮．鮑曼（Bonnie Bauman），在本書寫作最關鍵的時刻，曾經就編排方面提出過重要的建議，並且發現了一些冷僻的資料，還收集了許多圖片。我相信波妮在研究方面的成績，比起她在控制自己的收支平衡方面，可要強得多了。

下面是出版者們。路易斯安那州立大學（LSU）出版社為此書出了精裝版，那裡的萊斯．費拉褒姆（Les Phillabaum）、莫琳．休伊特（Maureen Hewitt）、約翰．伊斯特利（John Easterly），以及希薇亞．法蘭克（Sylvia Frank），以他們特有的經驗冒險促進了這本書的出版，還非常熱情地出了許多主意。希薇亞是這本書的責任編輯，她對這次冒險負有主要責任。路易斯安那州立大學出版社的蘿拉．格里森（Laura Gleason），非常有創造性而且也很有耐性地（無視我的諸多意見），為此書設計了極富創意的封面。派特．霍夫靈（Pat Hoeffling）、瑪格麗特．哈特（Margaret Hart），還有芭芭拉．奧特蘭（Barbara Outland）則向大眾大力吹捧宣傳此書。

企鵝出版社的主要負責人是潔西卡・基普（Jessica Kipp），她拿到了這本書平裝本的版權，並且出版了你們手中這個更為便宜的版本。作為編輯，潔西卡是個非常完美的搭檔，不僅因為她在控制這本書出版的整個過程中，表現出的聰慧和精明能幹，更因為她對此書提供了她個人有力的支援。雖然聽起來有點奇怪，不過她應該會很樂於為這本書分擔一部分的責任。

維吉尼亞大學（University of Virginia）的喬治・葛瑞特（George Garrett）為路易斯安那州立大學出版社審閱這本書。我感激他慷慨的評審意見——事實上是他放棄了評閱人的匿名權，這樣使得他也和其他人一樣跟這本書有所牽連了。

很多精通某一領域的專家為我提供了相關有趣的實例，並且做出明確的闡釋。我在書末資料出處的注釋中提到了這些人的名字，盡可能讓他們與他們的錯誤脫不了關係。

還有一些特別的人，我的朋友和同事們愉快地為我提出種種建議。這些慷慨的幫助者有羅・代（Lou Day）、梅格・羅絲（Meg Ross）、連恩・桑德森（Len Sanderson）和傑克・蘇利文（Jack Sullivan）。蘇利文為本書逐章做出了評論，他的評論總是以這樣一副典型的腔調開頭：「因為我的嘴唇被麵包機夾到而停止了低音號的學習課程，所以能夠及時地做出評判，並且把稿子還給你了。」

此外，還有榮恩・蓋瑞（Ron Garay），他幫助我為這本書做了更多的點評引文，這些都已經準確無誤地印在封底上。有一個特殊的人是瑪麗・安・史坦伯格（Mary Ann Sternberg），她拒絕讀我的書也不肯提供意見。但是，這本書第一次出精裝版的時候，她卻買了一大堆抱回去送朋友。她真是個狡黠又慷慨的朋友。

我的太太吉娜（Gina）讀了書中的幾章，明智地說了一些有限但還不錯的話。我們的兒子麥斯威爾（Maxwell）利用他廣泛的閱讀，讓我注意到了大量有用的妙語奇談。他承認某些人或許會願意讀這樣一本書，不過他不願意冒險以他的名義擔保此事。

作者的警告

我注意到一個新潮流：作者在他們的書前插入他們的警告。這些公開的保留條款，明顯是受到律師們控制的。像唐納德．帕斯曼（Donald S. Passman）的《音樂商務寶典》（*All You Need to Know About the Music Business*）前言中的「重要」提示，就充斥了如下的內容：「本書中的內容代表了作者的觀點。……並且，隨著法律和習俗的改變，隨著本書在寫作和付梓過程中時間的流逝，很有可能部分觀點在本書的第一版，就已經顯得有些過時了……」

一開始我把這種聲明視為我們這個愛打官司的社會，和蹩腳的市場評估能力結合所造成的惡果。後來經過考慮，我改變了我對於市場評估的看法。這些警告可以達到與其聲稱的目的相反的效果。他們不是要讓人們注意到書的缺點，相反地，是要把他們最重要的賣點廣而告之。

下文是羅傑．夏塔克（Roger Shattuck）在《知識禁地：從普羅米修斯到情色文學》（*Forbidden Knowledge: From Prometheus to Pornography*）一書中的警告：「提醒家長和老師們注意，本書的第七章不適合兒童及未成年者閱讀。」夏塔克不會真的認為小孩子們會想讀這樣一本學術巨著吧，裡面充斥了類似「薩德（Sade）[1]揭露了以資產階級個人主義的自衛本能為基礎的道德秩序」這樣艱澀的句子。我們得承認，極少家長會對這本書有興趣。如果他們看到自己的孩子在讀這樣一本書，肯定會認為他們養育了一個天才兒童。夏塔克寫下這種警告的目的只有一個：他希望把家長或者孩子們的注意力引到一些情色的事物上面，以使他們來購買這本書。我不是要責備他，畢竟學者們也要為銷售做一些努力。

《職業殺手：獨立承攬人技術手冊》（*Hit Man: A Technical Manual for Independent Contractors*）一書，介紹如何以專業手法來清除阻撓你的人。其中一篇題為〈直接命中並不是你唯一的選擇〉的章節，相當具代表性。這本書後來成了一場官司的被告，據說某個人在聲稱看了這本書之後殺死了三個人。這本書的出版者——帕拉丁出版社（Paladin Press）——辯稱他們已經向讀者「**警告**」：所謂職業殺手「只是個形象的說法而已」。法律顧問和市場推廣部門有時候會為了尋找最好的行銷方案而發生爭執，但是這次在措辭方面，雙方可是達成了空前的一致，至少在一九九九年他們被告上法庭以前是這樣的。帕拉丁的保險公司最終同意支付幾百萬美元的賠償金給受害者，帕拉丁出版社目前每年還必須捐款給兩個慈善機構，受益人就是那些原告。出版者也答應將這本書從市場上回收。這些都顯示了，以警告來作為保護書籍的合法手段，還不如把它當做廣告詞會來得有幫助。

儘管如此，「警告」潮流還是讓我們其餘的這些作者鋌而走險地發個警示，即使我們只是在放空彈。因此，我向勇於打開這本書的讀者們提出安全警告：

小心！

戴上手套！紙張可能會劃傷你哦。

1 一七四〇—一八一四年，法國作家，在作品中描寫性虐待、性暴力，本人亦因性暴力罪入獄十餘年。一八七六年，法國人艾賓用薩德名字的英文縮寫字母 sade 創造了虐待狂 sadism 這個名詞。——譯者注（下文凡帶「＊」的注解，爲作者原注，數字注解爲譯者注。本書原文注解很少，但由於本書作者文筆幽默，語言生動，常有諷刺、雙關之語，關涉許多西方文化，尤其美國文化背景方面的內容，爲減少讀者的閱讀障礙，譯者在翻譯過程中盡量把涉及到的人名、事件做頁末注解，但是爲節省篇幅，一些非常著名的人物，或者不瞭解也不至於造成閱讀障礙的人名、事件則不作注。由於譯者見識有限，肯定掛一漏萬，還望讀者諒解，更希望有多見多識者不吝賜教。另外，所有西方地名、人名、書名等專有名詞，第一次出現皆附原文，以後再出現就只錄中文譯名，不附原文。）

前言

✍

本章所欲表達的是：

研究書籍、讀物以及人類的最好方法，

就是不要太把他們當回事兒。

對人類最好的研究就是書籍。

——阿道斯．赫胥黎

親愛的朋友，我相信，與我們的時代風尚相反的是，一個對書籍有著高超見解的人，同時也是對之施與善意嘲笑的人。

——馬塞爾．普魯斯特

九〇年代早期，我為《紐約時報書評》（*New York Times Book Review*）寫了一篇短評，專門針對愚蠢的書前致辭和獻辭。在這篇短評之前，我所寫的文章中只有一次也受到了那麼多的關注，那篇文章是我為一家天主教雜誌到委內瑞拉採訪一位美國傳教士所寫的。在那篇文章的插圖照片上，梅爾·克魯姆迪克（Mel Krumdick）神父和教區裡的幾個年輕人一起站在加拉加斯（Caracas，委內瑞拉首都）附近的海灘上，其中一名少女穿著性感的比基尼。梅爾神父的行為舉止固然徹底是個教士，但是照相機的鏡頭對他可是沒有任何偏袒，他在照片中只穿著一條泳褲……

隨之而來的大量表達不滿的信件，多到簡直可以裝滿整個西斯汀教堂。一名來自新罕布夏州曼徹斯特（Manchester, New Hampshire）的讀者，在信中表達了他的極度震驚，認為「一個穿『泳裝』的少女與一位神父談話……這種形式的衣服一定是魔鬼的作品（法蒂瑪聖母〔Our Lady of Fatima〕警告說某些時裝會冒犯上帝）。」

與上述情形不同的是，針對《紐約時報》這篇文章的讀者來信，都抱著積極肯定的態度。一些讀者把他們認為最愚蠢或者最精彩的致獻辭寄給我。有一個讀者，本身也是一位作家，寄來了她自己寫的書，那本書的獻辭是寫給她的心理醫師，其中不僅大談性事，還公開表明捲入了三角戀情中。這些內容要是讓梅爾神父看了，一定會把自己反鎖在懺悔室裡。

這些來信讓我體認到一個我所不曾想到的事實。人們讀他們喜歡的書，並且對其創作過程非常有興趣，不管那有多簡單或者多粗俗。我們不會在乎一個水電工的怪癖或者煩惱，我們只希望他修好漏水的裂縫，然後離開就可以了。但是，對於約翰·彌爾頓（John Milton）[2]的態度，就完全不一樣了。我們樂於知道彌爾頓是躺在床上進行創作的；而弗拉基米爾．納博科夫（Vladimir Nabokov）[3]在三吋寬、五吋長的卡片上寫作；約翰．濟慈（John Keats）[4]要穿上他最好的衣服來寫詩；薩克萊（Thackeray）[5]則無法在自己家裡從事寫作，必須在旅館或者俱樂部之類場所才能進行創作，對此他解釋說：「公共場所可以刺激我的大腦運轉。」記得許多年以前，我曾讀過說亞歷山大．波普（Alexander Pope）[6]——我想是波普吧——只有在身旁放上一箱爛蘋果的時候才能寫作，那種腐爛的氣味可以激發他的靈感。其實這並不是什麼重要的事，但是這個故事卻深深地烙印在我的記憶中。布萊恩．蘭姆（Brian Lamb）在美國有線衛星公共事務臺（C-SPAN）中，製作了一個相當成功、名為「讀書筆記」的節目，就是讓作家們談論自己的節目。例如，佛瑞斯特．麥唐諾（Forrest McDonald）就在節目裡自曝，他習慣一絲不掛地在阿拉巴馬州（Alabama）家中的陽臺上寫作。我們都渴望知道作家們的煩惱和怪癖，覺得這些瑣事跟他們的作品一樣引人注意。

但這並不表示世界上關於書的一切都是好的；相反地，我們有各種理由來擔憂寫作品質已經沒希望了。阿岡昆飯店（Algonquin Hotel）在一九九一年整頓後重新開張時，為了激起懷舊情緒，出版了一本服務手冊，還放置了一篇敘述飯店歷史的紀念文章。在這本手冊裡充斥了濫用修辭、遺漏冠詞之類的錯誤，這篇文章就是我們這個時代的象徵。

公司管理階層非難文盲，他們投入大量資金用來培訓員工。然而同時，他們也花大錢請行銷專家們來違背良好的寫作規範。例如，First National City Bank of New York（花旗銀行）把自己變成

Citicorp（一九六五年時更名），這八個字母實在沒有什麼組合在一起的可能，看上去就是一堆錯誤。「Control Data」（控制數據公司）現在叫 Ceridian 公司，不要費力去查字典了，字典裡根本就沒有「Ceridian」這個詞。美商利惠國際有限公司（Levi Strauss & Company）[7]的行銷顧問們花了四個月的時間，終於為他們的新版寬鬆牛仔褲想出來一個「毫無」意義的名字，一個取了跟沒取一樣的名字，叫「暗藍灰色」（Slates）。

我在南方一個小鎮看到一家小店的招牌上寫著：軍火和雜物（Ammo and Stuff）；每天都會有一家新的店鋪以諸如此類的招牌開張。有一次收音機廣播裡評論說，肯定有店鋪把招牌寫成 Things「N」Stuff 的，還真的有人打電話進去證明，紐約的花園市（Garden City）裡就有這麼一家店鋪。

史蒂芬．文森．班奈特（Stephen Vincent Benet）[8]的那首詩〈美國的名字〉（American Names）真應該拿到那些公司的董事會上去朗讀一下：

我迷戀上了美國的那些名字，

2 一六〇八—一六七四年，英國詩人、政論家，代表作《失樂園》、《復樂園》。
3 一八九九—一九七七年，俄裔美國小說家，代表作《羅麗泰》（或譯《羅莉塔》）。
4 一七九五—一八二一年，英國詩人，代表作《夜鶯頌》。
5 全名 William Makepeace Thackeray（一八一一—一八六三年），英國小說家，代表作《浮華世界》。
6 一六八八—一七四四年，英國啟蒙運動時期新古典主義代表詩人。
7 美國著名牛仔褲製作和銷售公司，以牛仔褲的發明人李維．史特勞斯（Levi Strauss）的名字命名。
8 一八九八—一九四三年，美國著名詩人、劇作家。

那些簡潔、瘦削的稱呼從不顯得臃腫，
以蛇命名的礦區帶著蛇皮的絲絲涼意，
麥迪森漢特用羽毛裝飾的戰帽，
土桑、第德塢和洛斯特繆爾平原。9

我們生活在賀軒（Hallmark，卡片公司）文化中，因為我們會在藥妝店購買大量生產的制式賀卡10，來傳達我們最崇高的情感。或者如果有錢，就請加州比佛利山莊（Beverly Hills）的情書公司，來幫我們寫那些虛情假意的信，每封得花上五十五美元。一九九二年美聯社（Associated Press）做過一次調查，其結果並不讓人意外，美國有百分之三十年收入超過四萬美元的家庭中沒有書。還有一項研究顯示百分之二十一的成年美國人「只擁有基本的閱讀和寫作能力」，而有將近一半的成年美國人「無法用熟練的英語寫一封關於帳單錯誤的信件」。

不過，美國並不是特例，一九九五年經濟合作暨發展組織（Organization for Economic Cooperation and Development, OECD）所做的一項調查顯示：美國人的受教育程度達到了工業國家的平均水準；而法國，這個熱衷於保持語言純潔性的國家，其文盲的百分比是平均值的兩倍。法國人花在寵物身上的錢，是他們花在書籍上的兩倍。

只要是喜歡書籍的人往往對之有很深切的情感，這些人的數量不多，但是極具熱情。一九八〇年代中期，一項具代表性的研究闡釋了讀者的閱讀忠誠度。研究發現，只有一半的美國民眾在過去的六個月中，曾經讀過至少一本書，而且在這些「讀者」中，接近三分之一的人每週至少讀一本書。皮尤研究中心（Pew Center）一九九七年所做的社會調查得知，略多於三分之一的受訪者在受訪之前的工作之餘或課餘時間讀過一本書，而這些讀過一本書的受訪者中，有百分之七十七的人，每天至少花半個小時、甚至更多時間來閱讀。這樣的閱讀密度也說明了讀書會為何會如此興盛，據統計目前總數已經達到二十五萬個了。而《經濟學人》（*The Economist*）雜誌[11]一九九九年亦曾經報導過：「各地舉辦的『書展』數量多得快趕上咖啡館了，此時此刻英國就有一百四十八個。」

書籍就像瑞士軍刀一樣，為喜愛與它們互動的人們提供無窮的創造性和啟發性。

我們不但從寫作中有所收穫，也從閱讀中獲益。「當我對著別人講述我看過而對方沒有看過的書籍時，所獲得的快樂簡直沒有任何事可以與之相比。」那個壞脾氣的艾德蒙．威爾森（Edmund Wilson）[12]如是說，「而且如此也將使他們渴望獲取一本難得的書籍，或是研究一門他們所不瞭解的

9 在美國一八四九年的淘金熱潮中，大批開礦者湧入美國荒涼的西部，爲了合法占有他們找到的金礦，必須簽訂土地合約立下標牌。然而，這些土地當時都只有印第安名字，沒有英文名，因此開拓者就必須爲這些地區命名。當時這些土地上生存著各個種類的蛇，因此當地很多礦區的名字都用蛇來命名。詩的後兩句所提到的地名，則都是按照原來的印第安地名意譯成的英文名。

10 美國的藥妝店除出售藥品外，每逢年節也代售各種應時節禮，聖誕節、元旦新年也會販售賀卡，因爲藥妝店分布得比其他賣賀卡的超市、書店更廣泛，因此也更加方便前往購買。作者這樣的寫法，意在諷刺購買者對情感的隨意和不經心。

11 英國著名經濟學雜誌。

12 一八九五—一九七二年，二十世紀美國著名評論家，曾任美國《浮華世界》（*Vanity Fair*）和《新共和》（*The New Republic*）雜誌編輯、《紐約客》評論主筆。他的文學批評深受馬克思和佛洛伊德的影響，對美國文學批評傳統的確立，以及歐美一些現代主義作家經典地位的確立影響甚大。其代表作還有《到芬蘭車站》、《三重思想家》等。

語言。」

曾經有這樣一件事，一個名為布萊恩．庫索普．杭特（Brian Courthorpe Hunt）的人，在令人肅然起敬的倫敦圖書館裡飲彈自殺，而他自殺的原因，似乎是因為找不到他正在閱讀的某本書的第二卷。這件事不僅透露了杭特的一些事，也與蘇格蘭歷史學家湯瑪斯．卡萊爾（Thomas Carlyle）[13]有點關係。當時，他正在圖書館的另一處向圖書館員借莫特利（Motley）[14]的《荷蘭共和國的興起》（*Rise of the Dutch Republic*），並且在書上標注「索頓．杭特（Thornton Hunt）又死了一個私生子」。卡萊爾衡量一個人的依據，是看這個人的藏書量。

我們還可以透過艾佛林．渥夫（Evelyn Waugh）[15]在第二次世界大戰中的行為，來瞭解這個人。在倫敦被轟炸的期間，這個熱愛文學的作家讓人把他的書全部運到鄉下安全的地方，卻讓他的兒子奧伯倫（Auberon）留守倫敦。

若干年前，我為一個外國記者埃德加．斯諾（Edgar Snow）[16]寫傳記，他向來是以「反美親共」的角度看問題。我在為他寫傳記的過程中，接觸到一些他閱讀過的書，在翻到一本哈羅德．拉斯基（Harold Laski）[17]寫的書時，我發現斯諾在一處頁眉有潦草的批注：「見馬克．吐溫（Mark Twain）對此的相關論述。」在拉斯基這本書上的發現，證明了我的一個論點：斯諾的左翼觀點來自（而不是背棄）他的美國背景。

而中國人的方式，則是喜歡一本書就要在上面寫點東西，像是有時候他們得到一幅畫，就把自己的名字寫在作者的後面。起碼就我所知，是這樣的。實際上，如何對待書籍可以有很多種想法。

例如，查爾斯・達爾文（Charles Darwin）[18]做得更另類。每當有人送他一本書，他就會用刀子把書背切開，連著封面、封底一起拆下來，然後把拆散的書頁放到一個盒子裡，這樣其實更方便翻閱。薩爾曼・魯西迪（Salman Rushdie）[19]則是另一種極端，他還是個小孩子時，就學會在掉落任何一本書之後要去親吻它，以「為自己笨拙的失禮行為表示歉意」。

不過，一個人與書的互動不一定是去閱讀它。當它在一位室內裝潢設計師手裡時，就像是個裝飾枕。它可以為不同地方增添色彩，也可以用來裝飾整面牆壁。「當書本被一層一層地放在書房中時，它們多彩的裝幀設計會使房間顯得更加可愛。」一九二五年的《好管家》（*Good Housekeeping*）一書，就是這樣建議的。我認識一名來自南方的女性，她的書不是擺在架子上，而是「掛起來」。這在本書的後面還會提到。達拉斯牛仔隊（Dallas Cowboys）的老闆傑瑞・瓊斯（Jerry Jones）和他太太吉恩（Gene），在一九九九年為美國國會圖書館（Library of Congress）重新整理湯瑪斯・傑佛遜（Thomas Jefferson）[20]的藏書，提供了一大筆資金贊助，儘管他們不太閱讀這些書。吉恩・瓊斯對

---

13 一七九五—一八八一年，生於蘇格蘭，維多利亞時代英國重要的歷史學家、評論家。

14 全名John Lothrop Motley（一八一四—一八七七年），美國作家、歷史學家、外交官。曾創作小說、研究荷蘭歷史，並歷任美國駐奧地利及英國公使。《荷蘭共和國的興起》是其重要的史學著作。

15 一九〇三—一九六六年，英國著名作家。

16 一九〇五—一九七二年，美國新聞記者、作家，中國人極爲熟悉的《西行漫記》又名《紅星照耀中國》一書的作者。

17 一八九三—一九五〇年，英國作家、左翼社會活動者，一九四五年曾出任英國工黨領袖。

18 一八〇九—一八八二年，英國博物學家，進化論的創立者。

19 一九四七年出生於印度孟買的穆斯林家庭，十四歲以後在英國受教育。一九八九年因創作出版長篇小說《魔鬼詩篇》（*The Satanic Verses*）在西方世界獲得多個獎項，並在伊斯蘭世界受到譴責，曾遭伊朗總統何梅尼下達追殺令。

《華盛頓郵報》（*Washington Post*）的記者說：「我們家有個漂亮的藏書室，它是我們房子裡最重要的房間之一。」在國會圖書館所進行的表揚捐贈活動上，傑瑞．瓊斯推崇湯瑪斯．傑佛遜是神聖的美國精神締造者，這些精神包括熱愛生活、自由，還有——哎喲——對「財富的追求」。

像瓊斯夫婦這樣的人們，追求財富和幸福，或者其他任何東西的方式，就是在李文哲（Levenger Company）這種網路購物公司高價消費「愛書人的專屬閱讀工具」。那裡出售莎士比亞（Shakespeare）塑像、特殊電燈泡、腳踏墊，還有腕表等。總之，一切東西應有盡有——除了書之外。而有些網上購物公司會提供昂貴的皮革封面書籍，像是有個促銷廣告介紹說：「一百本史上最偉大的書——家中應有的財富。」廣告上把這些書的優點全都說了：「高品質真皮封面，……當客人看到那用精湛工藝壓製的箔金書口時，會有多驚訝！而那可是有特殊作用（比如防潮）。」廣告宣傳裡唯一沒有說的就是書名。書籍，正如詩人羅伯特．沙賽（Robert Southey）[21]所說的，是有錢人的家具。

真正有熱情的讀者，分享的是在閱讀中所獲得的感受。一位十六世紀的義大利學者如是說：內容充實的書「它會先充實你的學問，然後——更高層次地——充實你的靈魂，進而建構一個完整的藏書室。」著名書商羅森巴哈（A.S.W. Rosenbach）博士，經常無法忍受失去一本特殊的書，無論它能帶來多大的利潤。英國一位名記者去世後，他的遺孀打算處理掉一些舊家具，我認識的一名年輕女性對此很有興趣，但是那個遺孀卻拒絕了，除非這個買家答應讀她丈夫的回憶錄。

在塞爾維亞包圍（Serbian siege）[22]解除之後，我曾經在塞拉耶佛（Sarajevo）短期停留一段時間。我的辦公室離國立圖書館的遺址不遠，一九九三年塞爾維亞軍隊的轟炸使這座摩爾式建築變成了焦黑的瓦礫堆，一百五十萬冊的藏書有百分之九十都被燒毀了。那是當年的全球重大新聞；後來我遇到一位波士尼亞籍（Bosnian）的老記者，他在戰爭中的損失與此相較，不足為奇也稱不上是個新聞，但卻更加令人感傷。他多年來積累了許多藏書，圍困期的冬天，因為木柴燒光了，他只好燒掉了五百多本書，相當於他藏書的五分之一。他最先選擇「大本的，它們最好燒」。現在，他用那副老菸槍的嘶啞嗓音說：那些實質家產對他而言，都無所謂了。「當你連書都燒了的時候，還在乎什麼椅子呢？」

德國作家華特．班傑明（Walter Benjamin）[23]透過書架上的書籍陳列方式，可以看出每個讀者自己的圖書分類標準。他在一篇短文中寫道：「這些書籍的排列看似雜亂，但看久了是不是就會發現它們的規律呢？」湯瑪斯．傑佛遜是個「沒有書就活不下去」的人，他把蒙提薩羅（Monticello）家中的圖書室鎖起來，為的是保證他的書不會被弄亂。他以培根式的知識結構為基礎，自己發明了一套按照四十四個主題分區的圖書分類系統。而卡萊爾把他的書，按標準分層擺放。我認識的一個人則是每讀過一本書就把書皮扯掉，這樣他只需看一眼書架就知道自己征服了多少本書。還有個熟

20 一七四三—一八二六年，美國第三任總統（一八〇一—一八〇九年）。
21 一七七四—一八四三年，英國桂冠詩人。
22 一九九二年四月至一九九五年十二月的波黑戰爭中，塞爾維亞族軍隊圍困薩拉熱窩長達四十四個月，並經常實施炮擊。薩拉熱窩長期與外界失去聯繫，食品、藥品以及冬季取暖用品極其匱乏，城中一萬多平民在圍困中因各種原因死去。
23 一八九二—一九四〇年，德國作家、翻譯家。

人，他讓我猜他在書架上擺書的規則，答案是：兩本相同顏色的書不可以鄰接著放。

卡特．伯頓（Carter Burden），一個熱愛藝術的商人，在一九九六年去世之前，其所收藏的圖書是世界上最好的私人藏書之一。他非常講究地把全部圖書按照作者姓名的字母順序排列，當任何人似乎、看起來、稍稍有可能，把一本書放錯位置的時候，伯頓的叫喊聲就會響徹整個房間：「你在幹什麼？」

精英論者總是嘲笑那些看簡單的羅曼史小說、路克．蕭特（Luke Short）[24]的西部牛仔小說，或者其他輕鬆讀物的讀者。這些人有兩點不明白，首先，閱讀必須是愉快的。沒有人願意在一個酷熱的週日下午出去跑三哩，有時候在公園裡散散步會更適合。如果有些人就是不願意出去費力出汗，又怎樣呢？我們應該很高興，畢竟這些人是在讀書，而不是整天躺在電視機前。第二，人們多樣的讀書習慣，使得書籍和人變得更加有趣，更加值得認真研究。正如阿道斯．赫胥黎（Aldous Huxley）[25]所說：「對人類最好的研究就是書籍。」

這些精英論的觀念，很遺憾地說，深深地扎根於我們的腦海中，甚至到現在，也只有少數學者能夠以廣闊的視野對所有書籍進行綜合評述。以撒．狄斯雷利（Isaac D'Israeli）[26]就是這少數學者之一，那個風趣英國首相的父親及作家，他在十九世紀中期曾經寫過一些關於文學發展的雜文。感謝像羅伯．達頓（Robert Darnton）[27]這樣有創造力的史學家，使得這種情況開始有了改變。達頓所研究的，有一般民眾閱讀的通俗讀物、地下出版品，和銷售管道對書籍流通的貢獻，以及那些作家們曾經賴以生存的卑鄙手段。他發現啟蒙時代的書商們在進貨時，對《軍妓瑪歌》（*Margot the Campfollower*）的需求，一點也不比《自然體系》（*The System of Nature*）來得少。

受到我的第一篇關於書前致辭的文章所得迴響的鼓勵，也因為對這方面的歷史感興趣，有時候我會暫離新聞記者和政府公務員職務，像現在這樣專心研究一些地下出版物。這些研究成果在我的教學中有最突出的體現，我愈來愈清楚地意識到，不瞭解寫作那異彩紛呈的歷史，就無法真正理解當代的新聞業和文學，乃至當代的經濟、政治。

在這一歷史中，有個比較有趣的人物就是賈柯莫・吉羅拉莫・卡薩諾瓦（Giacomo Girolamo Casanova）[28]。卡薩諾瓦最為人所熟知的是，他是十八世紀家喻戶曉的大情聖，但是我們可能沒有體認到，他是屬於我們這個政治正確（politically correct）時代的一員。他尊重女性，而不是利用她們，她們也都以愛來回報他。然而，不大為人所知的是，事實上卡薩諾瓦還是個狂熱的書癡，是這

24 一九〇八—一九七五年，原名 Frederick Dilley Glidden，美國作家、編劇，擅長寫西部故事。

25 一八九四—一九六二年，英國作家。爲人熟知的《天演論》作者T・H・赫胥黎是其祖父。

26 一七六六—一八四八年，英國評論家、歷史學家。其子 Benjamin D'Israeli 也是一位著名作家，曾任英國首相。

27 一九三九年出生，美國歷史學家，普林斯頓大學（Princeton University）歷史學教授。

28 一七二五—一七九八年，全名 Jacques Casanova de Seingalt, Giacomo Girolamo，一七二五年出生於義大利威尼斯，青年時代在教會學校念書，後因傷風敗俗被驅逐。曾經從事多種職業，主要經濟來源則是女性的資助。他走遍歐洲各國，所到之處必有風流韻事。一七五五年他在威尼斯被捕入獄，第二年成功越獄，逃到巴黎，繼續他在歐洲貴族社會的社交生活。一七八五年，他退出社交圈，一位波希米亞貴族收留了他，讓他擔任圖書館館員。卡薩諾瓦在文學、數學、詩歌、音樂等方面，都有著極高的品味。他用法語撰寫的回憶錄，追述他一生親身經歷的各種風流韻事，成爲當時全歐洲的暢銷書。他的姓氏 Casanova 也成爲歐洲語言中，一個用來稱呼情聖的專有名詞。

個嘈雜的書籍和文學世界中的象徵。就像許多優秀作家一樣，卡薩諾瓦也有一份多才多藝的人生履歷：在基督教會學校受教育、會拉小提琴、當過兵、神祕主義者、外交官、戲劇製作人、善於跳舞、進出監獄多次、當過演員、絲綢製造商、騙子、間諜、政論家，還有作家。他和阿貝・德・伯尼斯（Abb de Bernis）一起推動巴黎的首次彩券活動。寫作正如女人一樣，在他豐富多彩的人生中無處不在。一名威尼斯員警在報告中，說他「以文人之名」四處招搖。

卡薩諾瓦最著名的一次監禁，是被關在惡劣的鉛屋（Leads）中，那其實是威尼斯共和國總督府的閣樓，因為屋頂是鉛板做的，所以取其名。共和國的檢察官從來不曾舉行過一場正式審判，就給他安上了莫須有的冒犯權威的罪名。歷史學家的研究結論，認為卡薩諾瓦其實是因為無神論而被捕入獄的。若真如此，很明顯地，書籍就是他的罪證。一名間諜曾經誘勸他朗誦一首被禁的色情詩，而且員警逮捕他時，就在其住所中發現了論述神祕主義的書籍。他那場驚險刺激的越獄行動，也是透過書籍進行的。他和監獄裡的一個難友，透過在互相交換的書裡寫下越獄計畫的細節，還把一根小鐵棒夾在《聖經》裡傳遞。當他重獲自由之後，以此為題寫了一本書名為《逃離鉛屋》（*Flight from the Leads*）。

卡薩諾瓦將荷馬（Homer）的《伊利亞特》（*Iliad*）翻譯成義大利文。他創編《小品文雜錄》（*Opuscoli miscellanei*），每個月發表他自己寫的評論文章，還有一份戲劇評論刊物，宣傳他自己創作的戲劇。他自己也創作劇本，可能還曾經幫助羅倫佐・達・彭特（Lorenzo da Ponte）[29]修改他為莫札特（Mozart）創作的歌劇《唐・喬凡尼》（*Don Giovanni*）。

卡薩諾瓦的部分著述清單如下：《波蘭動亂史》（*History of Unrest in Poland*）、《哲學家和神學家》（*The Philosopher and the Theologian*）、《科學與藝術的道德評論隨筆》（*Critical Essay on Morals, The Science, and the Arts*）、《依據喬治亞改革的時間均值測量法的沉思》（*Musing on the Mean Measurement of Time According to the Georgian Reform*），還有一部烏托邦小說《伊克薩梅隆，或名愛德華和伊莉莎白在洪荒巨細——我們這個地球上未開墾之地——的八十一年》（*Icosaméron, or The History of Edouard and Elisbeth Who Spent Eighty-one Years among the Megamicres, Aboriginal Inhabitants of the Protocosm Inside our Globe*）。他晚年在波希米亞的杜克斯城堡當圖書管理員時，寫下了十二卷的《波希米亞杜克斯堡的威尼斯人雅克・卡薩諾瓦・德・塞郭特回憶錄》（*Historie de Jacques Casanova de Seingalt, Venetian, érite par lui-même àDux, en Bohême*），里格內親王（Prince de Ligne）評論卡薩諾瓦：「他的每一個詞都是一個啟示，每一個想法都是一本書。」

現在您手中拿的這本書，並不打算像許多其他的書那樣讚美寫作或者作家。想當然耳，讀者們並不需要被告知書籍有多麼重要。作為取代這類主題的，是我從卡薩諾瓦那裡得到的一點啟示。一些「優雅淑女們」，他是這樣稱呼她們的，批評他不該描述粗俗的事物，因為他寫了自己被囚禁在鉛屋時腹瀉的事情。他寫道：「也許我在與女士們談話時應該把這些內容刪掉，但是公眾並不是某個淑女，我就是想把這些事物廣而告之。」

29 一七四九—一八三八年，維也納宮廷詩人。莫札特的幾部代表作《費加洛的婚禮》、《唐・喬凡尼》、《女人皆如此》的歌劇劇本，皆出自彭特之手。

在這種精神鼓舞下，本書回答了如下的問題：作家們是否可以寫出活生生的作品？（極少。）還有，我是否必須購買朋友新出的書？（不是，但是你應該。）還有這個：我是否應該考慮讓自己猝死，可以使我的書大賣？（絕對是。）這本書會解釋為什麼對於出版業來講，最大的危害就是作家數量的激增；為什麼書籍是推銷你自己的最理想途徑；為什麼圖書館要處理掉愈來愈多的書；還有為什麼總統不能寫作。這本書還會告訴你哪些書最容易被偷，這個主題是我為《紐約時報書評》寫的第一篇文章，也收到了大量來信（其中有位讀者還把他自己收藏的艾比·霍夫曼〔Abbie Hoffman〕的《偷走這本書》〔*Steal This Book*〕送給國會圖書館，因為我曾經在文章裡說圖書館的這本書丟了）。

儘管我在這本書中使用了嚴肅的研究方法，但必須坦承我還是大量引用了那些隨處可見、上不得臺面的奇談怪論。例如，有一天我翻查馬尼拉（Manila）的電話黃頁，發現一個地方機構名稱為「切口（黑話）出版社」（Jargon Publishers）。還有一次我得知有人設計了一種防彈《新約》（*New Testament*），實際上就是硬皮封面（精裝書）的新名詞。真正瞭解出版業的最佳途徑，就是瀏覽每天的報紙。不過，《費城詢問報》（*Philadelphia Inquirer*）的書評卡林·羅馬諾（Carlin Romano）對此提出質疑。「或許九〇年代的美國報紙最傑出的貢獻」，他認為「就是破壞了各種形式的閱讀」。報上的書評半吊子且站不住腳，在這一點上，羅馬諾是正確的，本書會有一章談論這個話題。不過，關於書籍和作家的趣聞逸事，倒是每次都在新聞版面上出現。

為對這樣一個課題進行研究，我讓學校新聞系一個非常聰明的學生安妮塔·張（Anita Chang）

把《今日美國報》（*USA Today*）和《華爾街日報》（*Wall Street Journal*）各找一份來做調查。前者不是知識分子會想看的報紙，她發現裡面提到了八本書。《華爾街日報》則提及了二十八本，這個數目多得有點不正常。其中有二十二本書都是在一篇談論某項圖書大獎的文章中被提及；剩下的六本書，一本出現在頭版，那篇文章報導的是喬治亞州維達利亞（Vidalia）的洋蔥種植商們的一場殘酷競爭。這些農場主中的最佳經營者，賣了十萬本《維達利亞洋蔥愛好者食譜》（*Vidalia Sweet Onion Lovers Cookbook*）。

新聞可能通常都是和犯罪、恐怖活動相關，但是那些故事也經常和書籍有關。有一天，《紐約時報》報導了孟菲斯市（Memphis）的法官對於初次犯罪者的懲罰，是讓他們寫一篇十頁長、關於《麥爾坎・X自傳》（*The Autobiography of Malcolm X*）[30]的讀後感。而一天早晨，我們得知國家藝術基金會（National Endowment for the Arts）的主席，取消了對一本兒童雙語讀物《顏色的故事》（*The Story of Colors*）的出版資助，這本書是由德州厄爾巴索市（El Paso）一家小出版社所出版。作者是薩波克曼丹特・馬珂仕（Subcomandante Marcos），墨西哥南部一個查巴達反政府游擊隊（Zapatista）[31]的隊長。書的摺口上有薩波克曼丹特的照片，他穿著夾克衫，子彈袋斜掛在胸前，頭上戴著滑雪帽擋

30 一九二五—一九六五年，美國黑人人權運動的著名人物。年輕時曾是街頭混混，入獄後加入「黑人穆斯林」組織，從此投身黑人運動，並且在監獄中受教育，開始寫作。出獄後成爲黑人運動組織的代言人，以其卓越的演講口才著稱。提出「黑人不是美國人」的口號，並且指出黑人原來在非洲部落中的姓氏已經失落，在找到黑人「靈魂的姓氏」之前，不應該再使用白人強加給他們的姓氏。因此，黑人的姓應該是X，他自己的名字就叫 Malcolm X。

31 Zapatista，活動於墨西哥 Chiapas 省內的一批革命運動者。

住了他的臉。

還有一天，我們從一則網上新聞得知，密西根州立大學（Michigan State University）的墨西哥裔美國學生「把大學圖書館中的四千五百本書作為『人質』扣押了一天，並向校方提出一系列要求」。這些要求中，有一條是敦促學校正式開設一門西班牙學研究的課程。

現在，當我們即將開始這趟非比尋常的書籍之旅時，讓我們先來看看卡薩諾瓦如何闡述他寫作回憶錄的原因，這應該成為所有真正熱愛書籍的人的信條：「我知道這樣做是不明智的。但是，我總得做些讓自己忙碌、開心的事情。因此，我怎麼能不把它寫出來呢？」

1

羅傑・克雷普爾的水產店

本章談論的是：
著述業的經濟核心從未改變，
我們應該樂意地承認，
金錢始終是作者們最終極的創作瓶頸。

你們必須明白像瑞爾登這樣的人和像我這種人是不同的。

他是那種不切實際的老派藝術家……如今的文學就是一種生意。

撇開那些靠神力而成功的天才人物不談，那種成功的文人正是手腕高明的生意人。

他首先考慮的是市場需求，當一種商品開始走下坡時，他就必須時刻準備提供另種新鮮、誘人的貨物。

……瑞爾登做不來這些事情，他落後於他的時代；他以為他還可以像山繆．強森生活在寒士街的時候，那樣賣他的手稿。

但是，今日的寒士街已經完全不同了，這裡已經有了電報通訊，

這裡知道全世界各個角落要求什麼樣的文學食糧，

這裡的居民現在都是些生意人，不管有多落魄。

——語出賈斯柏．米爾凡；喬治．季辛

一八九一年創作的小說《新寒士街》中的人物

一組《紐約客》（*New Yorker*）上的卡通畫在我的牆上已經掛了好幾年了，上面畫的是兩種作家遭遇「創作瓶頸」（Writer's Block）的情形。在第一張畫中，那個作家從他的打字機前站起來，注視著窗外。他正在經歷一個「暫時性」的創作瓶頸。到了第二張畫面，他瞪著窗外店鋪的招牌——「羅傑‧克雷普爾的水產店」。克雷普爾（T. Roger Claypool）先生現在遭受的，是「永久性」的創作瓶頸。我把這組漫畫掛在一個只要我坐在書桌前就能看到的地方，用以提醒自己，一個人如果停止寫作，就不再是一個作家。但是，我已經意識到這幅漫畫忽略了一個非常基本的事實。

在公眾的想像中，寫作是種很浪漫的職業。作家不需要像大多數人那樣每天朝九晚五地打卡，他們穿著寬鬆舒適的運動衫和短褲在家裡晃來晃去。他們每天的日常生活就是一個漫長的休憩，可以一邊一小口、一小口地啜著咖啡，一邊思考大問題。即使在他們被催稿而拚命趕寫的時候，作家們依然是自由的。然而，這只是個神話。

如果，因為看到全職作家穿著舒服的衣服待在家裡，就得出結論認為他們是自由的，這種想

32 一八五七—一九〇三年，英國小說家、散文家。《新寒士街》（*New Grub Street*）是他的一部著名長篇小說，展現了十九世紀末出版業大眾化剛剛興起的時代，作家在個人的創作理想和市場之間的不同選擇，小說中描寫以文爲生的作家的貧困狀態，讀之令人鼻酸。作爲小說場景的寒士街，是倫敦一條舊街的名字，許多窮困潦倒的詩人、作家在此居住，受人雇用爲寫手，乃至 grubstreet 成爲英文中稱呼潦倒文人、雇用文人的專有名詞；作者在本章題記中所引用的這一段，是小說中人物賈斯柏‧米爾凡評論其友人瑞爾登（Reardon）時所說的話。這兩個人物都是小說中主角，前者選擇了迎合市場的商業化寫作態度，最後功成名就，並且抱得美人歸；後者則由於一直堅持個人理想寫作，得不到大眾的認同，生活陷入困頓，遭到妻子離棄，最後貧病交加而死。米爾凡的話中提到的山繆‧強森，是英國十八世紀一位出身貧寒，以文爲生的詩人、作家，曾在此街居住，而 grubstreet 一詞就是從他的作品中開始使用的。

法就跟認為鳥兒在枝頭鳴叫是因為牠們快樂，是一樣的。「在自家閣樓中的作家，跟礦井裡面的苦力沒什麼兩樣。」詹姆士．拉爾夫（James Ralph）一七五八年出版的《以寫作為業》（*The Case of Authors by Profession or Trade*）中是這樣寫的。在喬治．季辛（George Gissing）所描述的寒士街（Grub Street）中，寫作是一種艱苦的營生，幾乎沒有人當全職作家。如果有這樣的人，他必須擁有賈斯柏．米爾凡（Jasper Milvain）那樣的商業頭腦。一般而言，大部分作家像其他人一樣，也要帶著午餐去上班，並且在他們的鄰居入睡的時候，兼職寫作。

這一類兼職作家中，包括了一小部分寫著山繆．強森（Sam Johnson）所謂寒士街的「低劣作品」的可憐人。說實在地，通覽寫作歷史就會接觸到一個基本事實：在羅傑．克雷普爾的水產店工作個一天，倒是個催生優秀作品的好辦法。

寫作的經濟簡史：第一部分

歷史學家們提出，資本主義經濟制度是從十五世紀中葉約翰．根斯弗雷希．古騰堡（Johannes Gensfleisch Gutenberg）[33]，第一次使用活字印刷術開始的。古騰堡的印刷術所帶來的機械化生產方式，預示著大規模市場經濟的可能性。古騰堡不僅從事活字印刷，他還推進了大量鑄造鉛活字的方法，並且發明了油墨，創辦了新型印刷廠。

如果古騰堡生活在當代，估計他也就是那些普通的科學試驗愛好者之一，他可能是他居住街區中第一個有電動榨汁機的人——即使他並不真的想喝果汁。在他尚未從事印刷業時，他的職業是打磨拋光寶石和製造鏡子。不管是什麼樣的抱負促使他推動印刷業的發展，他肯定不會像亨利·福特（Henry Ford）預見他的T型車（Model T，一九〇八年上市）將把人們帶往城郊擴展那樣，預見了自由市場經濟。若說這兩者間的差別為何，那就是古騰堡可能會對他的發明感到失望。正如歷史學家約翰·費瑟（John P. Feather）所寫，他「不僅是第一個印刷商人，而且是第一個破產的印刷商人」。我們對古騰堡的瞭解大多來自他所捲入的一場經濟訴訟案。

古騰堡同樣也不會預知活字印刷使寫作變成了一種飛速發展的生意，每年生產成千上萬種新書。他發明印刷術，只是為了製作那些原來必須依賴修道士們手抄的宗教文書。他和其他那些早期的印刷商人一樣，都是為了讓修道士們能夠看他們的書，而做出種種努力。而後來印書時，之所以普遍會在邊框留出寬大空白以供手寫，就是因為當時的讀者認為印刷書是庸俗的。

當時以出版為目的的原創性寫作只占了一小範圍——用以撒·狄斯雷利的話說——「所謂現代名詞『職業作家』的這類作者」，還沒有被創造出來。基本上，沒有作者為了賺錢而奮力寫作，因為也賺不到什麼錢。就像我們今天不知道該怎麼為網上的作品付費一樣，那時候的稿費制度也很混亂，作家和出版商們廣泛嘗試了多種財務調解方式。有時候作者幫助處理印刷事務，並且付給印刷

33一四六八年，德國金屬工匠，歐洲活字印刷術的發明人。

商賣書的佣金；有時候作者把書送給出版者，以求得到回報；有時候印刷商會付錢給作者。十六世紀一個從寫作中獲利可觀的荷蘭人告誡他的侄子：「有些作家看到自己的作品印刷出來那麼漂亮，就已經算是得到回報了。」

喬叟（Chaucer）[34]、莎士比亞和彌爾頓，可能是早期英語文學史中最重要的三個人了。這三位卓越的作家中，沒有一個人是為了麵包而寫作的。

傑佛瑞．喬叟，生活年代早於古騰堡，一生以公僕為業。最初他是在克萊倫斯的萊諾親王（Prince Lionel of Clarence）家做侍從。一三五九年被法國人囚禁以後，喬叟在愛德華三世（Edward III）和理查二世（Richard II）國王時代，分別擔任過肯特郡（Kent）的治安法官、外交代表、皇家海關及特別津貼的管理員，還做過皇家事務辦事員，負責審查各種建築設計方案，也當過國會議員。喬叟職業生涯的最後一項工作，是北派特頓鎮（North Petherton）的副林務官。

寫作是喬叟爵士的副業。在他的詩歌《聲譽之宮》（*The House of Fame*）中，有一段老鷹責罵詩人的內容，必定就是他對自己的寫照：「當你所有的工作都已經完成／所有的好處都已經兌現／你既不停歇也不轉業／獨自回到你的房中／靜默呆坐如一塊頑石／你又著手另一本書的寫作／直到你戴上一副玻璃眼鏡。」

儘管他的作品已經集結成書，喬叟還在為他的消遣，或者為他所服務的貴族們的娛樂而寫作。在當時，講故事是飯後娛樂消遣的一種普遍形式。《特洛伊羅斯與克瑞西達》（*Troilus and Criseyde*，又名《特洛伊圍城記》）的手寫本中有一幅著名插圖，畫的是喬叟在一座城堡花園中為一群貴族朗讀。現存喬叟詩歌的手寫本中，都沒有標記當時的日期。《坎特伯雷故事集》（*The Canterbury Tales*）在他整理成書之前，也都是單篇流傳的。因為其稀有珍貴，一九九八年一個早期版本的《坎特伯雷故事集》，在拍賣公司佳士得（Christie's）拍賣到七百五十萬美元。

那麼，威廉．莎士比亞（William Shakespeare）又如何呢？猜想他的作品實際上都是獻給他自己的，他在寫作時根本就沒有想到賣書這件事。作為「宮廷大臣（後來成為『皇家』）劇團」的大股東，又是演員，他當然應該寫出好的作品以吸引投資人。他的同事們都希望他能有電視編劇那樣的思路。「嗨，比爾，你最好寫齣復仇劇，因為街上正在演出呢。」於是，莎士比亞撰寫了《哈姆雷特》（*Hamlet*）。我們不太清楚他的戲劇收入中有多少是從寫作來的，但是知道當時普遍採用的支付劇本費的方法，就是把第二場演出的票房收入扣除成本以後，交給劇本作者。莎士比亞一整年都在從事演出，只有每年十一月至次年二月之間才進行寫作。

莎士比亞一個來自斯特拉特福德（Stratford）的朋友，在倫敦開了一間店鋪，莎士比亞和他一起安排了他的詩集《維納斯與阿都尼斯》（*Venus and Adonis*）和《魯克麗絲失貞記》（*The Rape of Lucrece*）的出版，如此開始了他的出版生涯，並且在大瘟疫迫使劇院關閉之後繼續從事這項職業。不過，對於莎士比亞而言，他從事出版業的動力，更多來自於希望在倫敦獲得更高名聲而不是金

34 Geoffrey Chaucer（一三四〇—一四〇〇年），英語文學傳統的奠基人。中世紀歐洲在教會的控制下，書面寫作都是拉丁語一統天下。十四世紀前後，隨著歐洲各國經濟、文化的發展，各以本國方言寫作的趨勢開始出現，義大利的但丁、英國的喬叟都是用本國方言寫作，是推動本國語言文學發展的重要人物，喬叟的代表作有《坎特伯雷故事集》等。

錢。「終其一生，在倫敦的書店中看到自己的名字，並沒有使他有何獲益。」莎士比亞的主要傳記作者派克．霍南（Park Honan）如是說道。

在莎士比亞時代，出版商每年總共只印五到六部新劇劇本，因為沒有著作權法，所以他們一個先令都不用付給作者。莎士比亞第一部印刷出版的劇本，就是盜版。一五九〇年代後期，莎士比亞和其劇團出售《理查三世》（*Richard III*）和其他一些劇本時，實質上就跟農夫們賣他們的玉米種子換鈔票是一樣的。劇本的廣告也宣傳說劇團已經絕望了，誰會願意去看一個絕望的劇團的演出呢？至於莎士比亞寫十四行詩，一樣是為了他自己的樂趣，不是為了出版。

最後，清點一下威廉．莎士比亞的財產，那可是真正的房產、地產，不是空中閣樓。到他去世時，他擁有斯特拉特福德第二大的房子、作為收租用的一〇七英畝土地，在倫敦也有財產。

莎士比亞去世後，他的兩位朋友第一次把他近半作品以書籍形式出版了。他們「不求名、不求利，沒有任何野心，只為了紀念這位如此值得尊敬的朋友和夥伴」。

約翰．彌爾頓，早期英國文學「三傑」中的最後一位，一六〇八年，即莎士比亞去世前八年，出生於一個中產新富家庭。他在劍橋大學基督學院（Christ College）獲得學士和碩士學位以後，依賴富裕父親的供養，優遊自在地寫作、旅遊。後來他擔任家庭教師，並且以一個宣傳作家、活動家的身分投身政治，還做了議會代表。

一六四九年查理一世（Charles I）上了斷頭臺之後，彌爾頓被任命為克倫威爾（Cromwell）政權的拉丁語祕書。這一職位讓他的寫作才能派上用場。一天他翻譯一封國會寫給漢堡（Hamburg）的正式信函；另一天他查閱被疑有通敵罪而被捕的約翰・李（John Lee）的文件；又或者某一天國會要求他就愛爾蘭事件「做一些調查」。他做這些工作獲得二八八・一三英鎊的年薪，並且住在白廳大道（Whitehall）的公家宿舍。這個職位還曾經庇護過其他作家。彌爾頓的前任喬治・魯道夫・威克列恩（George Rudolph Weckklein）和繼任理查・方夏威（Richard Fanshawe）都是詩人（彌爾頓曾經讓安德魯・邁威爾〔Andrew Marvell〕當他的助手，不過這個年輕詩人選擇當家庭教師）。儘管彌爾頓在獲得這個工作之後不久就失明了，但在一六六〇年斯圖亞特王朝復辟之前，他一直都住在白廳大道。

無論是在政治改革的辯論中，還是在詩歌創作的筆會上，彌爾頓都把自己視作真理的代言人。他所寫的著名演說詞《論出版自由》（*Areopagitica*）為他帶來的是麻煩，不是金錢。如果說他曾經預見到任何酬勞，那就是被監禁。他把他的演說詞印刷成冊之前，並未特地去註冊出版許可證，此舉是故意要與罪惡的出版禁令相抗衡。

從白廳大道被趕出來之後，彌爾頓在經濟上陷入了困境，他花掉了擔任拉丁語祕書時的所有積蓄。而父親留給他的房子，在倫敦大火（Fire of London）中被燒毀。他賣掉了他的豐富藏書，換得一點微薄金錢。對於年老的彌爾頓來說，那些書對他已經沒什麼用處了，而且他也知道，他花了那麼多錢培養的三個不長進的女兒也不會善加利用那些書。當他更老的時候，書商們看到了再版他的書信和他的學術作品有利可圖。然而，他從中所得的利益比起由此而獲得的成就感，可能是少之又少。他希望能保存他的文學遺產。

在彌爾頓生命的最後歲月裡，為了讓《失樂園》（*Paradise Lost*）能順利出版，其勉強接受了分期付款的稿酬：五英鎊的預付款；三版印刷，每一版賣出一千三百冊以後付五英鎊。為了這筆可能的二十英鎊鉅款，他必須永遠放棄這部史詩的版權。不過，這筆買賣並沒有改變他的生活品質。一位專研彌爾頓的學者指出，當時的五英鎊大約是粉刷一部紳士馬車的價錢。

彌爾頓之後的年代，寫作仍然是休閒生活的副產品，這意味著寫作主要還是貴族們的消遣。出身名門的紳士們，有著過多的時間和藝術品味，自然成為作家的贊助人。這種情況無論是在歐洲大陸，還是在英格蘭島都相同。例如，路易十八和查理十世每年給維克多．雨果（Victor Hugo）兩千法郎。如果一位紳士選擇了寫作，寫作就會成為紳士的一個特點，有時候他會對他的作品不署名，不求報酬，甚至不願意正式出版。他也會讓自己的塗鴉謹慎地在至親好友中流傳。

有些觀點認為莎士比亞並不是他那些作品的真正作者，因為以他卑微的學識和背景寫不出那些偉大作品。大部分作品的真正作者，應該是那些貴族老爺們：牛津（Oxford）伯爵、德拜（Derby）伯爵、拉特蘭（Rutland）伯爵、艾塞克斯（Essex）伯爵，還有南安普敦（Southampton）伯爵（莎士比亞曾經把他的詩題獻給南安普敦伯爵，還有一個活躍的文學組織宣稱第十七世牛津伯爵——愛德華．德．維爾〔Edward de Vere〕才是真正的「莎士比亞」）。在貴族階層流行的觀點看來，金錢是玷污藝術的，它迫使作家去寫別人想要、但不應該被寫出來的東西。不過話說回來，如果這種強迫的力量正好施加在古騰堡身上，他肯定不會拒絕。

工業革命推動了大規模出版圖書的技術：先是用馬、後來用蒸汽作動力的印刷機器；排版機器；新的造紙機器可以一卷一卷地出紙，不用再一張一張地出；還有裝訂機器。煤氣燈，工業化的一個副產品，結束了黑暗世紀陰沉的夜晚。中產新富家庭的人們受過良好教育，可以用自己的收入購買圖書和期刊，下班後回家閱讀。

在工業化進程大幅前進的時候，貴族階層喪失了他們在寫作方面的霸權。閱讀和寫作的技能，成為新出現的辦事員的謀生手段。有這樣一個辦事員，班傑明．海恩（Benjamin Hayne）推銷他自己可以「為任何一個雇用他的人寫作」。他所說的「寫作」，是指拼寫和標點在如工業產品般標準化之前的概念。生產文字也成為一種職業。為了回應把圖書視為商品的新觀念，國家認可了作者對自己的著作享有專利權。愈來愈多的書商取代了貴族們在供養作家方面所扮演的角色。埃米爾．左拉（Emile Zola）[35]宣稱：「金錢解放了作家，金錢造就了現代文學。」

早期的職業作家有時候會對他們的身分感到不自在。奧利佛．戈德史密斯（Oliver Goldsmith）說：「我向書商尋求支持，他們是我最好的朋友。」然而，他也譴責寒士街的作家「把寫文章當作財源用」。當四處流傳拜倫勳爵（Lord Byron）[36]從他的詩歌中獲利匪淺時，他慎重地公開宣稱他從未拿自己的作品賣錢。儘管隨著時間推移，證實拜倫收過「潤筆」，不過他也曾經在特別需要錢的時候，高貴地拒絕過出版商的預付款。一份一八四七年的英國雜誌曾經提到，「那些寫作的人都不願承認自己是職業作家，他們幾乎都要假裝自己是純粹的律師或者紳士。」

[35] 一八四〇—一九〇二年，法國小說家。

[36] 一七八八—一八二四，英國詩人。

但是，沒有那麼多藉口可以改變經濟現實。一向以說話辛辣諷刺著稱的強森（Johnson）博士——戈德史密斯的朋友，一個賣文為生的熟練寫手——就宣稱他以寫作為業的永久信條是：「若不是為了金錢，只有笨蛋才會去寫作。」

但是，寫作的經濟史並沒有就此結束。

寫作的經濟簡史：第二部分

據美國出版商協會（Association of American Publishers）統計，西元二〇〇〇年美國圖書銷售總額達到二百五十億美元，比上一年成長三個百分點。也就是說，現在的圖書市場比歷史上任何一個時期都要龐大，但是這個資料並未顯示出當代作家所面臨的困境。

如今，經濟壓力的減小使作家們從一種情形中解放，但是又被束縛在另一種情況之下，結果其實沒什麼變化。工業化的成果之一是，在它所產生的現代經濟體制下，每個人都具備了基本的讀寫能力。有時讀者和作者的數量，似乎是相等的。作家人數的大量增加，使得每個人的市場占有率都非常小，只有極少數暢銷作家可以有很好的銷路。套用葛楚德·史坦（Gertrude Stein）的話：「十八世紀沒有足夠的閱讀胃納量供作家謀生，而二十世紀則是有太多讀物，以致作家無法謀生。」

據美國《現刊書目》（*Books in Print*）的責任編輯安德魯·格拉伯斯（Andrew Grabois）提供

的資料，一九九八年美國有十四萬種新書出版。按照一九九〇年的人口普查資料來算，平均每一千二百六十四個二十四歲以上的美國人就擁有一種新書。每年還有許多新作家不斷湧現。粗略（也可能是保守的）估計，這十四萬種新書中，大概有三萬五千種是處女作。照著這個資料推算，十年中會有四十五萬五千個不同的人，或者說平均每三百八十八個美國人中，就有一個人出版一本書。

這些通常都會被認為是未經證實的粗略估計。十年中還會有一些作家去世，有些名列《現刊書目》的作家並不是美國人，這些因素都會降低了總數量。不過，有些書是共同創作，這又增加了作者的數量。此外，還有許多小出版社透過非書籍流通管道發行的書，《現刊書目》中都沒有收錄。

即使把所有的因素全考慮進去，這個估算還是會令作家們氣餒——尤其是把那些低水準的文字也算進去的話。教育部一項對成年人的測試研究發現，百分之十八至二十一的受測試者「有能力解決這次調查評估中，最具有挑戰性的難題，那些難題很多都是關於一些又長又複雜難懂的文件和文章段落。」假設——可能是個大膽的假設——那些書的作者就來自這百分之十八至二十一精通文字的人：也就是說十年中，平均每六十六至八十一個具有文字功力的美國人中，就有一個人會寫出一本書。

這種愈來愈激烈的競爭毫無減弱的跡象。《美國統計摘要》（*Statistical Abstract of the United States*）的統計報告顯示，一九九二年只有十二萬五千個「作家」，似乎是個低得有點可笑的數字，但是從另一方面講就比較有說服力了，這個作家的數量比此前的十年增加了百分之百。《作家文摘》（*Writer's Digest*），是本作家們自產自銷的刊物，到一九九八年創辦二十週年時，總發行量達到二十五萬份，訂閱量比創辦時增加了百分之八十一。一九八〇年代早期，一名《紐約客》雜誌的編輯說，在他們刊物上投稿和發表的比例是，「長篇小說，大概二一九九九八比二；短篇小說，二四九五一一比四八九」。他還提到他們的刊物每年至少收到二萬五千首詩歌的投稿。可以想像，現在這種投稿賭注的賠率絕不是愈來愈好，而是愈來愈糟了。

有好消息說，人的預期壽命已經增長了許多，即使把這些全都計算進去，以上這些資料還是顯示，作家數量的增加速度比人口總數的增加要快得多。人活得愈長，就愈有可能想要開始從事寫作。對於「你退休以後要做什麼？」這個問題最常見的回答中，排名第二位的就是「寫一本書」，僅次於「多打高爾夫」。雖然很多人尚未抽出時間考慮寫書，但是隨著人們活得愈久，就會有愈多的時間想到這件事。有一項針對老年人的大眾致富計畫，就是開設寫作研修班，在那裡他們學著把自己的想法寫到紙上。依賴養老金生活的退休人士，不需要擔心他們的書是否能賣得出去。

不過，其他大多數以此為生的人，還是必須擔心這種殘酷的寫作競爭。一九九四年蓋洛普（Gallup Poll）[37]一項對讀者行為的調查，讓人沮喪地體認到寫作行業這種自相殘殺的風氣。這項調查是受美國書商協會（American Booksellers Association）委託進行，調查發現一億六百萬的成年美國人，平均每個季度購買大約四億五千七百萬本書。

為了使這個事態更為明朗，讓我們來為一個恰好出版了一本書的作家，假設一些比較戲劇化的情形。首先，假設蓋洛普調查中那些買書的美國人，只購買當年新出版的圖書。也就是說，他們不買經典著作或者任何那一年之前所出版的書。其次，再來假設他們買的書都是正規、有名的大出版社出版的圖書，這樣的話，這個作家就是與五萬，而不是上面提到的十四萬，或者像一九九八至一九九九年版的《現刊書目》所羅列的一百六十萬種圖書競爭了。

算出來的結果如何呢？平均每種書每個季度銷售九百一十五冊。因為蓋洛普調查顯示，買書的人平均每本書花十五美元，則每個季度賣出九百一十五本就會賺到一萬三千七百二十五美元。一年就是五萬四千九百美元，這是個很小的數目，但是再更深入鑽研還會更小呢。

圖書出版包括紙張、印刷、校訂、裝訂，乃至促銷、倉儲，這些全部都必須花錢。還有，批發商和零售商也要從中獲利。以作家的眼光來看，市場的魔力就是把那麼多的錢都變到別人的口袋裡去。作家們只是個做苦力的工人，他們的薪資就是版稅，以及免費拿到幾本樣書，還有，想多要幾本的話，有打折購買的特權。

版稅的比率，取決於書的內容和作家名氣。一本羅曼史小說，一般是指署筆名在街頭書攤上賣的那種，前十五萬冊一般只給百分之四的版稅，有時候甚至只有百分之二、三，超過這個銷售量之後或許會增加一些。精裝版的非虛構小說類嚴肅文學作品，一般前五千冊付百分之五至百分之十的版稅，此後再加印的版稅就是百分之十至百分之十五。現在，接著看蓋洛普的調查樣本，讓我們保持剛才的慷慨大方，給這位作家全部都是百分之十五的版稅。最後，這位作家一年的版稅收入是

37 蓋洛普民意調查公司，是一九三五年由美國公眾輿論分析家Gallup Poll（一九〇一—一九八四年）創辦的商業性民意調查機構。

八千二百三十五美元。

這個世界上有極少數作家擁有非常出色的成績，而他們的收入卻極大地影響了統計資料。事實上，大部分作家認為能夠達到平均水準就已經很幸運了。即使他們的收入達到了平均水準，他們還必須自己花錢買紙、買筆，自付社會保險和醫療保險，自付研究經費和去圖書館的路費。出版經紀人（literary agent），一個經常需要在簽署出版合約時出現的角色，會至少收取作家收入的百分之十，而且經常會更多，比如百分之十五。

愛爾蘭的作家可以免稅，除此之外，就我所知的其他任何地方的作家都必須繳稅，而且想少交點兒都不行。詹姆士．威爾考克斯（James Wilcox），一個里爾登（如果確有其人的話）式的作家，一九八五年收入一萬一千八百美元，他希望其中三分之一用來繳房租的錢能夠免稅。「那個稽核員，」《紐約客》的一名記者寫道，「檢查了威爾考克斯工作用的桌子——根據公寓大小訂製的尺寸，就放在冰箱旁邊——並且指出威爾考克斯在這張桌子上吃飯。考克斯說他沒有（在打字機旁邊吃飯也太壓抑了吧），但是稽核員爭論說他可以在那上面吃飯，而且也沒有牢固的牆壁隔開他向兩邊窗戶看去的視野，因此那塊地方不能算作辦公室。」[38]

即使是賺錢的暢銷書，錢也會很快就跑掉了。一九七七年出版的一本專門揭露國會醜聞的書——《公眾的信任，個人的欲望》（*Public Trust, Private Lust*），由魯迪．馬克薩（Rudy Maxa）和馬里安．克拉克（Marion Clark）合著。馬克薩後來回憶說：「我們先均分了三萬美元的預付款……付了出版經紀人的百分之十和其他一些支出，我最後大概得到七千美元。但我是請假來寫作的，休假這段時間損失了六千美元的薪資。我最後拿到的獲利，其實是一千美元。然後，馬里安找我商量在喬治城（Georgetown）史葛鎮（F. Scott's）辦圖書發表會，我們必須自負費用（出版社免費提供二十本樣書），現場提供冰淇淋、飲料，還有，蘇格蘭威士忌起瓦士！這次發表會的支出是兩千多美元。」

雖然，職業作家可以依賴寫文章貼補收入，但這也不過是從油鍋跳入另一個火坑罷了。作家保羅．蓋利柯（Paul Gallico）[39]許多年前在他的《一個小說家的深度告白》（*Further Confessions of a Story Writer*）中，就已經觀察到了這個事實，他說：「既然這是一個告白，我就必須向你們坦承，自從我四分之一個世紀以前從《紐約每日新聞報》（*New York Daily*）辭職以來，直到此時此刻，我從來不曾有過安全感。」一九七〇年代，一個新聞學院院長推算有約兩萬五千個市民稱自己是自由撰稿人，但真正依賴自由撰稿維生的不到三百人。下面這個表格可以顯示，目前的情況更糟。

38 按照美國的稅收制度，同樣作爲個人收入，投入生活住所的費用是個人純收入，投入辦公室的費用則屬於生產成本。個人純收入的稅率很高，而作爲成本投入擴大再生產的那部分收入可以減稅或免稅，因此會有人藉此逃稅。爲了嚴格區分兩者，必須經由稅務局的稽核員核查鑑定。

39 一八九七—一九七六年，美國著名小說家、電影編劇。一九二三年開始任《紐約每日新聞》的體育版編輯、記者，很快成爲著名的體育專欄作家。因爲對小說創作的愛好，他一直嘗試轉行，終於在一九三六年辭去了報社編輯職務，成爲一名職業作家，專心創作小說、劇本，並再次迅速成名。本文中提到的《一個小說家的深度告白》完成於一九六一年，剛好是他從報社辭職的四分之一個世紀之後。

自由寫作

自由撰稿人的稿費平均每篇文章下降一千九百八十二美元

出版物	一九六〇年（$）	一九九四年（$）
《柯夢波丹》（*Cosmopolitan*）	三千三百七十八	二千三百六十二
《家庭圈》（*Family Circle*）	四千二百二十三	二千六百九十九
《麥考爾斯》（*McCall's*）	八千四百四十六	二千六百九十九
《紐約時報雜誌》（*New York Times Magazine*）	一千零十四	二千零二十四
《大眾科學》（*Popular Science*）	一千三百五十一	一千六百八十七
《讀者文摘》（*Reader's Digest*）	六千七百五十七	二千六百九十九
《紅皮書》（*Redbook*）	四千七百三十	二千六百九十九
《今日女性》（*Woman's Day*）	二千二百五十	二千六百九十九

注：這個估價單上的數字，代表的是普遍自由撰稿人每篇稿酬的上限。資料來自《哥倫比亞傳播評論》（*Columbia Journalism Review*，一九八一年九／十月號）、《全國作家聯合會自由撰稿人稿費價格指南暨實施標準》（*National Writers Union Guide to Freelance Rates & Standard Practice*，一九九五年），以及對表格中所提到的雜誌社助理編輯的採訪。透過採訪得知，每位作者的稿費都不是固定的，影響因素很多，比如名氣。無論如何，這張表格也很清楚地說明了現今稿費比起三十五年前全面下降了許多。（肯尼士・達曼整理）

許多作家把寫文章當作寫書之前的熱身，但在小說銷售市場開始萎縮時，約翰・厄普戴克（John Updike）對此慣例提出了質疑。他說：「剛開始寫作時，我一年寫六篇短篇小說賣給《紐約客》，就可以養家餬口。可是，現在幾乎沒有什麼地方要短篇小說了。此外，我也無法再達到以前的水準了。」一九二〇年代，《週六晚間郵報》（*Saturday Evening Post*）一年刊登二百五十篇短篇小說，以及二十到二十五篇長篇連載。前者稿酬是五千美元，後者則是五萬美元或更多。舊《週六晚間郵報》現在已經停刊了。

諾曼・梅勒（Norman Mailer）[40]，像其他所有人一樣，約會、結婚，賺足夠的錢養老婆和他的五個前妻，還有他親生的五個女兒、三個兒子，以及一個養子。不過，他是作家中的特例。有大約一個軍團那麼多人數的全職作家，都因為沒錢結不了婚，除非他們找到有個好工作的配偶。法蘭克・蘇洛威（Frank Sulloway）艱難地進行多年所寫出的《生而叛逆》（*Born to Rebel*），探討了出生順序與人格差異之間的關係。一九九六年出版這本書時，蘇洛威將近五十歲，他從來沒有擁有過一輛自用車，連分期付款的都沒有，也沒有結婚。為了替自己的書選擇想要的封面設計，還得自己掏腰包付三千美元。

一九八〇年，一項針對一年至少出版一本書的作家們，所進行的收入調查的可靠資料顯示，作家們寫作一年的平均收入是四千七百七十五美元。我們看到了如下的事實：上文列出的估價單；作者間愈來愈激烈的競爭；因為通貨膨脹而破產的出版商；還有，一九九四年美國家庭花在閱讀上的錢（每家一百六十五美元），相較於他們花在個人護理用品（三百九十七美元）上的費用不到一半。透過這些資料，我們可以很合理地推斷，如今的作家實在是過得愈來愈慘！

強森博士強調為錢寫作的重要性，可能是因為他總是欠債。大部分當代作家必須像喬叟、莎士

---

40 一九二三年出生，美國小說家、編劇、政論文及散文作家，被認爲是「二戰」後美國文壇的最重要作家之一，二〇〇五年獲得美國國家圖書基金會頒發的終身成就獎。

比亞和彌爾頓那樣，有寫作以外的其他工作。否則，若要當個全職作家，就必須像個銷售經理般地來促銷他們的作品。更加清楚明白了經濟因素對寫作的影響之後，讓我們先來看看那些既工作又寫作的男男女女們吧。

用老闆的時間為自己寫作

儘管我們或許是生活在一個「作家成為職業」的時代，但嚴格來講，作家不是職業性的。所謂職業性，必須有專業的教育培訓，有專門的評委會制定最低限度的資格認證標準。作家並不需要這些，他們做的事情只要能夠被人理解就可以了，既不用遵循所謂的倫理準則，也不用像律師和醫生那樣必須說些莫名其妙的專業術語。雖然有些作家表現出非凡的生意頭腦，他們還是不喜歡被稱為生意人。他們也不能被稱為藍領階級，雖然很多作家喜歡穿丹寧布做的工作服。技術勞工懂得如何團結合作，作家卻不同，雖然他們偶爾也會有一些合作的事業，但是對此並沒有真正的熱情。其實作家們拒絕被分類定型的最大原因是：他們實際上在從事著各種類型的工作。

走在大街上，隨便進個店鋪，也許就會有個作家映入你的眼簾。作家們為了討生活做著各式各樣的工作。他們當過牧師（霍瑞休・艾爾傑〔Horatio Alger〕[41]）、家庭教師（安妮、夏洛特和艾蜜莉・勃朗特三姊妹〔Anne, Charlotte, Emily Bront　〕[42]）、督學（馬修・阿諾德〔Matthew Arnold〕[43]）、除蟲人（威廉・布洛斯〔William Burroughs〕[44]）、消防員（拉里・布朗〔Larry Brown〕[45]）、焊鍋匠（約翰・班揚〔John Bunyan〕[46]）、石油公司經理（雷蒙・錢德勒〔Raymond Chandler〕[47]）、銀行職員（艾略特〔T.S. Eliot〕[48]和史蒂芬・李科克〔Stephen Leacock〕[49]）、股票經紀人（儒勒・凡爾納〔Jules Verne〕[50]）、建築師（湯瑪斯・哈代〔Thomas Hardy〕[51]）、藥劑師（約翰・濟慈〔John Keats〕[52]）、碼頭工人和卡車司機（傑克・倫敦〔Jack London〕[53]和亞瑟・米勒〔Arthur Miller〕[54]）、間諜（克里斯多夫・馬羅〔Christopher Marlowe〕[55]）、廣告人（史考特・費茲傑羅〔F. Scott Fitzgerald〕[56]、舍伍德・安德森〔Sherwood Anderson〕[57]和詹姆士・迪基〔James Dickey〕[58]）、裁縫（亨利・米勒〔Henry Miller〕[59]）、保險經紀人（法蘭茲・卡夫卡〔Franz Kafka〕[60]和湯姆・克蘭西〔Tom Clancy〕[61]）、

41 一八三二—一八九九年，美國兒童文學作家。

42 Anne Brontë（一八二〇—一八四九年）、Charlotte Brontë（一八一六—一八五五年）、Emily Brontë（一八一八—一八四八年），勃朗特三姊妹，英國作家。其中尤以 Charlotte Brontë 的《簡愛》和 Emily Brontë 的《咆嘯山莊》最爲眾人所知。

43 一八二二—一八八八年，英國詩人。

44 一九一四年出生，美國小說家，著名「垮掉的一代」（Beat Generation）教父。

45 一九五一—二〇〇四年，美國作家。

46 一六二八—一六八八年，英國小鎮上的一個焊鍋匠，因其清教徒身分兩次被捕入獄，在獄中用十二年時間寫成巨著《天路歷程》又名《聖遊記》。

47 一八八八—一九五九年，美國作家。

48 一八八八—一九六五年，英國詩人、文學評論家，代表作詩歌《荒原》等。

49 一八六九—一九四四年，加拿大作家。

50 一八二八—一九〇五年，法國科幻和探險小說家，代表作品《地心旅行記》、《環遊世界八十天》等。

51 一八四〇—一九二八年，英國詩人、小說家。

內科大夫（亞瑟·柯南·道爾〔Arthur Conan Doyle〕[62]、威廉·卡洛斯·威廉斯〔William Carlos Williams〕[63]和安東·契訶夫〔Anton Chekhov〕[64]、路易—費迪南·塞利納〔Louis-Ferdinand C line〕[65]）、牙醫（贊恩·葛雷〔Zane Grey〕[66]）、削鉛筆器推銷員（艾德加·萊斯·波羅斯〔Edgar Rice Burroughs〕[67]）、商船船員（約瑟夫·康拉德〔Joseph Conrad〕[68]）、礦工（布雷特·哈特〔Brett Harte〕[69]），還有農夫（赫克托·聖約翰·克雷夫科爾〔J. Hector St. John de Cr vecoeur〕[70]）。

甚至一個對你攔路搶劫的人，都有可能是個作家。十六世紀的英國人羅伯·葛林（Robert Greene）[71]拋妻棄子去過一種波希米亞式的生活，「混跡於小偷、流氓和妓女之中，最後因為吃鯡魚、喝萊茵葡萄酒，暴飲暴食而死」。說不定，到我們死的時候，那個拿著鐵鍬鏟土的人就是個作家。密西根州詩人湯瑪斯·林區（Thomas Lynch）就是個殯儀業者。與謀殺相關的也有，在成為一個著名的偵探小說家以前，派翠西亞·康薇爾（Patricia Cornwell）就是維吉尼亞州理奇蒙市（Richmond）的驗屍官。

史考特·費茲傑羅在巴隆·柯里爾廣告公司（Barron Collier Advertising Agency）工作時，為愛荷華州一家蒸汽洗衣店撰寫的廣告詞是：「在馬斯卡廷（Muscatine，愛荷華州內的城市名），我們讓你保持乾淨。」之後，他就到北太平洋鐵路公司（Northern Pacific Railroad）修火車頭。這個工作做了兩星期之後，《天堂的這邊》（*This Side of Paradise*，或譯《塵世樂園》）獲出版社採用，他成了一個全職作家。

還有許多著名作家並沒有為了寫作，放棄他們原有的工作。華特·史考特爵士（Sir Walter

Scott）[72]在他多產的創作生涯中，也一直在從事法律工作。查爾斯·蘭姆（Charles Lamb）[73]先是在南海公司（South Sea House）當辦事員，後來又在東印度公司（East India Company）工作了三十年。威廉·卡洛斯·威廉斯終身是個醫生，他的同行、內科大夫的契訶夫則說：「醫學是我的妻子，而文學……是情婦。」

華萊士·史蒂文斯（Wallace Stevens）[74]，接受職業律師的培訓，一九〇八年進入保險業，即使退休了也沒離開過他在哈特福特（Hartford）的辦公室，他在這行裡持續到一九五五年去世。當被問及和他境遇相似的詩人時，史蒂文斯喜歡提到十九世紀的詩人克拉倫斯·斯特德曼（Clarence

52 一七九五—一八二一年，英國詩人。
53 一八七六—一九一六年，美國小説家。
54 一九一五—二〇〇五年，美國劇作家，代表作《推銷員之死》。二〇〇五年米勒的去世爲美國乃至世界文化界的一個重大事件。
55 一五六四—一五九三年，英國文藝復興時期劇作家、詩人。
56 一八九六—一九四〇年，美國小説家，小説《大亨小傳》的作者。
57 一八七六—一九四一年，美國小説家。
58 一九二三—一九九七年，美國詩人、小説家。
59 一八九一—一九八〇年，美國小説家，一九三〇年代僑居巴黎時寫作的《北回歸線》、《南回歸線》在法國以外的所有國家，幾乎都遭到禁止出版。四〇年代回到美國繼續寫作小説，但是他的所有作品在美國都被視爲「淫穢作品」不得出版，直到一九六一年經過一場歷史性的訴訟，他的作品才逐步被解禁。亨利·米勒被六〇年代的反主流運動者視爲自由和性革命的先驅。
60 一八八三—一九二七年，生於奧匈帝國時代的捷克作家，著名作品有《城堡》、《變形記》等。
61 一九四七年出生，美國作家，當今世界最暢銷的反恐驚悚小説家，著名作品有《獵殺紅色十月號》、《愛國者遊戲》等。他的小説改編成電影，也製造了好萊塢的票房神話，他還涉足網路遊戲的開發，更以《彩虹六號》、《幽靈行動》和《分裂細胞》等系列創作聲名遠播。
62 一八五九—一九三〇年，英國作家，《福爾摩斯探案集》的作者。
63 一八八三—一九六三年，美國後現代主義詩歌鼻祖。

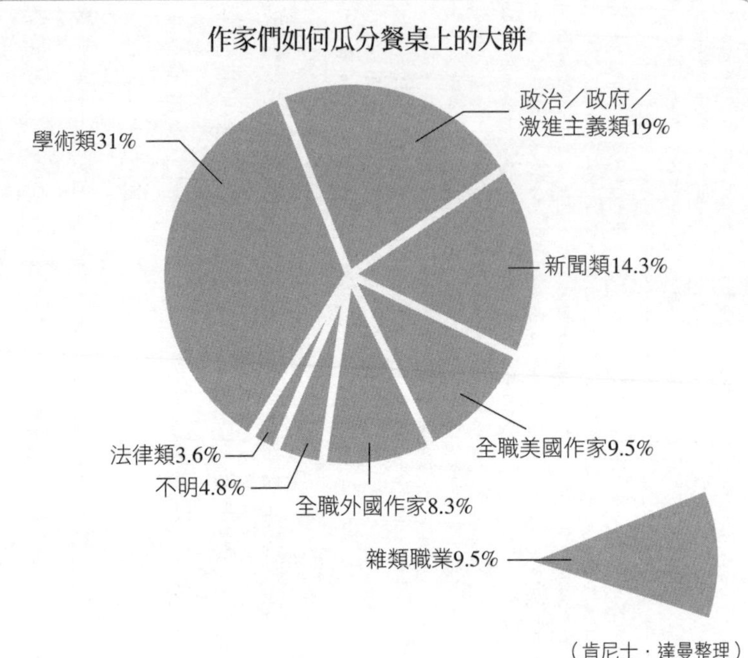

（肯尼士．達曼整理）

極少數作家是以寫作為主要收入。正如這張大餅所顯示的，他們多半會從事別的工作以免生活困窘。

這張圖是依據一九九六年八月《紐約時報》週日副刊內容所整理而出，包括所有作品得到正式評論的作家，除了兩位已過世許久、近日出新譯本的外國作家。兒童讀物作家和只有簡訊報導的作家，不包括在內。

《當代作家》（*Contemporary Authors*）和其他這類供查閱的資料庫，經常使用雙重身分的詞語來形容許多作家（例如，外交官兼作家）。就這張圖表而言，是把那些作家們納稅最多的那部分收入，當作他們的主業。從某種程度上，很難說哪份工作是主要的，而哪份是次要的。例如，在月刊寫專欄的科幻小說作家該如何歸類呢（除非你能看到這個小說兼專欄作家的納稅呈報單）？製作這張圖表的肯尼士．達曼對解決這方面的困難做出了貢獻。當然，有可能一些「全職」作家其實並不是以寫作維生，而是依賴有工作的配偶生活的，例如作家詹姆士．特里林（James Trilling）就是這樣的。他太太是布朗大學的終身教授。其他類別職業的範圍，包括從醫學院的神經解剖學家乃至建築師的各項職業。

Stedman）[75]。斯特德曼在出版了第一本書之後，曾經進入銀行工作，後來又開辦了自己的仲介公司，並且經營了一輩子。他發明了一套詩人電報密碼：濟慈的意思是「取消預訂」，雪萊則表示「謹慎選擇並出售」。這些並不代表史蒂文斯是在日常工作中尋找靈感，純粹為了賺錢而已。

「一個作家把自己當成作家，純粹是基於面子問題，」史蒂文斯在寫給一個朋友的信中說，「很明顯地，他必須在餓死和那種能夠帶來收入的寫作之間選擇。作家所必須面對的現實問題是，當他獻身於此種光榮事業時，還必須養得活自己。因此，唯一的解決辦法，就是必須尋找別的方法來過活。」換句話說，他必須擁有另一個穩定、高收入的工作。「和我現在的生活相比，我可不能為了所謂的自由，而接受那種只有一間房的侷促生活。」艾略特不喜歡他在勞埃德銀行（Lloyds Bank）的工作，但他更不喜歡三餐不繼的日子。

64 一八六〇—一九〇四年，俄國劇作家、小說家。
65 一八九四—一九六一年，法國作家。
66 一八七二—一九三九年，美國西部小說作家。
67 一八七五—一九五〇年，美國小說家，二十六部「人猿泰山」系列小說作者。
68 一八五七—一九二四年，生於波蘭統治下的烏克蘭，父母都是波蘭人，在家鄉被俄國人占領後，於一八七八年遷居英國，因此是英語小說作家。因其海員的經歷，善於書寫海上生活的小說。
69 一八三六—一九〇二年，美國作家，以描寫美國加州礦業城鎮的小說而聞名。
70 一七三五—一八一三年，法裔美國詩人、作家。
71 一五五八—一五九二年，英國作家，一生窮困潦倒，放蕩不羈，相傳因暴飲致死。
72 一七七一—一八三二年，英國歷史小說家。
73 一九〇〇—一九八九年，英國作家。
74 一八七九—一九五五年，美國詩人。
75 一八三三—一九〇八年，美國詩人。

「大多數純粹依靠寫作收入生活的作家會發現，他們生活在真正的貧困裡。」一九八〇年的工薪調查先前提出了這一觀點。研究顯示，當時寫作的平均年收入低於五千美元，而當年各種來源的年平均收入是兩萬七千美元。其他調查也證明，極少有作家會完全依賴寫作維生。一九七九年一項針對美國作家協會（Authors Guild）成員的民意調查發現，只有三分之一的人沒有從事寫作以外的其他職業，這些全職作家的年平均收入是一萬一千美元。

《紐約時報》上的書評，是確認每年最重要圖書的權威。同樣地，它也為我們提供了一個整理分類重要職業作家的機會。在這種想法下，我的一個研究生調查了一九九六年八月在《紐約時報》上被寫過書評的作家。

調查的成果，就是五十二頁圖中的這張大餅，這張圖告訴了我們一些可以想得出來的事實。不出大家所料，新聞業培育了一大批作家。瑪格麗特・米契爾（Margaret Mitchell）[76]、華特・惠特曼（Walt Whitman）[77]、歐耐斯特・海明威（Ernest Hemingway）[78]脫離了新聞業。但是，孟肯（H.L. Mencken）[79]還繼續為《巴爾的摩太陽報》（*Baltimore Sun*）寫專欄直到一九四一年，那時候他已經六十多歲了。留下來的理由，顯而易見。法國人有句俗話，新聞業是個離棄而不覺得可惜的好職業，但若你是棄之而選擇當作家，可就不是那麼回事了。

同時，這張圖表提供的全職作家的數量，也可能會產生誤導。亦即，這些全職作家中，有些可能無法從寫作中獲得足夠的生活費，而是依賴其他的經濟來源。比如，維吉尼亞・伍爾芙（Virginia Woolf）[80]在她的散文《自己的房間》（*A Room of One's Own*）中提到，她認為從她因墜馬而死的姑媽那裡繼承的遺產，使她獲得每年五百英鎊的收入，比起為婦女爭取立法委員的選舉權可重要多了。威廉．布洛斯，專門寫情色和粗俗文學作品的作家，其爺爺是加法計算器的發明人，他們全家長期坐收專利費。或者，一個人可以愛上一個「對的」人。拜倫勳爵不願意為了錢而工作，但若為了錢結婚，沒問題。實際上，這正是當時社會認可的事情。在現今這個取消了階級的社會，一個辛勤工作的配偶正發揮了相同的作用。無疑，婚姻的支持是對作家協會統計資料的最好解釋，全職作家們享受的家庭收入，高於他們年平均一萬一千美元的寫作收入三倍。

儘管如此，絕大多數作家還是在用老闆的時間為自己寫作，那是同時獲得高水準文字和經濟保障的門票。要想知道這類以其他收入來補足寫作開銷的方式如何進行，就讓我們來看看歷史上對舞文弄墨者最具吸引力的五種方式。

76 一九〇〇—一九四九年，美國女作家，著名作品爲小說《飄》。
77 一八一九—一八九二年，美國詩人，著有詩集《草葉集》等。
78 一八九九—一九六一年，美國作家，著名作品《老人與海》、《永別了，武器》等。
79 一八八〇—一九六五年，美國作家、記者。
80 一八八二—一九四一年，英國女作家，意識流小說的代表作家之一，也是歐洲女權運動先驅。

發願受窮、沉默寡言與寫作

這一潮流起源於歐洲的修道院，並且一直延續至今。修道士們原來都是用漂亮的書法抄寫經卷，但現在都開始自己寫書了。以前他們在修道院陰冷潮濕的繕寫室裡抄寫，現今則是擁有舒適的宿舍、電腦和經紀人，就像現在那些作家一樣，擁有種種便利的條件。紐約的經紀人大亨，莫特．詹克洛（Mort Janklow），他是茱蒂．珂琳絲（Judith Krantz）[81]和丹尼爾．史蒂爾（Danielle Steel）[82]的經紀人，也幫助把教皇約翰．保羅二世（Pope John Paul II）[83]的書《跨越希望的門檻》（*Crossing the Threshold of Hope*）賣給克諾普夫出版社（Knopf），據說賣了六百萬美元。

但是，讓我們思考一下基督教會是如何鼓勵作家們，不要去想《跨越希望的門檻》各種譯本一億到兩億美元的收入，也別管由教皇頒布的《天主教教理》（*Catechism of the Catholic Church*）一書一九九四年在美國出版時，被梵蒂岡教廷限制書店打折這類事情。只要思考那發願受窮的教義，無論他們是否真的遵守了。反正發願遵守這種克己苦修的教義，可以使修士和修女們獲得他們的生活所需，這比出版商的合約更能保證他們的日常生活。

祈禱並不影響寫作。溫蒂．貝克特姊妹（Sister Wendy Beckett），長著齙牙的英國修女，每天花七個小時禱告、兩個小時寫作，還成了一名藝術評論家。她還出版了至少十二本書。在寫作與誦經之間，她還抽空主持了一個關於藝術史的電視帶狀節目。如此，禱告和寫作勢必是要重疊的。一個作家可以在為上帝工作的同時做很多自己的事情。

教會總是設法引起強烈的敵視和不安。古騰堡的新發明出現後不久，教會的行為就曾經極大地刺激了作家們的創作熱情。隨著機械化的印刷，教會大量生產一種販售給罪人的表格，可以讓他們死後減少些罪過。這種以兜售預先印好的所謂「贖罪券」的腐敗方式，廉價出賣宗教赦免權的行為，點燃了馬丁．路德（Martin Luther）[84]這些人異端的思想。一五一七年十月十五日的萬聖節那一天，路德在威登堡（Wittenberg）的聖奧古斯丁教堂（Augustinian Chapel）門口，釘上了他的九十五項條文，從而使他名垂青史。事實上，他可能什麼也沒有往上釘。即使他真的釘了，在路德寫作這些條文的一個月內，把它們從拉丁文翻譯成德文，再印刷，再散發傳單，所引起的麻煩肯定比他簡單地拿錘子往教堂大門上釘釘子要大得多許多。至少路德在他印刷的時候，就已經開始惹麻煩了。此後，路德在給一位朋友的信中寫道：「我用德文出版了一本關於基督教改革的書，是針對教皇的，語氣強烈得彷彿是在針對基督教的反對者。」用本地語言寫作激怒了教會領袖，他們要求用拉

81 一九二八年出生，美國女作家，主要創作言情小說，一九七八年的小說《顧慮》曾高踞美國暢銷書榜首。她的小說作品也多次被改編成電影劇本。
82 一九四七年出生，美國女作家，專寫浪漫愛情小說，迄今已經出版近六十本暢銷小說，是美國乃至全球作品最暢銷的小說家之一。
83 一九二〇—二〇〇五年，出生於波蘭，一九七八年在梵蒂岡選舉中當選羅馬教皇。一九九四年出版了用義大利語寫作的自傳《跨越希望的門檻》，隨即被翻譯成多種文字在全球各國出版，引起不小的轟動。
84 一四八三—一五四六年，德國威丁堡大學《聖經》科教授，因不滿教會的腐敗，在一五一七年發動宗教改革，創立了一個新的基督教派，稱更正教派或新教。這一事件助長了歐洲現代民族主義的形成，並在原來已經分裂成天主教和東正教的基礎上，最終形成了基督教三派鼎立的局面。

丁文——那種垂死的語言——寫作。

羅馬的神父們愚蠢地以為可以用他們慣常的方式，來打擊這個傲慢的德國牧師，以及其他敢向他們挑戰的作家。他們燒毀了質疑教皇權威的書籍，但是只要想想現在印刷出版的書籍流傳之廣泛，就會知道教會如此作為只是徒勞無功。他們禁止沒有獲得梵蒂岡頒發的許可證的書籍出版，這同樣是個愚蠢的行為，他們無法控制出版正如他們無法控制全世界所有的修道士。一五五九年，他們解除了對一部分書籍的禁令，這可能是世界上最早在文獻方面由消費者引導的行為。當教會發現他們已經被愈來愈多的懷疑者圍攻時，便開始嘗試更加有創造性的態度。十九世紀，教會從天主教教義中刪去了宣稱教皇在信仰和道德方面永遠正確無誤的教條。

隨著時間的逝去，教會這種自以為是的姿態，依然激勵和鼓舞著作家們。提薩·巴拉蘇里亞（Tissa Balasuriya），一位斯里蘭卡（Sri Lancan）神父，挑戰了教會對於原罪和聖母馬利亞的信仰，他認為聖母馬利亞被描繪得過於虔誠和純潔。在他寫的《馬利亞和人類解放》（*Mary and Human Liberation*）一書中，聖母被描寫成一個強壯的農村婦女。書末的附錄中還收錄了一些來自梵蒂岡的信件，解釋了他被逐出教會的原因。

安德魯·格里萊（Andrew Greeley）神父寫作祈禱書或者教義講解之類的書籍，還為《電視指南》（*TV Guide*）和《芝加哥太陽時報》（*Chicago Sun-Times*）撰寫這類文章。他也寫小說，書名一般都是《你兄弟的妻子》（*Thy Brother's Wife*）、《主教之罪》（*The Cardinal Sins*），還有《凡塵》（*Ascent into Hell*）。這些小說的封面，都是充滿血腥、肉慾的調性。格里萊神父接受的是社會學訓練，他調查得出的結論是：天主教徒的性生活比非天主教徒頻繁得多。他還調查了其讀者，並且得出一個令人高興的結論：他書中對性的描寫「並不過火，而且將之與宗教相結合的故事，同時滿足了市場與人們的需要」。還有更好的呢，格里萊所服務的芝加哥教區不接受他的書所獲得的大量版稅。按照格里萊的說法，教會職員害怕梵蒂岡反對他們接受一個寫情色（格里萊更喜歡用「性愛」這個字眼）小說的神父的錢，而且這個神父還對同性戀以及婦女擔任教職，持寬容態度。格里萊神父擁有最佳的世俗和宗教世界。*

從事郵政或其他公共服務事業

一八六五年，詩人華特．惠特曼丟了他在內務部印度事務辦公署職員的工作。內務部的祕書，一個堅定的衛理公會派（Methodist）教徒，並不在乎惠特曼利用工作時間來修改他的《草葉集》（*Leaves of Grass*），但他認為這本書和這本書的作者是邪惡的。不管怎麼樣，被解雇對於惠特曼而言影響不大，他在司法部長辦公室找到了新差事。此外，他被解雇的消息，還為他的《草葉集》發揮

* 為了避免讀者誤以為只有基督教有幸資助作家，有必要說明一下，其他宗教也為寫作提供了好的環境。馬丁．路德的追隨者們一直執著地寫作。歷史學家威廉．曼徹斯特說：「教條主義者堅持上帝用淳樸的語言直接對淳樸的人說話，他們本能地可以理解他，真正的基督徒就應該摒棄文學，甚至閱讀和寫作。」這樣的說法，更加刺激了路德派人文主義者狂怒地寫作，以反對這些保守看法。

了宣傳作用。

威廉·查瓦特（William Charvat）透過對一八〇〇至一八七〇年美國著述業的研究統計，得出一個有價值的資料，百分之六十至七十「近乎職業的」男性美國作家，「得到了或者試圖得到公職」。作家可以輕鬆獲得政府職位的現象，不僅在美國才有。感謝拿破崙，讓亨利·貝爾（Henri Beyle）[85]在他軍隊的後勤部門供職，還當了皇室家具的檢查官。英國戲劇家威廉·康格里夫（William Congreve）[86]在不同的時間裡，擔任過給出租馬車辦理執照的專員、酒稅官和牙買加（Jamaica）島的祕書官。理查·斯蒂爾（Richard Steele）[87]是抄沒財產專員；約瑟夫·愛迪生（Joseph Addison）[88]是貿易專員和國務祕書；愛德華·吉朋（Edward Gibbon）[89]是國會議員，也是貿易大臣。理查·布林斯里·謝雷登（Richard Brinsley Sheridan）[90]也是個國會議員，還是海軍的出納員。卡爾·奧古斯特公爵（Duke Carl August）委任約翰·沃夫甘·馮·歌德（Johann Wolfgang von Goethe）[91]到魏瑪（Weimar）公國擔任樞密顧問，管理軍事、交通等工作。最後當了公國司庫，相當於財政部長。

所有這些公職部門，沒有一個比郵政局給作家們的貢獻更多。郵政事業有大量並且分布廣泛的職位，可以用來「掩護」作家們寫作（一八九六年，僅美國一個國家，郵政業就提供了七萬八千五百個職位）。郵件分類和其他一些例行公事，不太需要集中精力就可以做。職員們還可以看那些無人領取的雜誌，威廉·福克納（William Faulkner）[92]擔任密西西比大學（University of Mississippi）郵政局局長時就是如此。他把他在郵局的辦公室，稱作「閱讀室」。*

在安東尼・特洛普（Anthony Trollope）[93]生活的十九世紀中期，若想得到如此炙手可熱的職位，還必須請託他人幫忙，十九歲的安東尼就是透過他母親的好朋友的公公幫忙，才能進郵局工作，而那個人是郵局的祕書。要想保住這類工作依賴的是他的人脈，而不是他的能力。這助長了一個優良傳統，就是官僚主義的惰性。有位研究郵政系統的歷史學家說：「看來，很多人認為沒能力從事別種工作來養活自己，就是能夠為政府工作的首要條件。」沒能力養活自己，可以作為對一個心甘情願掙扎於寫作的純文學作家的經典定義。

特洛普三十五年的寫作生涯中，有二十年是在郵局度過的，他的寫作事業非常成功。至

85 筆名司湯達（Sendhal，一七八三—一八四二年），法國作家，早年追隨拿破崙。一八一四年波旁王朝復辟，僑居義大利，一八二一年又因義大利政府鎮壓燒炭黨人的起義避禍回到巴黎。代表作有小說《紅與黑》、《帕爾瑪修道院》，文藝論著《拉辛與莎士比亞》等。

86 一六七〇—一七二九年，英國戲劇家，長於創作風俗喜劇，代表作《以愛還愛》、《如此世道》等。

87、88 一六七二—一七二九年，英國啓蒙時期散文作家，曾經與約瑟夫・愛迪生（Joseph Addison，一六七二—一七一九年）創辦《閒談者》（*Talker*）與《觀察者》（*Spectator*）刊物，發表了許多以當時社會風俗、日常生活、文學趣味等爲題材的文章，其清新秀雅、輕捷流暢的文體成爲後人模仿的典範。

89 一七三七—一七九四年，英國歷史學家，代表作《羅馬帝國衰亡史》。

90 一七五一—一八一六年，愛爾蘭戲劇家，代表作諷刺喜劇《造謠學校》等。

91 一七四九—一八三二年，德國作家、詩人，代表作《少年維特之煩惱》、《浮士德》等。

92 一八九七—一九六二年，美國作家，代表作品《喧譁與騷動》、《闖入者》等。一九四九年，「因爲他對當代美國小說付出強有力的和藝術上無與倫比的貢獻」，獲得當年的諾貝爾文學獎。

* 可能這也需要解釋一下，很多有抱負的作家曾經在非官方的郵政局工作過。勞倫斯（D.H. Lawrence，英國作家）離開諾丁漢高中後，曾經在一家外科器材公司的收發室工作，並且獲得進步主義女權論者布蘭琪・詹寧斯（Blanche Jennings）的鼓勵，其在利物浦郵局工作。威廉・薩洛揚（William Saroyan，美國詩人）爲郵電公司送電報。除了當裁縫之外，亨利・米勒還爲西聯電報服務工作，在那裡他寫出了他的第一篇作品。老闆還建議他寫一篇霍瑞修・愛爾傑（Horatio Alger，美國作家）式的，關於郵遞員的小說。

一八八二年去世，他寫了六十部長篇小說（很多是兩到三卷本的長度）、五部短篇小說集、四部遊記、四部短劇集、四或五卷小品文集、兩部對經典作家的研究專著、一部自傳，還有許多尚存爭議的作品。

納旦尼爾·霍桑（Nathaniel Hawthorne）[94]原本想在麻薩諸塞州的塞倫（Salem）謀得郵政局長的差事，但不成功，於是他轉而在海關找了份工作。那裡也是類似官僚主義的例行公事，也是個對作家很有吸引力的職位。在一篇寫他個人經歷的文章中，他說在這個工作職位上，他是喬叟和羅伯特·彭斯（Robert Burns）[95]的後繼者。喬叟在倫敦港的海關工作了十二年，彭斯則在當農夫不成卻成功當上了詩人之後，在海關擔任稅務官。還有其他許多做著討厭的稅收工作的人：羅馬詩人賀瑞斯[96]（Horace，他先是拒絕擔任奧古斯都〔Augustus〕私人祕書的工作，可能因為那份工作要求太高）；尚·德·拉布呂耶爾（Jean de La Bruy re）[97]在康城（Caen）的稅收部門買了個閒職。還有，詩人馬修·普萊爾（Mathew Prior）[98]、威廉·華茲華斯（William Wordsworth）[99]，小說家丹尼爾·狄福（Daniel Defoe）[100]和煽動叛亂的湯瑪斯·潘恩（Thomas Paine）[101]也都曾經在稅務部門工作。

紐約海關是十九世紀七〇至八〇年代，美國最大的聯邦專門機構。它以人才濟濟而著稱的美名，絕不亞於其惡名昭彰的腐敗。赫爾曼·梅爾維爾（Herman Melville）[102]多年來，斷斷續續從事過各種工作，甚至包括在夏威夷的保齡球館打工，最後終於被迫在海關找了個職位。他在海關副檢察官的職位上待了十九年。而泰迪·羅斯福（Teddy Roosevelt）[103]——我們最有文學細胞的總統，把詩人艾德溫·阿靈頓·羅賓森（Edwin Arlington Robinson）[104]安置在紐約海關。

在傳統的利益均衡關係中，政治家之間的守則，就是一個人投之以桃，另一個人就必須報之以李。霍桑就欠了他的民主黨夥伴一份在塞倫海關年薪一千二百美元、每天工作三個半小時的工作。當霍桑要遵照這種政黨分肥制（spoils system）行事時，正好由札查理．泰勒（Zachary Taylor）[105]當了總統，興起一場「改革風潮」把他趕了下來，讓一名輝格黨人（Whig）代替了他的職位。*後來，霍桑為他在鮑登學院（Bowdoin College）時的好友、同班同學富蘭克林．皮爾斯（Franklin Pierce）[106]寫了一篇競選用的自傳。皮爾斯當選總統以後，就安排霍桑擔任美國駐利物浦的領事。而在海斯（Hayes）[107]當政的大整頓時期，紐約海關裁減了兩百名雇員。赫爾曼．梅爾維爾被留了下來，可能因為審查團裡有個研究莎士比亞的學者。不過，從此以後他就必須忍受延長工時了。此前，他們的

93 一八一五—一八八二年，英國作家，曾經在郵政局工作三十三年之久。一生寫作幾十部小說，以多產著稱，主要作品是「巴塞特郡系列小說」。
94 一八〇四—一八六四年，美國小說家，代表作《紅字》。
95 一七五九—一七九六年，蘇格蘭農民詩人，他的抒情詩自然生動、感情眞摯，諷刺詩尖銳鋒利、妙趣橫生。
96 西元前六五—前八年，古羅馬抒情詩人。
97 一六四五—一六九六年，法國作家、思想家，著名作品《品格論》、《論社會的不公正》等。
98 一六六四—一七二一年，英國詩人。
99 一七七〇—一八五〇年，英國詩人，浪漫主義文學的代表詩人。
100 一六六〇—一七三一年，英國作家，以小說《魯賓遜漂流記》聞名於世。
101 一七三七—一八〇九年，出身於英國窮苦家庭，一七七四年在富蘭克林的建議下來到北美，寫作政論文章和宣傳手冊，嚴厲抨擊英國對北美洲的殖民統治，對美國獨立戰爭產生了極大的鼓舞作用。
102 一八一九—一八九一年，美國作家、詩人，代表作《白鯨記》。
103 一八五八—一九一九年，一九〇一—一九〇八年任美國總統，並於一九〇六年因成功調停日俄戰爭，而獲得諾貝爾和平獎。
104 一八六九—一九三五年，美國詩人，曾三次獲得美國普立茲文學獎。

工作時間是從上午十點到下午三點，如今變成了上午九點到下午四點。

隨著工業文明的逐漸發展，政府的外在形式也逐步改變，並最終實現了文官制度的改革。從此，由規章制度而非個人喜好，來決定誰可以捧上這個鐵飯碗。福克納擔任郵政局局長時，正是政黨分肥制開始衰退之時，三年後，他被解雇了。一名郵政檢查官員在報告裡指責他：「你粗暴地對待各類郵件，甚至包括掛號信。還把預付回郵的信件，和所有可能找到其他投遞方式的郵件，都當成死信（dead letter，無法投遞的郵件）全扔到垃圾桶去了。」還有，顧客們必須到垃圾桶去翻找他們訂閱的期刊。

理查·萊特（Richard Wright）[108]更糟糕。一九二〇年代，他還是個懷抱作家夢的年輕小夥子，這個有抱負的小說家極度想獲得一份郵局工作。他在筆試中獲得九十四分的好成績，但是不符合另外一項與文學或郵政工作毫無關係的要求——體重必須達到一百二十五磅。他在狼吞虎嚥了許多脫脂牛奶和香蕉之後，終於達到了這項要求。不過，郵局對他的文學天分不甚重視，後來還是解雇他了。再一次走投無路時，他只好去賣保險，還曾經有一陣子打算參與一場他在郵局工作的朋友所策劃的郵政詐騙。

如今，就像前文圖表裡那張大餅所顯示的，有不少所謂由「政府供養」的作家，為一些旨在改變政府政策方針的激進組織工作。這些煽動者把寫書，當成他們工作的一部分。想當年福克納在局長辦公室後方的小房間裡讀書時，郵局裡盡是些懶散職員，在櫃檯前緩慢行動、呆滯地辦公，如此這般的情景已不復見。

拿書砸他們

除了提到過的華特・史考特和華萊士・史蒂文斯，是從事法律行業的作家之外，詹姆士・鮑斯威爾（James Boswell）[109]也是個律師。而被譽為英國小說之父的亨利・費爾丁（Henry Fielding）[110]，當過出庭律師、地方法官、威斯敏斯特市（Westminster）的地方保安官，而後為管理整個密德薩斯郡（Middlesex）的治安法官。華盛頓・歐文（Washington Irving）[111]在律師界周邊逡巡了八年，一直當名書記官，最後終於被正式接受。艾德加・李・馬斯特斯（Edgar Lee Masters）[112]在芝加哥從事律師工作。安東尼・霍普・霍金斯（Anthony Hope Hawkins）[113]，一位英國小說家兼律師，在打贏官司回到辦公室的路上看到兩個長得非常相像的人，從而獲得小說《詹達堡的囚徒》（*The Prisoner of*

105 一七八四—一八五〇年，輝格黨人，一八四九年宣誓就任美國總統，次年病逝於總統任內。

* 梅爾維爾有一篇短篇小說《巴特勒拜》，敘述一個在「華盛頓郵政局處理死信科室工作的基層職員（誰）——突然在任期內被撤換」的悲慘結局。

106 一八〇四—一八六九年，一八五三—一八五七年任美國總統。

107 全名 Rutherford B. Hayes（一八二二—一八九三年），一八七六—一八八一年任美國總統，上任之時正值美國內戰結束不久，爲改善美國政治、經濟狀況做出許多努力，在打破「政黨分肥」、實行文官制方面做了一些有益工作，開了文官公開考試、擇優錄取的先河。

108 一九〇八—一九九一年，美國黑人作家，代表作《黑人男孩》、《土生子》等。

109 一七四〇—一七九五年，蘇格蘭作家，因爲與英國大作家強森過從甚密，爲其寫作了《山繆・強森傳》，本書翔實逼眞地再現了強森的音容笑貌以及人格魅力，並且標誌著現代傳記的開端，也使得作者的姓氏 boswell 成爲優秀忠實的傳記作家的代名詞。

110 一七〇七—一七五四年，英國小說家，代表作品《湯姆・瓊斯》，小說全書共十八卷，每卷都以作者對小說藝術的討論開始，表現出費爾丁對小說創作的一種理論上的自覺意識。

Zenda）一書的寫作靈感。

近幾十年來，法律行業培植了大量職業作家。路易·奧欽克洛斯（Louis Auchincloss）[114]一九四〇年代，在紐約開始他的律師生涯之後，就陸續出版了長篇小說和短篇小說集，其小說主題大都與法律相關。當年他在著名的蘇立文—克倫威爾法律事務所（Sullivan and Cromwell）工作的時候，其同事約翰·福斯特·杜勒斯（John Foster Dulles）就曾抱怨，奧欽克洛斯總是在工作時間寫作。曾經有短暫時期，這個年輕律師想當個全職作家，然而最終他還是選擇了邊工作邊寫作。評論家約翰·李奧納德（John Leonard）對奧欽克洛斯的評價是，「唯一嚴肅描寫美國工商界——我們國家的統治階層——的嚴肅作家」。

在離我們更近的年代裡，史考特·杜羅（Scott Turow）[115]、約翰·葛里遜（John Grisham）[116]、喬治·希金斯（George V. Higgins）、史蒂芬·馬蒂尼（Steve Martini）、約翰·馬特爾（John Martel）、格里夫·史托克利（Grif Stockley），還有威廉·萊什納（William Lashner），都是從法律轉行到寫作。還有一些律師作家尚未在律師界立穩，就開始寫作了。布萊德·梅爾轍（Brad Meltzer）還在哥倫比亞法學院就讀時，就開始撰寫法律驚悚小說《再次死亡》（*Dead Even*）。

在我們這個好打官司的社會，法律行業顯得愈來愈重要了。如果你還沒有被起訴過，那也只是早晚的事。但是，這不能作為律師作家激增的唯一因素。現在律師數量比作家數量成長得還要快，律師們更需要拓展工作領域。不僅如此，還有許多年輕律師陷入了類似羅伯特·路易·史蒂文生（Robert Louis Stevenson）[117]的困境，他們痛恨自己的職業（作為蘇格蘭法庭辯護律師，他的報酬是四基尼[118]，僅是他花在法學院學費的百分之〇．二）。寫法律小說或非小說類散文，都比寫法律檔案有趣多了。約翰．葛里遜不喜歡寫法律訴訟書，現在他的書都是雇請助手協助蒐集法律資料。

那麼，我們可以把此種情形稱為葛里遜定律：比救護車還快的快速付現法，就是拿到寫書的合約。首先就是杜羅，哈佛法學院的畢業生，一九八七年最暢銷的《無罪的罪人》（*Presumed Innocent*）讓他賺了一大筆。葛里遜的《律師事務所》（*The Firm*，電影《黑色豪門企業》）出版四年之後，他曾說許多律師把工作之外的寫作，稱為在書上找錢，「瞬間律師們休假寫作的風氣像傳染病一樣，風靡了各地的律師事務所」。

法律行業術語為醒目的書名，提供了無窮無盡的可能性。像我們知道的《舉證之責》（*Burden of Proof*）、《失控的陪審團》（*The Runaway Jury*）、《強制證據》（*Compelling Evidence*）、《專家證詞》（*Expert Testimony*）、《無罪假設》（*Presumed Innocent*）、《敵意證人》（*Hostile Witness*）、《利益衝突》（*Conflict of Interest*）。威廉．伯恩哈特（William Bernhardt）一個人的作品，就有《初級審判》（*Primary*

---

111 一七八三—一八五九年，美國小說家、歷史學家，其作品《沉睡谷傳奇》使之成爲美國第一個享譽國際的作家。

112 一八六八—一九五〇年，美國作家、詩人，最著名的作品爲《匙河集》詩集。

113 一八六三—一九三三年，英國小說家，代表作《詹達堡的囚徒》，曾被改編拍成電影，電影譯名爲《古堡藏龍》。

114 一九一七年出生，美國小說家及評論家，重要作品《律師之權》、《威爾遜傳》等。

115 一九四九年出生，檢察官出身的美國作家。

116 一九五五年出生，律師出身的美國作家，作品多爲以法律爲主題的小說、劇本。許多著名影視作品出自其手，如《殺戮時刻》、《絕對機密》、《黑色豪門企業》、《蹺家大作戰》（逃離聖誕）、《失控的陪審團》等。

117 一八五〇—一八九四年，英國小說家，蘇格蘭人，著名作品爲《化身博士》、《金銀島》等。

118 Guinea，英國舊金幣單位，一基尼相當於一英鎊一先令，即二十一先令。

Justice）、《盲目審判》（*Blind Justice*）、《致命審判》（*Deadly Justice*）、《完美審判》（*Perfect Justice*）、《殘酷審判》（*Cruel Justice*）以及《赤裸的審判》（*Naked Justice*），就更不用說《重複起訴》（*Double Jeopardy*，一罪不受兩次審理原則）了。

也有部分律師從不曾考慮過寫作，然而當他們接到一個受大眾與出版商關注的案子時，就離寫書不遠了。奧克拉荷馬市爆炸案的嫌犯提摩西・麥克維（Timothy McVeigh）提請上訴時，要求撤換他的辯護律師。麥克維抱怨他的律師在案子判決之前，簽了一本價值六十萬美元的著書合約。那名律師反駁他從未隱瞞過麥克維他要寫書的志向，麥克維則說：「他要求我為他姊姊珍妮佛找個經紀人，因為他希望讓她來寫一本書，我拒絕了。」

或許麥克維的律師已經知道，罪犯們其實有更多的機會從事寫作，在這方面他們不需要律師的幫助。

服刑

監獄在滋養文學寫作方面，也有著優良傳統。與郵政服務不同的是，服刑的好處在於不會成為改革的犧牲品，監獄改革甚至還促進了寫作。布魯斯・佛蘭克林（H. Bruce Franklin）指出：「到一九七〇年代晚期，監獄文學的興盛如滔滔江河一般，以大量的平裝書、報紙、雜誌以及影視劇的形式，氾濫到了美國大眾社會。」筆會（PEN），一個旨在推動和提高寫作及作家水準的世界文學組織，就為監獄囚犯們主辦了一個年度寫作競賽。

對大部分人而言，監獄是個很令人不愉快的地方。有可能是如此。湯瑪斯．摩爾爵士（Sir Thomas More）[119]被羈押在倫敦塔（Tower of London）時，就不得不放棄寫作，因為獄卒拿走了他的寫作用具。奧斯卡．王爾德（Oscar Wilde）[120]兩年苦役犯的生活摧毀了他的健康。不過，條件好的也是有。最好的，像羅伯．格雷夫斯（Robert Graves）[121]所寫，他覺得自己好像到了賽凡提斯（Cervantes）[122]當年待的地方，「一座老式監獄，在那裡，囚犯們不用砸石頭，不用擇麻絮，不用縫麻袋，付一點點錢，獄卒就會提供給你筆、墨、紙，還有書桌——更別提吃的。」華特．拉雷爵士（Sir Walter Raleigh）[123]在倫敦塔上，不受打擾地完成了他的《世界史》（*History of the World*）。

巴士底監獄（Bastille）對於法國文學有著特殊的意義。一名劇作家曾經描述那裡的食物有：「一碗美味的濃湯，一塊多汁的牛肉，一隻煮得冒油的雞大腿；一小盤醃洋蓟或者清炒菠菜；真正的克里塞恩（Cressane）香梨；新鮮葡萄，一瓶勃艮第陳釀，還有一杯最好的摩卡咖啡。」薩德侯

119 一四七八—一五三五年，文藝復興時期的英國作家、政治家、宗教殉難者。著名作品《烏托邦》。

120 一八五四—一九〇〇年，英國唯美主義作家，代表作有小說《格雷的畫像》，劇本《溫夫人的扇子》、《莎樂美》等。

121 一八九五—一九八五年，英國詩人、小說家，其古羅馬帝國三部曲——《我，克勞狄烏斯》、《克勞狄烏斯神和他的妻子梅薩山利納》和《貝利薩里烏斯伯爵》爲現代歷史小說的經典之作。

122 一五四七—一六一六年，全名 Miguel de Cervantes Saavedra，文藝復興時期西班牙作家，一生曾多次入獄，不朽名著爲《唐吉訶德》。

123 一五五二—一六一八年，文藝復興時期英國作家，也是政治家、航海家。一六〇三年以政治原因入獄，羈押在倫敦塔，一六一六年獲釋，一六一八年被送上斷頭臺。

爵姦淫女人和男人、猥褻少女、鞭打妓女，或者不用鞭子的時候就用刀子，還在十字架上自慰。他被囚禁在巴士底監獄期間，穿著他最好的衣服，在陳設講究的房間裡偷偷寫作他的《索多瑪的一百二十天》（*The 120 Days of Sodom*）和其他作品。他的太太探監時還夾帶色情小說，讓他在不寫作的時候消遣之用。

在監獄中寫作，有一個非常大的好處就是：作家不用擔心錢的問題，也不用為做飯或洗衣服勞神。美國國家人文基金會（National Endowment for the Humanities）中的大量開支，即是使用在這些事情上。一個無期徒刑的判決保護了一切，還提供了平靜與安寧。「於是，那麼多可愛的時間在你面前出現了，」一個當代的監獄作家詹姆士．布雷克（James Blake）說，「有時間可以閱讀、寫作、遊戲、練習，以及凝神思考。」

「我看到文學的光輝照亮了監獄的四壁，」一位法國作家嚴肅地說，「一旦遭到迫害，我會更加有名。」監獄除了給予作家們醜名，也給予他們寫作素材。賽門．蘭蓋（Simon Linguet）[124]寫作了《巴士底的真相》（*The Bastille Revealed*）。儘管在惡劣的條件下，奧斯卡．王爾德還是在獄中寫完了《深淵書簡》（*De Profundis*），緊接著又開始寫《瑞丁監獄之歌》（*The Ballad of Reading Gaol*），他還把這本書獻給了他的一個難友伍爾德里奇（C.T. Wooldridge），此人因為殺害自己的妻子而被判處死刑。王爾德剛開始時，是以他在監獄裡的編號 C3.3 作為筆名。這是他的主要作品中，唯一一部以他本人的經歷為藍本寫作的。詩人羅伯．羅威爾（Robert Lowell）[125]一九四三年因為拒絕在戰時從軍，而被關進監獄。他獲普立茲獎（Pulizer Prize）的著作《威瑞勳爵的城堡》（*Lord Weary's Castle*）

中，即收錄了一首描寫監獄生活的詩歌。

有位學者認為，薩德對那些把他關入監獄的人，所抱持的「強烈而專注的仇恨，把他從一個早期的社會劇作家，和偶爾為之的情色文學作家變得特別突顯」，因此而成了一個偉大的作家。羅伯．達頓則說：「從某種程度上而言，薩德可說是幾乎刺激了法國每一次的前衛運動。」

在經歷了多次毀滅性的金融投機，以及在被稅務局停職之後，丹尼爾．狄福終於被關進了新門監獄。福斯特（E.M. Forster）說狄福：「原本是個忙碌又邋遢的新聞記者，也是個熱情的政客。但是，當他進了監獄以後，發生了很大變化，他凝聚了自己曖昧又強烈的情感，在獄中創造出了《摩爾．弗蘭德斯》（*Moll Flanders*）和《羅珊娜》（*Roxana*）。」小說中的摩爾即出生於新門監獄，母親是個被判處絞刑的小偷。亞歷山大．索忍尼辛（Alexander Solzhenitsyn）[126]被關在蘇維埃勞改營時，開始創作他的第一首詩，他把那裡稱為其「精神誕生地」。王爾德在進監獄之前，批評威爾弗里德．斯卡文．布朗特（Wilfrid Scawen Blunt）[127]是「聰明的打油詩人」，但是自從他進了監獄之後，就轉而稱讚布朗特為「一個真摯的、思想深邃的詩人」了。

多數罪犯在進監獄之前所曾書寫的，就是填支票單，進了監獄以後竟發現了寫作這一職業。法國作家尚．惹內（Jean Genet）[128]，他的成就包括小說《竊賊日記》（*Thief's Journal*），以及偷錢包、

124 一七三六—一七九四年，法國作家、政治家、歷史學家、經濟學家。
125 一九一七—一九七七年，美國詩人、作家。
126 一九一八年出生，俄國作家，一九七〇年度諾貝爾文學獎得主，代表作《古拉格群島》等。
127 一八四〇—一九二二年，英國詩人，其作品以反對帝國主義、同情弱小民族著稱。

囚犯作家一覽

尼爾森・愛格林（Nelson Algren）：在德州阿爾派的蘇爾・羅斯（Sul Ross）師範學院開始寫作，曾在監獄監禁一個月，有時也被稱為「監獄和妓院的詩人」。

金貝克（Jim Bakker）：一個喪失名譽的電視福音傳道者。在聯邦監獄服刑期間寫作《我錯了》（*I Was Wrong*；他的同黨，理查・道奇〔Richard Dortch〕牧師，服刑的時間比他短，但在監獄裡待了十六個月寫了三本懺悔書）。

米蓋爾・德・賽凡提斯・薩維德拉（Miguel de Cervantes Saavedra）：西班牙與土耳其的戰爭期間，第一次進監獄。後來，又在當稅務官時因詐欺罪入獄，那個時候開始寫作《唐吉訶德》。出獄後撰寫的另一本書《貝爾西雷斯和西希斯蒙達》（*Persiles and Sigismunda*），較不為人所知。

約翰・克雷藍（John Cleland）：因為欠債被關進了弗利特監獄，在獄中完成了《一個歡場女子的回憶錄》（*Memoirs of a Woman of Pleasure*），這是比他的《芬妮希爾》（*Fanny Hill*）還要著名的一部作品。後來出版商替他還債，取得了這本書的版權。

阿道夫・希特勒（Adolf Hitler）：一九二三年因煽動啤酒館暴動事件入獄，在獄中口述《我的奮鬥》（*Mein Kampf*）第一卷，由他的兩個獄友記錄整理而成，其中之一就是魯道夫・海斯（Rudolf Hess）。

理查・拉夫雷斯（Richard Lovelace）：在十七世紀的英國內戰中，因為支持國王而入獄。在第一次審判休庭之後，開始計畫寫作《獄中致阿爾西亞》（*To Althea, From Prison*）。

湯瑪斯・馬洛里（Thomas Malory）：十五世紀作家，《亞瑟之死》（*Le Morte d'Arthur*）的作者，多次因為侵吞教堂財產、強姦、詐騙等罪名入獄。去世後埋在新門附近，可能是因為他在獄中過世就近埋葬。

永山則夫（Norio Nagayama）：因殺害了四個人而入獄，在獄中學習寫作，並成了獲獎作家。一九九七年他在東京看守所執行絞刑前的遺囑，是把他最後一部小說的版稅捐給貧困兒童。

塞薩爾・瓦烈赫（Cesar Vallejo）：祕魯詩人，他的傑出詩篇之一《特里爾塞》（*Trilce*）就是蒙冤入獄時完成的。

弗朗索瓦・維庸（Francois Villon）：與馬洛里同時代的法國人，跟他一樣，也經常進監獄。在等待絞刑的那些日子裡，寫出了非常優美的詩篇。不久之後就永遠地消失了。

偷牲畜、逃兵、剽竊、造偽鈔，還有，販賣毒品。他說：「他在監獄裡開始寫作，是為了理清自己的思路，並且自娛自樂。」（有時他也宣稱自己是在少年感化院開始寫作的。）麥爾坎·X利用坐牢時的大量時間自學，就像埃爾德里奇·克利佛（Eldridge Cleaver）[129]所做的，「以寫作拯救自己」。《紐約時報》把克利佛的《冰上的靈魂》（*Soul on Ice*，又譯《獄中人》）評為一九六八年度十大最佳書籍之一。前總統理查·尼克森（Richard Nixon）[130]的忠實擁護者戈登·李迪（G. Gordon Liddy）[131]，即說他覺得腦子裡有一本書，讓他非寫出來不可，而且「想要當個作家，最重要的條件之一，就是必須有很多的時間，在牢裡，我擁有了全世界所有的時間」。

一個多產的作家被關進監獄後，也可能會因為環境的變化而分心減產。英國作家伍德豪斯（P.G. Wodehouse）[132]第二次世界大戰開戰後，還悠閒自在地待在法國，結果被關進了波蘭監獄，那個地方原本是個瘋人院*。在那裡他每天只寫三百個字，然而他在坐牢之前每天至少寫兩千字。最不應該的是，在被釋放之後竟愚蠢地答應了在德國的廣播電臺發布對美國聽眾的談話。嚴格說來，

128 一九一〇—一九八六年，法國詩人、小說家、劇作家。

129 一九三六—一九九八年，美國黑人運動領袖。

130 一九一三—一九九四年，一九六九—一九七四年任美國總統。

131 一九三〇年出生，美國律師，尼克森總統競選團隊的法律顧問，因「水門事件」入獄五年。

132 一八八一—一九七五年，英國小說家、劇作家、詩人，代表作《天下無雙的吉夫斯》等。

* 諾曼·梅勒持刀殺了自己的妻子以後，堅持要去監獄而不肯去精神病院。據他當時的朋友諾曼·波德霍雷茨（Norman Podhoretz）說，梅勒認爲如果他被認定是精神病患者，就不會得到嚴肅對待了。其實他想錯了，既是殺人犯又是瘋人院住院病人的威廉·邁尼爾（William C.Minor），曾經爲《牛津英語詞典》義務提供了一萬多詞條。艾哲拉·龐德（Ezra Pound）在聖伊莉莎白精神病院待了十幾年，這段期間仍然非常多產。

這是一種叛國行為，導致他在戰後又受到了盟國的監禁，這次是關在巴黎的一家婦產科醫院。儘管如此，在其牢獄之災結束時，他已經寫了五本小說，其中有一本是關於他的監獄生活。

而有更多的事例顯示，人們還是會想盡辦法逃避進監獄的。威廉．西德尼．波特（William Sydney Porter）[133]在一家銀行擔任出納時盜用公款，並且潛逃到洪都拉斯（Honduras）。回來時，被判處五年有期徒刑。由於他是領有許可證的藥劑師，因此獲准午夜時分在監獄的醫務室工作，那是個舒適、安靜、適合寫作的地方。他透過同牢房獄友的姊姊將他的作品偷渡出去，化名歐亨利（O. Henry）出版，出獄後又經歷了近十年的酒鬼生涯，最後一文不名地死去。

沛莫笛亞．阿蘭大．拓爾（Pramoedya Ananta Toer）[134]，被公認為印尼當代最偉大的作家，其《普魯島四部曲》（*Buru Quartet*）就是他作為政治犯被關押的時候所撰寫。他被流放到印尼的普魯島將近十四年，在那裡缺吃少穿地做著苦役。一九七九年解除苦役後，又繼續受到大約十二年的軟禁。在這段時間裡，他遭遇到了痛苦的創作瓶頸。一九七九年至今，他的作品僅有一部新近出版的監獄回憶錄《一個啞巴的獨白》（*The Mute's Soliloquy*）、一部中篇小說和少數幾篇文章。據說沛莫笛亞每天花五個小時剪報，他自稱「被資訊所淹沒」，在監獄裡「就不會有這麼多的問題發生」。

不過，對於這些囚犯作家們而言有一個阻礙，美國的司法系統反對罪犯從他們的違法行為中獲利。一九七七年紐約州通過了「山姆之子法令」（Son of Sam Law）。這項法律是以殺人犯大衛．伯科維茲（David Berkowitz）的化名「山姆之子」來命名，這項法律禁止罪犯透過寫作他們的犯罪行為來賺錢。最高法院在第一次修正案上推翻了這一法律，原因是措辭有爭議。紐約州後來又重新修改，禁止的內容包括了「所有從犯罪中獲得的利益」。其他各州也都通過了類似法律，以確保囚犯作家們保持窮困狀態。

如果罪犯們希望透過寫作賺錢，那麼最好的仿效對象就是龍尼．畢格斯（Ronnie Biggs）[135]，為一九六三年火車大劫案（Great Train Robbery）的參與人之一，越獄後先是去了澳大利亞，最後終老於巴西。他說他並未從那場劫案中分得一分錢，他是透過向旅客兜售「龍尼．畢格斯」T恤，以及撰寫他自己的故事來賺錢維生。他拍的一部自傳體電影也賺到了一點錢。他在其著作《孤身在外：我的放縱生活以及火車大劫案的真相》（*Odd Man Out: My Life on the Loose and the Truth About the Great Train Robbery*）裡還說，一些新聞界的紳士們希望他能夠穿上印有黛妃（Princess Di）像的T恤，並就她出訪里約熱內盧發表評論，他們願意為此給他報酬。

133 一八六二—一九一〇年，美國短篇小說家，寫作時以歐亨利爲筆名，擁有一個頗富傳奇色彩的人生。

134 一九二五年出生，印尼作家，著名作品爲《普魯島四部曲》等。

135 一九二九—二〇〇一年，火車大盜，由於參與了英國一九六三年二百六十萬英鎊的火車大劫案，被判入獄三十年，在監獄中待了十五個月後成功越獄，此後大部分時間在巴西生活，並常有驚人之舉，一九七八年還曾經被邀請擔任龐克樂團——性手槍樂團（Sex Pistols）的主唱。爲了回擊主流社會對他的攻擊，二〇〇〇年他在巴西設立了自己的網站。

學術作家

一九九五年，美國政府史上第一次，在監獄上花費的錢比在大學花費的還要多。可以想像，這標誌著文學上的一個轉捩點，儘管事實似乎並非如此。囚犯們可以選擇寫作，或者老實地做好監獄裡的工作。而名正言順地在工作時間裡寫作，是教授們工作性質的一部分。在五十二頁的大餅中，教授們占據了業餘作家的大部分。

大學文化比其他任何一種文化，都更富書卷氣息。那些過度熱愛書本的男女學生們一向成績優異，他們也大多傾向於留在學校一直攻讀到博士。我沒有見過任何一個以培養教授為目的的博士課程，會要求學生必須通過教師資格考試，但他們會要求博士候選人寫一篇博士論文。此種寫作的產量相當大，一般而言平均每年約完成四萬七千篇。出版量也相對地增加許多，通常剛拿到學位的博士們會很快地把他們的博士論文變成一本書。*一個多世紀以來，對書籍如此強烈的興趣，使得教授們確信在人文學科領域，出書是衡量他們能否成為終身教授的唯一標準。他們也試圖使外行人相信，著述出版也是人類最崇高的表達方式。校友通訊經常會有一個專門欄目，用來炫耀畢業生們所出版的新書，但是從來不會有一個欄目用來展示「人壽保險單銷售量」，或者「在裁員中成功保住位子的雇員」。

正常的異常狀態，是學術人生的一大特質。請注意，受雇的人是那些教授，他們的職責就是折磨他們的雇主——那些學生。而且，繼續閱讀這篇文章就會知道，不為賺錢而寫作，被認為是大學裡的一項美德。囚犯們因為政府要剝奪他們獲得版稅的權利而感到失望，而大學裡教員們的信條，則是必須寫那些沒人會買的書，以求保住他們的低薪職位。我曾聽資深教授們說過，在他們評鑑欲申請終身職位的初級教授時，那些有償論文是不被列入考核的。

因此，當我們知道美國作家協會的調查發現，有百分之六十以上的學術期刊，一分錢稿費也不付給作者的時候，就不會感到奇怪了。作協還發現，有將近百分之二十的學術期刊，會偶爾地向提交論文的作者索取「印刷費」。而一些學術出版社，則要求作者提供出版補貼。

從上文敍述就不難理解，在學術界所看到的作家與市場的比率了。找個極端點的例子，我們來看看屬於純學術的學門——哲學。俄亥俄州哲學文件編制中心的統計，稱一九九〇年代中期全美共有一百八十四份哲學期刊，不過美國的哲學家卻有八千五百人，亦即平均一份期刊可以有四十六個哲學家為其寫作。這些期刊的出版社，一分錢也不會付給這些作者。

在這個經濟上超現實的學術世界中，書籍出版的創意經常讓人感到荒謬。我這本書的出版者——路易斯安那州立大學出版社的編輯提到，有些作者建議出版關於希特勒的退休計畫，或者和「石牆」傑克森（Stonewall Jackson）[136]一起作戰的同性戀將軍的書。不過，許多邊緣題目的書籍還是

＊博士論文出版數量增加的速度，相當於書籍出版成長的速度。《論文綜合索引》（*Comprehensive Dissertation Index*）收錄了從一八六一年（美國第一篇博士學位論文產生的一年）到一九七二年的論文四十一萬七千篇；一九七三年到一九八二年三十五萬一千篇。而僅一九九八年一年，美國產生的新博士論文就有三萬九千三百四十五篇。

出版了。美國《高等教育紀事報》（*Chronicle of Higher Education*）中，有個欄目介紹了這樣的新書：《無效禁令：休息與工作時間如廁的權利》（*Void Where Prohibited: Rest Breaks and the Right to Urinate on Company Time*），這是一本討論「為爭取工間休息，以及上廁所權利的合法抗爭」的書；還有《表面問題：在邊緣處閱讀紀實文學》（*Matters of Face: Reading Nonfiction Over the Edge*），這本書討論的是「閱讀和寫作紀實文學與現實性虛構文學之間的區別」。

格林伍德出版社（Greenwood Press），一個專門出版學術書籍的出版社，從來不須費心地考慮是否為書籍加書衣，或是進行推廣促銷。編輯們知道他們的書的銷售對象，只是少數的研究者和大學圖書館，而他們買書也僅是基於學術需要。大學出版社很少會去試圖開拓廣泛的市場，美國書商協會的調查顯示，只有百分之一的圖書業務員來自大學出版社。

不久前，《紐約時報》報導了原本以出版學術書為主的大學出版社迫於生存，開始有了行銷意識。儘管大學出版社正在改變，但是在校園的另一邊，教授們則完全無動於衷。一位年輕學者找不到一家肯出版他的博士論文的大學出版社，《紐約時報》引用了他的話：「我感到萬分驚訝，他們竟然公開地用銷路來判斷一部書稿的價值。」

但是，也有少數學者能夠像那些柔道大師們一樣，以彼之道還施彼身。在意識到學生是個壟斷市場之後，他們開始編寫教材。羅伯．山謬森（Robert Samuelson）的經濟學教材使他致富，他的後繼者——葛雷葛利．麥基（Gregory Mankiw），則因一九九七年出版的《經濟學原理》（*Principles of Economics*）收到一筆七位數的預付款。也有這樣的例證，哈佛大學教授約翰．肯尼斯．高伯瑞

（John Kenneth Galbraith）寫過的暢銷書，不但有經濟學課本，還有其他領域的紀實文學及小說。他曾經承認：「究竟是該把時間用在指導研究生的學術論文上，還是用在我自己的作品上，面對這個問題，我不會感到猶豫。」

用工作時間寫作還有最後一個優勢，有必要提一下。當一個水泥工被解雇時，他就是失業了；但當一個利用工作時間寫作的作家被解雇時，他則是成了全職作家。

尼可洛．馬基維利（Niccol Machiavelli）[137]在為佛羅倫斯的梅迪奇家族（Medici in Florence）服務的時候，每天很認真地寫備忘錄。後來他被拖出辦公室，扔進了酷刑室。出獄後他不知道該做些什麼，於是寫作了《君主論》（*The Prince*）、《李維羅馬史疏義》（*Discourses on Titus Livy*）、《戰爭的藝術》（*The Art of War*），還有許多詩歌及一部戲劇《曼陀羅花》（*La Mandragola*），這部戲劇被稱為義大利史上最偉大的喜劇。再次獲得梅迪奇家族的信任之後，馬基維利受託寫一部佛羅倫斯史。在他生命的彌留之際，曾經在一封信後寫下如此簽名：「尼可洛．馬基維利，歷史學家、喜劇作家，以及悲慘作家。」

一個水泥工的求職履歷上，如果失業時間過長會令雇主感到懷疑；但是，作家的履歷則總是充

136 一八二四—一八六三年，原名 Thomas Jonathan Jackson，美國內戰中，南方聯盟軍最富盛名的將軍之一，在維吉尼亞「牛奔河戰役」中，以其堅持的勇氣獲得了「石牆」的稱號。

137 一四六九—一五二七年，義大利文藝復興時期的政治家、歷史學家、作家。曾經擔任佛羅倫斯共和國執政委員會祕書，負責外交和國防事務。一五一三年，被執政當局懷疑參與了反叛梅迪奇家族的陰謀而被捕入獄，出獄後過著隱居生活，潛心寫作。

足的，這使得作家們可以不費吹灰之力就找到新工作。

好啦，到此為止。讓我們再來談談那些全職作家吧。他們也必須每天勤奮工作，而且不像那些郵政工作者，他們不能時時遊手好閒，否則就要餓肚子了。

寫作工業家

聰明的讀者可能會說：「啊！是的！但是，還有另外一種像米爾凡（Milvain）那樣的作家呀，或者史蒂芬．金（Stephen King）[138]。他們就是依賴寫作為生，沒有其他工作。」但是，其實他們也是雙重身分的作家。工業革命催生了職業作家，他們中的絕大多數想要在這一行獲得成功，就必須像個工業家對待產品般地，看待寫作這件事。他們按照預訂的時間表寫作，日復一日。已故的文學評論家麥斯威爾．蓋斯馬（Maxwell Geismar）曾經告訴我，他強迫自己每天上午都要坐在工作室裡。如果實在沒什麼靈感，就清理打字機。他體認到寫作是一項職業，一個從事這項職業的人不能遊手好閒，否則他就必須餓肚皮。

詹姆士．菲尼莫．庫柏（James Fenimore Cooper）[139]，是美國小說界的第一個賈斯柏．米爾凡。庫柏完全依賴他的鋼筆維持生計，他形容自己的作品「僅僅是商品」。在他三十一年的職業生涯中，平均一年寫作一部長篇，以及二十本其他內容的書、一些雜誌文章。他每天會在固定的時間寫作，不會浪費時間去做無謂的思考。而為了提高效率，他很少修改文章，把校訂工作都留給了出版者和校對者。他也不會因為想把作品寫得更好的強烈念頭，而去修改小說，除非是為了可以多賺點錢的再版而修改。他曾經要求出版社為他的一篇航海故事加價，理由是故事裡還附加了「印第安的內容」。這簡直就像個汽車推銷員吸引顧客去看白色的輪胎壁和皮革內裡一樣。在一八二〇年代，他平均每年有六千五百美元的收入，相當於現在的天價了。

因為報酬是建立在最後產品完成的基礎上，所以寫作從一開始就會不斷地被要求提高生產效率。查爾斯．卓別林（Charles Chaplin）寫自傳時，說他每天口述記錄下來的初稿有一千字，但是最後整理出來的只剩下三百字了。為了提高產量，他想知道其他作家是如何工作的。他很震驚地知道亞歷山大．伍卡特（Alexander Woollcott）[140]十五分鐘就可以寫出七百五十字的評論，在他後來參與的一場撲克牌遊戲中，更被喬治．奚孟農（Georges Simenon）[141]嚇到。奚孟農只要一個月的時間，就可以用蠅頭小字寫出一部小型的長篇小說。卓別林問他為何把字寫得這麼小，奚孟農回答：「這

138 一九四七年出生，美國小說作家，曾被《紐約時報》譽爲「現代恐怖大師」。其小說每次都會成爲好萊塢製片商的搶手貨，至一九七九年，年僅三十二歲的時候，就已經是個億萬富翁。著名作品如《閃靈》（又名《鬼店》）、《刺激一九九五》、《一袋白骨》等。

139 一七八九—一八五一年，美國民族文學的先驅和奠基人，被譽爲「美國小說鼻祖」，代表作有長篇小說《間諜》、邊疆五部曲「皮裹腿故事集」，爲大眾所熟知的《最後的莫希干人》是這五部曲中，最出色的一部。

140 一八八七—一九四三年，美國文學評論家。

141 一九〇八—一九八九年，法國推理小說作家，著名的文壇快手，一生寫過四百多本書（亦有數字說五百多本），包括八十四本馬格雷探案系列和其他小說。

樣手腕才可以少費一點力。」

奚孟農還有其他節省時間的技巧。寫作時，他會掛上「請勿打擾」的牌子，把辦公室的窗簾拉下來，先把五、六支煙斗都填滿菸草，如此可以避免為了填煙斗而打斷寫作。就像職業拳擊手一樣，奚孟農在每次寫作一本書的開始和結束時，都必須稱一下體重。一九二四至一九三一年之間，他撰寫了將近兩百本通俗小說。成年以後，他開始減慢寫作的速度，但這只是相對於他自己的減速。至一九八九年去世時，他的名下有四百多本書。

此外，有些寫作機器也很引人注目。儒勒．凡爾納放棄了經紀人的工作之後，就開始日復一日地勤奮寫作，大約創作了一百多本書。以撒．艾西莫夫（Isaac Asimov）[142]——另一個寫作狂，每分鐘打九十個字，一天寫作十二個小時，基本上沒有休假，而且自稱從來沒有經歷過寫作瓶頸。他書寫了四百多本書，再加上其他文章和短篇小說，出版字量總共大約有兩千多萬字。任何事物對他而言，都能成為一個故事，例如他曾經寫過一篇關於美國書商協會年會的長篇小說。電視節目主持人芭芭拉．華特絲（Barbara Walters）採訪艾西莫夫時曾問道：「如果只剩下六個月的生命，他想做什麼？」他回答：「那我打字得再快點了。」

還活著的多產作家有羅齊．愛儂（Ryoki Inoue），一位巴西通俗小說作家。一九八六年時棄醫從文，主要為西方世界寫作。十年後，他用三十九個筆名撰寫了一千多本葡萄牙文書籍。估計他在車庫裡等待修車工人為他修車的時間，就能寫完一本書。他曾經說：「坦白說，我也不曾看完所有自己寫的書。」

當代資本主義是滋生寫作工業家的溫床，王朔就是中國的一個新生類型，他蔑視馬克思主義為人民服務的口號，自稱「我就是想賺很多錢」。他的書已經銷售了兩百多萬冊，在市場的刺激下，已然成了中國的羅齊・愛儂。他已經撰寫了二十多本被稱為「痞子文學」的小說。

一九四〇年，艾爾默・戴維斯（Elmer Davis）在紐約公共圖書館的演講中說：「在這個國家的寫作產業中，有相當重要的一部分產品不是源自作者所欲寫作的，而是被人們要求而寫的。」也就是說，作家們明白公眾的品味、嗜好，並且用寫作來迎合他們。這也說明了，作家們記得時間就是金錢的至理名言，然而他們應該也要嘗試著在有效的工作時間打卡。

愛儂制定了一個公式，要求自己每天書寫足夠三本書的文字量。一本書的文字內容包括至少五次謀殺、兩個浪漫愛情事件；不超過二十個人物。當這些元素最終組合在一起時，會發生什麼事呢？「爆炸性人物的出現，可以解決許多敘事上的糾葛。」愛儂對《華爾街日報》的記者如此說道。阿嘉莎・克莉絲蒂（Agatha Christie）[143]的推理小說，以及葛蕾絲・利文斯頓・希爾（Grace Livingston Hill）[144]的羅曼史小說，都是同樣的情節一遍又一遍地反覆。

依照此種邏輯推演，公式所有者會迫使其他人不得不加入他們的文字生產線，這就是所謂的

142 一九二〇—一九九二年，美籍猶太人，二十世紀最優秀的科幻小說家之一。「基地」系列和「機器人」系列，是他最重要的作品。其科幻小說中發明的「機器人三定律」，幾乎成了以後所有科幻小說家在寫作機器人小說時，都必須遵循的守則。

143 一八九〇—一九七六年，英國偵探推理小說作家。一生寫作了一百多部小說，被翻譯成多國語言出版發行，其作品在全世界圖書銷量排行榜上僅次於《聖經》和莎士比亞的作品。著名作品有《東方快車謀殺案》、《尼羅河謀殺案》等。

144 一八六五—一九四七年，美國通俗小說作家。一生寫作了一百多部小說，內容大多與愛情、探險以及勵志相關。

「大規模生產」。詹姆士・密契納（James Michener）[145]雇用了三名祕書，還雇了成隊的研究者協助寫作他的那些巨著。助手們審閱並修改他的手稿。他告訴一名採訪者，他讓助手如何幫他找書，「我不會把它們全看完，我只是用一種極快的技巧去讀索引」。他的著作《百年紀念》（*Centennial*）的書評之一，即警告讀者們不要弄錯了這本書的真實面貌，「它不是被寫出來的，而是被編輯出來的」。

最新版本的《烹飪的樂趣》（*The Joy of Cooking*）由三位作家共同創作，分別是已故的艾爾瑪・隆包爾（Irma S.Rombauer）、她已故的女兒瑪麗恩・隆包爾・貝克（Marion Rombauer Becker），以及她們尚在人世的繼承人艾森・貝克（Ethan Becker）。一位《紐約時報》記者說：「修訂版實際上是一百五十位廚師、營養師和作家（其中許多是相當有經驗的食譜作家）的共同成果。」

「如果說石油業有洛克菲勒（Rockefeller），那麼文學界就是史崔特梅爾（Stratemeyer）。」《財富》（*Fortune*）如此評論這位出版了一百三十多本著作的「作家」。從一九〇〇年開始，愛德華・史崔特梅爾（Edward Stratemeyer）[146]，這位長得像達利騎警[147]的紐澤西作家，出版了《哈迪兄弟》（*Hardy Boys*）、《神探南西》（*Nancy Drew*）、《雙胞胎鮑伯西》（*Bobbsey Twins*）、《湯姆・史威夫特》（*Tom Swift*）等許多文學作品。他使用過各種筆名，如：富蘭克林・狄克森（Franklin W. Dixon）、卡洛琳・金恩（Carolyn Keene）、蘿拉・李・霍普（Laura Lee Hope），還有維克多・愛普頓（Victor Appleton）。最初他是自己動筆寫書，後來則是由他構思三頁大綱，再交由那些饑餓的年輕作家們來擴充內容。作為一名品質監督者，史崔特梅爾會做最後的審稿，以確保產品的連貫性。

體認到銷售大量廉價複製品，會比販售少量高價複製品利潤更高之後，一九〇六年，史崔特梅爾勸說一個出版商把每本書一．二五美元的定價改為五十美分。他同時也找到了降低生產成本的方法——每本書只付給作家五十至二百五十美元的稿酬。他在那個一美元就可以上餐廳吃頓美食的時代，每年淨賺五萬美元。

如同十足的資本家一樣，史崔特梅爾匿名寫作，而且要求他旗下的作家也必須如此。作家們與史崔特梅爾財團簽訂協定，保證不向外界洩露他們就是那些筆名背後的真正作者，他們之間也互不認識。史崔特梅爾還有另外一項寫作規矩：每寫作三本書，就得組成一個系列；每本書的第一章要回顧上一本書的內容，好讓年輕讀者們知道他們錯過了哪些精彩內容；每本書的最後一章，都必須能夠吸引人閱讀下一本書的預告。

這個公式運作得非常好，以至於任何人都能做。一九三〇年史崔特梅爾去世後，他的女兒繼承了出版工廠並且繼續經營，利用雇用的作家以及適應時代變化改寫舊書，生產了更多書籍。一九八二年他的女兒去世，多年後，史崔特梅爾財團一年銷售的書籍已高達兩百多萬冊。

還有一種策略，就是把大人物們組織在一起、所謂的橫向合併。也就是，作家們把自己的各項

145 一九〇七—一九九七年，美國通俗小說作家。許多作品在早期被改編成好萊塢電影，如二十世紀五〇年代的《南太平洋》、《櫻花戀》等。

146 一八六二—一九三〇年，美國通俗小說作家。專門針對青少年寫作，代表作品如《神探南西》、《哈迪兄弟》等，都是以十幾歲的青少年為主角。一九〇五年在紐約創建史崔特梅爾文學財團。

147 Dudley Do-Right，一九九九年美國拍攝的喜劇電影。

技能分開，逐一販售。例如，一個職業作家也可能是一個職業讀者。一些人在高知識階層中四處奔走，誦讀自己的詩篇，而一些人則尋求小規模的觀眾。法國詩人保羅・梵樂希（Paul Valéry）[148]在每天的黎明破曉時分，為自己大量寫作，到了一天的正常工作時間即赴哈瓦斯通訊社（Havas News Agency）上班，為那裡的主管審稿，此項工作他做了二十二年。那位主管喜歡聽也喜歡討論十七世紀的散文。威廉・戴維斯（William C. Davis）是專門撰寫美國南方歷史和美國內戰，他所編輯關於美國內戰的書籍，把讀者們重新帶回那個時代，不僅為他自己賺到了大量金錢，還讓他在該學門建立了權威。他也為媒體做通訊記者，同時還是電視系列節目「內戰影像志」的主要發言人之一。

從電視出現之日起，螢光幕後就成了作家們的另一處避難所，儘管這也是個會讓他們感到有點委屈的避難。作家們在進入演播室之前，必須先收起他們對自身的優越感，因為在那裡製作人只會把作家們當雜耍藝人對待。不過，受點兒委屈也是有回報的。班・赫克特（Ben Hecht）——一九三○年代中期好萊塢上千個作家中的一位——聲稱：「我對於在好萊塢的工作不滿之處，是那裡太吵了。幸好，最後四個星期寫出來的劇本，獲得了十二萬五千美元的報酬。」據美國西部作家協會稱，一九九五年從事電影、電視行業的作家們，平均收入七萬二千五百美元。協會的七千五百名西海岸成員中，有四十人在一九九五年一年賺得一百多萬美元。二百人的年收入為五十一萬五千三百美元，一千人至少十七萬六千五百六十美元。威廉・福克納利用保障他經濟的電影寫作空檔，創作了幾本他最優秀的作品。一個電影編劇還可以獲得巨大的聲譽。安妮塔・盧斯（Anita Loos）是第一個在電影中獲得列名的作家，一九一六年改編成電影的《馬克白》（*Macbeth*）上映的時候，她的名字作為共同作者排在莎士比亞後面出現。後來據她說：「如果我要求，他們會把我的名字排在前面的。」

在當代經濟管理的支配下，唯一的現實問題就是，低效率的作家往往比那些高效能的作家更能夠創作出偉大的文學作品。若瞭解《尤利西斯》（*Ulysses*）的創作過程，一定會讓許多哈佛商學院的學生們感到頭痛。詹姆士．喬伊斯（James Joyce）[149]花了七年的時間寫這本書，工作了兩萬多個小時，相當於每天八小時，工作了兩千五百天。有些篇章還修改了九次。相對地，這本書也刺激艾哲拉．龐德（Ezra Pound）[150]建議使用新的紀年方式。把這本書出版後的第一年定為1p.s.U.（post scriptum Ulysses，即「尤利西斯成稿後」）。

148 一八七一—一九四五年，法國詩人，後期象徵派大師、法蘭西學院院士。

149 一八八二—一九四一年，愛爾蘭作家。一生殫精竭慮，完成了六部作品，每一部都是經典的傳世之作，其中《尤利西斯》尤其震撼文壇，被視爲開創了二十世紀現代小說的先河。

150 一八八五—一九七二年，意象派詩人。在美國出生並受教育，獲得碩士學位後即赴英倫，創作生涯的大部分時間在歐洲度過。曾因第二次世界大戰期間公開支持法西斯主義，在戰後被美國政府押回本土受審，經證實有精神疾患之後，在美國的精神病醫院關押了十二年，一離開醫院立即前往義大利度其餘生。

結論

作家，就像農夫一樣，是他們自己最大的敵人。農夫們在收成不好的時候，每蒲式耳（bushel，西方重量單位）稻穀可以抬高價錢販售。當然，他們還是希望透過更努力地工作，以祈求有更多的收成。不過，農夫們可以透過有效的政治手段，迫使政府透過農業補貼來減少他們因為增產而造成的損失。此外，有限的耕地面積，也限制了農夫的人口數量。但是對於作家而言，就沒有這些改善方式了，任何人都可以投身寫作，而且作家們也無法使用政治壓力來為自己爭取利益。

熱情的讀者們大多忽略了一點。他們以為既然允許人們按照自己意願寫作的第一修正案（First Amendment）[151]在這個國家是有效的，那麼所有按照自己意願寫作的人在這個國家，也應該獲得相應的經濟利益。「多說，而不是少說，會是我們這個社會更喜歡的。」第一修正案的律師卡麥隆・德沃雷（Cameron DeVore），對電視觀眾如此說道。

作家們也固執地如此認為。可口可樂公司的擁有人永遠也不會把他們飲料的神祕配方賣給百事，作家們卻會為了一點小錢就把它賣了。小說家約翰・歐文（John Irving）曾經主張，教導寫作技巧的課「對於整個國家的作家們而言，是一種經濟上的需要。對於那些教導這門課的作家們來說，則是在提煉他們寫作生涯中的精華。而對於那些極少數從中受益的學生來講，他們得到了鼓勵和時間，作家——特別是年輕作家——需要這兩樣東西」。

瑪麗恩・尤里（Marion Yule）——小說《新寒士街》的真正主角，是一個多愁善感非常重感情的女子。米爾凡曾經和她有過一段短暫的羅曼史，但是他的邏輯不能為她所接受。尤里說：「我愛書，但是我多麼希望人們能夠為他們已經擁有的感到滿足，哪怕只是一會兒。」

冀望出版商們能夠接受尤里的建議——停止出版書籍幾年——是不踏實的。他們需要出版新書，就像吸血鬼需要鮮血一樣。然而，我們至少可以總結出三則定律來證明，書並不是愈多愈好，而且愈來愈多的文字產品還損害了作家及其作品的品質。

定律一：生產的書愈多，作家就愈難生存

現代書店的經營習慣，是這則定律的一個象徵。隨著愈來愈多的新書出版，書店裡的每種新書都只能放下極少的幾冊，而且還必須全放到架上，以致於書的封面都看不到了。這樣的結果就是，顧客匆匆掃一眼書架上一排排的書背，最後還是被櫥窗裡陳列的那幾本書吸引過去了。賣得不好的書必須退回給出版商，給下一輪書籍讓路。書店的一大優勢，是它們只是被委託售書，作者和出版商無法從退書中賺到錢。

「一本書的有效期限，是出版業最恐怖的現象之一……」錢尼（O.H. Cheney）對國家出版協會說，「最普遍的有效期限是四到五個月。」錢尼說這些話的時候是一九三一年，比起今日激烈競爭的市場，那可算是個溫和的時代了。現在，就像有人開玩笑說的那樣，書籍出售的有效期限和優酪

151美國憲法第一修正案，內容有關新聞、出版自由等，明確提出了國會不得制定剝奪人們言論和出版自由的法律。

乳差不多。

定律二：書的減產不會導致好書的減少

定律一的逆否命題是成立的：每年書籍的減產是會促使好書增加的。經濟學的一個新領域——運動計量學研究發現，參與賽跑的競爭者愈少，選手們的跑步速度愈快。在小範圍內賽跑的運動員會覺得他們獲勝的機會更大，因此會更加盡力。如果運動員在定律一中的環境下參賽，他們大概會在跑道上溜達吧。就像西塞羅（Cicero）[152]曾經說的：「世風日下。小孩子都不聽大人話了，每個人都在寫書。」

定律三：有第二職業的作家們寫作的時間會變少，但可能會有更多話要說

法蘭茲．卡夫卡痛恨在波希米亞王國工傷事故保險公司的理賠部門工作，他也不願意經營家族的石棉製造廠。用他自己的話說，他過著一種「糟糕的雙重生活，除了發瘋沒有其他方式可以擺脫」。但是，對於卡夫卡而言，一切都是卡夫卡式的荒誕；他每天只有上午八點到下午兩點在保險公司工作。就像李奧納多．達文西（Leonardo da Vinci）所說的，經驗「是所有善於寫作的人的情婦」。

喬叟參加了遠赴義大利的外交使團，我們也從中有所獲益，這一次經歷的獲益都表現在他的朝聖故事《坎特伯雷故事集》裡（在佛羅倫斯，他也熟悉了但丁〔Dante〕、佩托拉克〔Petrarch〕，以及薄伽丘〔Boccaccio〕的作品，這些都對他的寫作產生了影響）。梅爾維爾曾經有過四年的航海經驗，收集了《泰皮》（*Typee*，他曾經在玻利尼西亞的泰皮部落生活了一個月）、《歐穆》（*Omoo*）、《白鯨記》（*Moby Dick*）和《白外衣》（*White-Jacket*）的寫作素材。霍桑曾經在塞倫海關塵封的文件中，發現了一件「寫有紅字A的破衣服」，和一則與其相關的故事。因此，將梅爾維爾、霍桑與他們同時代依賴寫作為生的庫柏相比，被認為層次更高。類似的例子還很多。馬修．阿諾德當了三十五年督學的經歷，塑造了他的社會批判精神，為他的詩歌增添了激情。狄更斯（Dickens）[153]在父親因為債務進了監獄之後，就在一家塗料廠打工，這段經歷造就了他那兩部尖銳的作品《孤雛淚》（*Oliver Twist*）和《荒涼山莊》（*Bleak House*）。

艾德蒙．威爾森評論道：「詩人應該去學一項技能，去當個銀行家或者公務員，甚至去參加電影拍攝都是好的。現在美國年輕詩人們的問題，就是他們一點都不瞭解社會。」約翰．葛里遜一直沒有中斷法律工作，即使後來他已經不缺錢了。他說：「完全和法律切斷了聯繫是很可怕的，因為那是我所有靈感的來源。」

「工作際遇愈不好，它對你的寫作就愈有利。」小說家泰德．柯諾瓦（Ted Conover）幾年前曾經在邁阿密大學對一群人這樣說。史坦貝克（Steinbeck）當過農場雇工、運煤工人、百貨公司的售貨員，還在船上當過伙夫，他非常善於生動地描寫勞工。他撰寫第一本書《金杯》（*Cup of Gold*）時，

152 西元前一〇六—前四三年，古羅馬作家、演說家、教育家。

153 全名Charles Dickens（一八一二—一八七〇年），英國小說家，著名作品《孤雛淚》、《雙城記》等。

就在太浩湖（Lake Tahoe）一個有錢人家的莊園裡當了兩年雜工。那裡有個很大的圖書室，還有個附加的好處，在冬天的幾個月裡，可以享受那裡的寂寞荒涼，而這種經歷並不令人感到難堪。他相信貧困刺激了他的創造性，金錢促使他狂熱，即使當錢已經不成問題時亦然。他的一個朋友回憶說，當史坦貝克真的成了個富人的時候，「他還是需要把自己想像成是一個窮人」。

霍桑曾經用充滿嘲諷的語氣說，海關「對於一個朝朝暮暮夢想在文壇獲得聲譽，希冀透過寫作使自己躋身於世界名流行列的人來說，是一個很好的教訓。它使他知道，一旦走出他希冀得到承認的那個狹小圈子，就會發現在那個圈子之外，他所成就的一切或力爭達到的一切，是多麼地一文不值、毫無意義。」他錯了。作家們需要的東西太多，僅從其他作家那裡獲得是遠遠不夠的。

霍華德．嘉納（Howard Gardner）在他的《原創思想》（*Creating Minds*）中，主張人的創造力取決於邊緣狀態，比如身為少數民族就會比較有幫助。艾伯特．愛因斯坦（Albert Einstein）從蘇黎世瑞士聯邦理工大學（Zurich Polytechnic）畢業之後，認為自己未來的大好前途並不在學術領域上，於是就在柏納專利局（Bern Patent Office，在郵政和通信管理局大廈中）找了份工作，身分是三級工程師。他在那裡工作了七年之後，被提升為二級工程師。「一種從事實踐工作的職業拯救了我這樣的人；因為單純的學術生涯會迫使一個年輕人為了發表，而去寫大量的科學論文——這只會使人趨向淺薄，然而這種誘惑只有那些意志堅強的人才能抗拒。」

尾聲

貧困的老里爾登在大英博物館，或者，如米爾凡所說，在書籍的陰影中奮力地工作著。他拒絕撰寫那些為市場訂製的書，因而不得不去作一名低薪職員，這個工作磨蝕著他對寫作的渴望。最後他失去了美麗的妻子，因為她不願意再跟著他過苦日子。為了餬口，賣掉了自己珍貴的藏書，最後因疾病與缺乏食物而死。

米爾凡，一個全職作家，相較於寫出無價的文學作品，他更關心獲得經濟上的保障。他靠著一套理論化機械式的寫作贏得了名譽，還娶了里爾登的寡婦，在她得到一筆來自她叔父的豐厚遺產之後。

那麼，我們從中得到了什麼教訓呢？是否只要心裡還過得去，就必須過著米爾凡那樣的寫作生涯？不是的，里爾登其實也有絕佳機會可以獲得真正的成功和幸福。他可以保住他的妻子以及她所獲得的遺產；他可以寫他自己的書，擁有自己的寫作生涯；只要，他能在郵政局找到一份合適的工作。

市場行銷的藝術

本章所要討論的是：

沒有任何一種商品可以比書籍更容易自我推銷——

而且在我們的市場經濟中，

無情地在市場上販售書籍，就是在販售我們自己。

散文寫作在我人生中受用無窮，也是推動我進步的最基本方法。

——班傑明．富蘭克林，選自他有著謙遜書名的《自傳》

人們經常對我說：「羅恩，你是如何同時發明了麥克風和波沛爾自動麵條機的？它們是如此不同的兩樣東西。」答案很簡單：我一直在研究市場的需求。這是我在各種工作中都行使的信條，市場是一切的起點。

——羅恩．波沛爾，選自他有著自負書名的自傳《行銷煉金術：從發明、行銷到販售的成功指南》

班傑明・富蘭克林（Benjamin Franklin）可說是美國跟文字最有緣的人之一。他的《自傳》（*Autobiography*），被歷史學家卡爾・凡多倫（Carl Van Doren）稱之為「第一部由自己作傳的自傳傑作」。他出版的《窮漢理查的曆書》（*Poor Richard Almanac*）對於美國的史料價值，不亞於普利茅斯岩（Plymouth Rock）。他也出版其他作家的書，並且擁有同業中最好的書店。他組織了費城第一家訂約（subscription library）圖書館，還創辦了「共讀社」（Junto），其成員以一個共同問題為宗旨，即：「你近來讀書有何心得，有沒有什麼精彩的內容可以與共讀社成員分享？」

出版事業促使他每天都必須與文字和觀念打交道，而這些又使得他為自己的新觀點，找到了新的詞句來表達。他也可以被譽為十八世紀的古騰堡，他發展印刷工業，製造了同業中最好的印刷油墨。他是第一個證明閃電是放電現象的人，可能也是第一個在印刷工業中，使用電池、電擊、負電和其他電學概念的人。

富蘭克林是起草《獨立宣言》（*Declaration of Independence*）的「五人小組」成員。作為年輕的共和國外交使節，他出使法國的時候成為社交界名流，尤其在上流社會女性之間大受歡迎。不僅是因為他曾經寫過這方面的文章，還因為他曾經在帕西（Passy）創建了一家出版社，專門出版那些最易吸引女人們看的八卦瑣談。

不過，有個與他的出版業相關的小故事，突顯了他與文字非比尋常的關係。當富蘭克林向一名他認為「非常值得」與之結婚的女性求婚時，他也讓女方的家庭瞭解，他「希望他們的女兒在嫁給他的同時，能夠帶來一筆可以償還其出版社債務的嫁妝」。他們表明沒有那麼多現款，富蘭克林即建議他們用房子抵押貸款。然而，岳父、岳母不答應，富蘭克林的熱情也隨之冷卻了。

富蘭克林在自傳中談論這段愛情故事時，就像他筆下的窮漢理查一樣坦白。理查曾經告訴讀者：「我必須先向各位聲明，我寫這本曆書沒有其他意圖，完全是想給大家帶來一些益處。但是，這樣說似乎只是為了博得你們的好感，有點不太誠實。如今的人都聰明絕頂，不會因為聽了別人的自吹自擂就上當受騙，不論使用多麼華麗的辭藻。還是實話實說吧：我是個窮光蛋。」

有很長的一段時期，曆書是出版商賴以為生的產品。一六三九年，美國出版量排名第二的，就是航海曆書。富蘭克林之所以撰寫《窮漢理查曆書》，是因為他自己就可以寫得很好，而且進行這項寫作的作家們稿費索取得太多了。這本書的第一版在一七三二年出版，印刷了兩次，銷售了一萬冊，在當時是非常大的數字。他非常睿智地為隨後出版的曆書，取名為《致富之道》（*The Way to Wealth*）。富蘭克林相當懂得「生意」（business）這個詞的涵義，他在推廣自己發明的新式火爐時，在他所創辦的美國哲學學會的期刊上為自己做廣告。廣告詞是這樣寫的：「我普通的房間，我知道，比過去暖和了兩倍，但消耗的木柴，則是過去的四分之一。」富蘭克林曾經在賓州撰文宣傳紙幣的優點，而後立法機構決定印行部分紙幣時，他得到了這份工作的合約。他承認：「這是我從寫作中得到的又一個好處。」

賀瑞斯曾經說：「許多英雄人物被湮沒在無盡的黑暗中，無人哀悼，無人知曉，因為缺少一個歌頌他們的詩人。」富蘭克林是他自己的詩人，儘管他的身分在今日會被稱為行銷顧問。他發明避雷針的時候，即寫了篇與此相關的文章。這篇文章被倫敦皇家學院看到之後不久，他就被推舉為院士。當他和其朋友們想要在費城組織一個消防隊時，他立即寫了一封信給自己，並且刊登在他所辦的《賓州公報》（*Pennsylvania Gazette*）上。他在倫敦當學徒時就學會利用自己善於寫作的特長，來吸引富有影響的朋友和權力。

從文字意義上而言，富蘭克林是美國最早的「推銷員」（commercial）。遠在歐普拉（Oprah）[154]把文學推向大眾之前，富蘭克林已經本能地意識到，文字生意為他的書和其在市場上提供了無窮的可能性。歷史學家傑克森．威爾森（R. Jackson Wilson）指出，班傑明．富蘭克林是「第一個從寫作中名利雙收的美國人」。

關於市場本身具有的能力，可能有一點是富蘭克林不曾考慮到的，那就是：它可以發展到何種程度。富蘭克林那個時代的人，或許會欣賞窮漢理查坦言想賺錢的淳樸直率，因為他們有共同的目標。而且這樣的誠實，也證明了他們所買的這本書的真實質量。不過，要感謝文字生意中富蘭克林那些無情的後繼者們，誠實不再管用了。許多現代讀者在看了富蘭克林對於生意目的的坦白陳述之後，可能會覺得這是個騙局。就像如今的投票者一樣，他們只往壞處想，而且即使他們沒有這樣想，也被迫必須這樣想。

富蘭克林時代的圖書出版業，在文字質量和市場性兩者之間取得了一種平衡。但是，現在

154 美國著名脫口秀電視節目主持人，自一九九六年主持「歐普拉讀書俱樂部」（Oprah's Book Club）以來，所有她在節目中介紹的書都會立即暢銷，加印至幾十萬冊。

這種平衡狀態已經不存在了。舉一個眼前的例子，現代版的富蘭克林——萊斯特．偉門（Lester Wunderman）[155]。偉門最近在他的自傳《直打正著：直效行銷之父偉門發想之旅》（*Being Direct: Marking Advertising Pay*）裡，談論了他的故事。在第二次世界大戰期間，也就是他職業生涯早期，偉門「發現一本很少人購買的書」，並且成功地推銷了它。那本書就是《我曾經是希特勒的醫生》（*I Was Hitler's Doctor*），應該是一個逃離了納粹德國的醫生所寫的。由於這本書存在了許多疑問，書的作者也阻止《紐約時報》為之寫書評。但是，這些問題並未給偉門帶來麻煩。他回憶道：「我的工作就是賣書，而且展望前景令我感到非常興奮。」他把廣告詞設計得像社論稿一樣，再透過電臺廣播宣傳，然後以直接郵購的方式出售。最後，他非常驕傲地告訴我們，他把那本書推上了暢銷書排行榜。

銷售量是新的趨勢

哈利．謝爾曼（Harry Scherman）在一九二六年創辦了「每月一書」（Book-of-the-Month）俱樂部。作為售書策略改革的一部分，他成立了一個選書委員會，由一群著名的飽學之士組成。委員會可以完全自由地制定他們的選書原則，即使選擇的書有時過於普通，但委員會可以保證其內容符合俱樂部的閱讀水準。

目前是由時代華納（Time Warner）接手管理這間俱樂部。在其經營下，市場銷售人員首次和編輯們一起坐下來為選書做決定。業務員的地位提升了，俱樂部的飽學之士們卻沒有。

如本書的附錄A所顯示，書籍總是會適時地自我推銷。但是在當今社會，市場性具有壓倒性的作用。一位管理顧問說：「過去擺在書店櫥窗裡的，是大作家的簽名書，現在擺的則是銷售排行榜上的書。」

過去，主要的出版者通常本身就是個文學家，套用他們自己的話說：「沒有能力從事那些瑣碎或者浮華的事情。」雖然如此的自我評價有點言過其實，但當時的出版社就是由這些人負責，就像公共關係學的先驅人物愛德華·伯奈斯（Edward Bernays）所說：「那些古板的老字號公司都把生意當作神聖的儀式在進行。」他們為了突顯自己的產品與別人不同，就把九九折降至九四折（例如把二十四·九九美元降至二十四·九五美元）。儘管「出版社」這個名詞還保留至今天，但是出版者同時經營印刷廠的新形態模式，也已經成為今日龐大娛樂集團中的構成要素。現今的出版商們，不會為了應否加五分錢把價格變成二十五美元，而猶豫不決。

一九七〇年代中期，大約有五十家出版商控制著百分之七十五的成人圖書市場。到了一九九〇年代末期，則由七家出版商控制這百分之七十五的市場。一名沮喪的圖書業經理將這種情況稱為「著述工業聯合企業」（The Literary-Industrial Complex）。一九九八年，一家德國媒體公司——貝塔斯曼（Bertelsmann），花費了十四億美元收購了藍燈書屋（Random House），又合併了班坦、雙日、戴爾

155 美國偉門行銷顧問公司的創建人和總裁，被譽爲世界直銷之父。

（Bantam Doubleday Dell），使三家出版公司整合成班坦戴爾出版集團，以增加其流行出版品版圖。同年，藍燈書屋名列《出版人週刊》（*Publishers Weekly*）精裝書暢銷排行榜榜首，而班坦戴爾出版集團則位居第二。合併之前，它們在平裝書的暢銷排行榜上分別為第三名和第一名。貝塔斯曼的其他資產還包括雜誌，比如德國的《明星》（*Stern*）、美國的《父母》（*Parents*）；報紙；美國線上（AOL）、邦諾網路書店（barnesandnoble.com），以及其他線上服務公司的股份；唱片公司，如RCA；電視臺，包括全歐洲最大的；文學公會（Literary Guild）、雙日讀書俱樂部（Doubleday Book Club），和其他一些擁有兩千五百多萬全球會員的讀書俱樂部；還有（即將建成的）養豬廠和養雞廠。

當所有的生意都順利運轉時，經營者們的心情就像小孩子在玩大富翁遊戲時吃到甜頭般的興奮。一九九四年，維康集團（Viacom Corporation，或稱衛康）宣稱他們握有派拉蒙傳播公司（Paramount Communications Corporation）旗下出版部門的大部分股權，因而將以其出版的一本書名「賽門舒斯特」（Simon & Schuster）作為公司名稱。「賽門舒斯特」出版公司旗下包括同名出版社，以及袖珍圖書出版社（Pocket Books）、史克里布納出版社（Scribner's）、獨立出版社（Free Press）、學府出版社（Prentice-Hall）、試金石出版社（Touchstone）、MTV圖書出版社（MTV Books）、家庭出版社（Fireside）、美國麥克米倫綜合文獻出版公司（Macmillan General Reference USA）、喬西—貝斯出版公司（Jossey-Bass）等。

與此同時，傳媒業的巨頭培生集團（Pearson）旗下的英國企鵝出版社（Putnam Penguin），原本也是兩家不同的出版公司被合併在一起，又兼併了原屬時代明鏡公司（Times-Mirror）的維京出版社（Viking）和新美國人圖書公司（New American Library），以及原本屬於荷蘭人的達頓唱片公司（Dutton）。掌控了音樂製作的龍頭地位後，培生集團又宣布要買下賽門舒斯特公司的教育和文獻出版部門。他們旗下還擁有其他一些出版公司，像紋章經典叢書出版社（Signet Classics）和青少年日晷叢書出版社（Dial Books for Young Readers）。在出版界這樣的潮流下，哈潑柯林斯（HarperCollins）的新聞集團（News Corporation），也在一九九九年併購了原屬赫斯特媒體集團（Hearst Corporation）旗下的雅芳圖書公司（Avon Books）和威廉·莫洛出版公司（William Morrow & Company）。

當然，圖書公司的經營者們所花費的都是股東的血汗錢，這些股東們看資產負債表肯定比看自己出版社出版的書還要認真。藍燈書屋的鮑伯·盧米斯（Bob Loomis）對美國有線衛星公共事務臺的布萊恩·蘭姆說：「如今最重要的事情就是金錢，我們談得最多的就是它。」

以前，編輯們樂於提供機會給一個頗具希望的作家，即使他是第一次寫作；但是現在，編輯們面臨著必須立即賺到錢的壓力。企鵝集團維京出版社的編輯主管唐·世榮（Dawn Drzal）即說：「不再有所謂微幅成功這種事了。」貝塔斯曼的行政主管則反駁說，因為他們的公司是私營性質的，所以獲利的壓力要小很多。儘管如此，他們的首席財務長還是說：「市場不會為一個作品沒人看的作家的生計負責。」他指的是初版賣到四千或少於四千冊的書，即使是題材範圍狹小、有意義的書或者處女作，都一視同仁。

貝塔斯曼一九九八年買下藍燈書屋時，曾經設想要擺脫華爾街短期結算的影響，聲言不會影響其各類圖書出版部門的獨立性。但是到了一九九九年，它就宣布將把這些部門整合成一個聯合組織了。正如藍燈書屋的總裁彼得・歐森（Peter Olsen）所說：「這不是一次成本導向的運作，更多是因為市場的效力。我們有太多的出版社在為有限的書架空間，以及大眾有限的購買力和閱讀而競爭。問題就在於如何讓上述情況更有效果，這就是驅動力。而我們所要做的，就是提高銷售量。」

霍特出版社（Holt）可說是眾多具有悠久歷史的出版公司中的象徵，最早依照華爾街的標準修正其導向的。自一九四九年起擔任其總裁的埃德加・雷格（Edgar Rigg），同時也是史丹普公司（Standard & Poor's Corporation，或稱標準普爾公司）的副總裁，這家公司的經濟資訊及其分析對市場具有領導作用。自他接管霍特出版社之日起，他就宣布要把公司經營成「一個現代化的企業，而不是一個文學茶會」。一九五九年霍特收購了蘭哈特（Rinehart）和溫斯頓（Winston），並且令人稱羨地登上了紐約股票交易所。不過，風水輪流轉，一九六七年，霍特被美國哥倫比亞廣播公司（CBS）收購。

當年雷格向出版業引進部門預算和現金流量預測的概念時，也正是雙日出版公司教書商們使用一個公式，來決定每種書該進貨多少的時候。這個公式，是愛坡（R.W. Apple）於一九六〇年為《星期六評論》（*Saturday Review*）寫的一篇文章中所提出的，後來被一位德國數學家用來「預測未來二十年，普魯士騎兵中被馬踢死的人數」。愛坡指出，當這類商業公式被引入之後，發貨倉庫的書都銷售一空，「這難道不是對編輯們的一種激勵嗎？不是能促使他們發掘更多的暢銷書來填滿發貨倉庫嗎？」答案當然是：是的。

還有一個類似的轉變，是用新部門取代原來出版商們的後端業務。貝克—泰勒（Baker & Taylor）

和英格朗（Ingram），這兩家公司掌控了圖書發行，而其主要銷售對象，則是鮑德斯（Borders）和邦諾（Barnes & Noble）兩大圖書連鎖書店。一九九八年邦諾曾經試圖花六億美元買下英格朗，以使這種合作關係更加密切。不過，次年這項買賣似乎與聯邦貿易委員會之間有些衝突，於是邦諾展開了他們的「B計畫」。「B計畫」的內容，就是透過在內華達州和田納西州營建倉儲式書店，來擴大他們的銷售系統，並且把那六億美元用來購買他種物品。美國有一半以上的讀者在這些巨型書店裡購書，獨立書商都消失了。從一九九一年到一九九八年，美國書商協會的會員人數減少了百分之四十五。

不要忘了作家和他們的經紀人。那些專寫暢銷書的全職作家各個都像個企業管理碩士（MBA），不像是讀文學或者學歷史的。許多作家的專題討論會議，都是和娛樂主管共同開的會議，就說明了這一點。好萊塢經紀人麥可・奧維茨（Michael Ovitz）在一九九八年曾說：「我現在所經紀的作家，被我稱為『克蘭西品牌』（Clancy brand）。我覺得有些作家的名字其實就是個商標，對待這樣的作家應該比對其他普通作家要有所不同。」

所謂不同的待遇，就是其所能獲得的金錢。商業出版社不會負擔不起一位名牌作家的費用，即使是六位數的預付款。史克里布納出版社給史蒂芬・金的《一袋白骨》（*Bag of Bones*）付了兩百萬美元的前期款（不能說是預付款，因為這筆錢不計入將來的收入裡），還在合約中寫明將來賣書的利潤，必須分給他百分之五十五（比起其他普通作家們是非常、非常多）。此外，他們還必須負擔：分發給圖書銷售人員的樣書以及有聲書（錄音帶或光碟），為這本小說創建一個官方網站，並且編寫登錄指南，還有其他大量投入促銷的資金。

媒體分析師雷歐．博加特（Leo Bogart）指出：「即使擁有最善良的目的、毫無瑕疵的個人品味，以及最高的智慧，以追求合理利潤為目的的專業管理人，都必須把他們公司的產品視為獲取利潤的工具。」也就是說，在今天的文字生產工業中，經營者們把書和寫書的作家，都視為可以擠出鈔票的奶牛，並且用精心炮製的方案在他們身上榨取鈔票。

專營羅曼史小說的出版社，也都是有專門的創作指南，給作者們制訂的寫作計畫連字數都規定好了。例如，禾林羅曼史（Harlequin Romance）的寫作提綱，就要求每部五萬五千字，還強調這五萬五千字的內容必須有「熱烈又溫柔的情感，不可以有直接的性愛描述；做愛只能在兩名主角都認可的情況下發生」。禾林誘惑（Harlequin Temptation）系列的字數要求，比前述的要多一些（約六萬），內容要火爆一些（必須「男人和女人當天就墜入情網」）。而禾林歷史小說（Harlequin Historical），則「不接受一九〇〇年以後的故事」，醫學羅曼史則要求小說中至少有一個人物是個醫藥界的從業人員。

上一章提到過出版湯姆．史威夫特系列的愛德華．史崔特梅爾，現代版本就是喬治．恩格斯（George Engels），他如今執掌圖書創作公司（Book Creations Incorporated）。恩格斯把他的公司稱做ＢＣＩ，看起來更像是一家銀行名字的縮寫，尤其當你意識到這是一家跟金錢打交道的公司，而且全套服務都是為了這一個目的時更會如此感覺。ＢＣＩ的業務涵括了書籍出版過程的各方面。他們雇用寫手「按照公司所創意並獲得出版商認可的大綱來寫作」，他們設計和操作整個出版印刷流程，並且「開展宣傳活動以加強出版商的廣告效果」。BCI出版的四百多種圖書中，極為賺錢的一套書就是約翰．傑克斯（John Jakes）[156]的《肯特家族編年史》（*Kent Family Chronicles*）系列叢書。「我們比較喜歡以叢書系列的形式出版，」喬治．恩格斯在他自己的促銷文宣裡如此說，「因為這樣會擁有一個基本讀者群，他們會忠實地不斷來買下一本書。」湯姆．史威夫特走了，換空降部隊登陸。

「一位作家寫的每一本書，都有潛力成為一樁好生意。」這段話是湯姆．克蘭西的經紀人——威廉．莫瑞斯（**William Morris**）經紀公司的羅伯特．高特利伯（**Robert Gottlieb**）所說的。克蘭西名下的高科技反恐小說「作戰指揮中心系列」（Op-Center Series），並不是他自己所撰寫。他只是提供「策略上的指導」，對於作品而言這並未有任何影響，不過以他的名字作為品牌放在封面上，對於出版商來說，就意味著大把鈔票的增加。

小說家奧莉薇．葛斯密（**Olivia Goldsmith**）[157]曾說：「你可以把一份手稿當成一本書來賣，也可以翻譯成多種語言，或當電影劇本來賣，或者賣給期刊、報紙連載，再或者灌製錄音帶做成有聲讀物。不要因為我現在沒這樣販售我的作品，就以為我以後也不會這樣做。這就有點像房地產，當《大老婆俱樂部》（*The First Wives Club*）這樣一本書成為一個奇蹟時，我的其他作品也跟著沾光，都

156 一九三一年出生，美國暢銷小說作家，善於書寫家族歷史傳奇，以大部頭、多卷本的形式，透過描寫移民家族幾代人的經歷，來表現其所稱頌的美國精神。本文中提到的《肯特家族編年史》就是其代表作，全系列共八卷。

157 一九四九—二〇〇四年，美國暢銷小說作家。作爲一名女性作家，她的作品也多以女性題材爲主，著名作品如《大老婆俱樂部》、《突如其來》、《暢銷書》等。

增值了。」

她在接受《紐約時報》經濟版的一次採訪時，就說：「實際上，我是在經營一筆一百五十萬美元的生意。」

艾德加・萊斯・波羅斯是首批看到把個人寫作營生，擴大成企業集團的人之一。一九二三年，這位寫了二十五部人猿泰山（Tarzan）系列小說，以及不下於五十部探險故事的作家，創辦了艾德加・萊斯・波羅斯有限責任公司（Edgar Rice Burroughs Incorporated）。他也像其他許多企業家一樣，做了一個相當糟糕的決定，把其家庭成員列入薪資表裡。也像其他成功的企業家一樣，他還不斷地在尋找新機會。除了把他的寫作擴張成企業，還投身房地產、經營牧場、賣泰山雕像和泡泡糖，當然還有電影。這項事業的經濟潛力，是由和他同時期的盧・華萊士（Lew Wallace）偶然開發出來的。

一九〇七年，華萊士贏得了一場訴訟卡蘭（Kalem）電影工作室的官司，因為他們將華萊士的小說《賓漢》（*Ben Hur*）搬上了銀幕，卻沒有支付他版權費。卡蘭被勒令賠償華萊士兩萬五千美元。自此之後，好萊塢原本的一片崎嶇小徑透過白紙黑字變成了通衢大道。在尋找好的電影素材的競爭中，電影製片廠的經營者們選擇他們有可能會拍成電影的書，甚至在作者還未寫完時就把版權買下來，甚至作者還沒開始寫，他們就已經預購了。製片商們曾經只看過一份十九頁的大綱，就付了一百萬美元的預付款；也曾經為一份十六頁的計畫書，付了一百二十萬；還有一次，是一封兩頁的信，付了一百二十萬。而在這場賭注中所下的本錢，會在票房中非常漂亮地贏回來。一九九四年，票房排行前十名的電影中，有三部都是依據書籍改編而成，分別是克蘭西的《迫切的危機》

（*Clear and Present Danger*）、安・萊絲（Anne Rice）的《夜訪吸血鬼》（*Interview with the Vampire*）和溫斯頓・葛魯姆（Winston Groom）的《阿甘正傳》（*Forrest Gump*）。

隨著時間推移，如今出版商們對於影視改編的可能性，已經變得極度敏感。一旦有出版商認為一本書有可能被推上銀幕，這本書就會立即升值。藍燈書屋在勉強的情況下，給了約翰・達頓（John Darnton）的新書《尼安德塔人》（*Neanderthal*）一個出版機會。而在好萊塢表示了對這本書的興趣之後，原本不打算出精裝本的出版商突然換了一副嘴臉，花了五十萬美元買下這本書的平裝本版權。藍燈書屋「正確地」預測這本書會大賣——至目前為止書店裡還沒有看到此書。當時是一九九六年，史蒂芬・史匹柏（Steven Spielberg）支付了一百多萬美元買下這本書的電影版權，不過看來，至目前為止他也絲毫沒有要開拍的意思。

作家們經常要壓抑自己的驕傲，容許電影公司修改他們的書，就像路易士・拉莫（Louis L'Amour）對他的西部小說的態度。他的兒子後來回憶說：「我爸爸曾經說，這就像賣房子，只要人家願意就有權利重新裝修。」有些電影製作公司不滿足於僅是換個窗戶，他們還要拆了屋頂重新蓋起。海倫・格利・布朗（Helen Gurley Brown）的非虛構作品《單身女孩和性》（*Sex and the Single Girl*），被拍成一部虛構的電影，布朗說：「娜塔莉・伍德（Natalie Wood）把我演得像個精神病醫生！」當然，她絕對不是個精神病醫生。「湯尼・寇蒂斯（Tony Curtis）、亨利・方達（Henry Fonda）和洛琳・白考兒（Lauren Bacall）也在這部戲裡。我對於劇本實在是無能為力。我那聰明的老公就說，拿了錢就趕緊閃人了吧。」

最初，製片廠以暢銷書為基礎改編成電影，是因為他們需要素材，而且這些書本身已經擁有一批讀者可以成為電影的觀眾，還因為買這些已經出版的書的版權比較有法律保障。如今這套公式已經過時，改由電視和電影引領著圖書出版。一本三百多頁的《拍賣蘇富比》（*Sotheby's: The Inside Story*），必須在封面上聲明「六十分鐘內可以看完」。想知道電影《鐵達尼號》（*Titanic*）是怎樣的一樁絕佳大買賣，就來看看哈潑柯林斯出版社的相關產品吧：

- 《詹姆士．柯麥隆的鐵達尼號》。「在導演一絲不苟的要求下，成千上萬的藝術家和工匠們共同重現了這『夢之船』的奇蹟。」書的開本如同電影銀幕般，還配了一百七十五張彩色照片，感覺更像是一部電影，而不是一本書。
- 一九九九年的鐵達尼號掛曆。有個德國讀者在亞馬遜網站（Amazon.com）上說：「我迫不及待地想趕緊買到它，那上面有許多關於真正的『鐵達尼號』船上的引人注意的事實，還有重要的日期。」
- 詹姆士．柯麥隆（James Cameron）的鐵達尼號電影海報。「十二張精緻的彩色海報。」
- 《鐵達尼號：詹姆士．柯麥隆的插圖劇本》。
- 《鐵達尼號全記錄》。一套「二十四幅設計精美的演員劇照……非常適合裱框懸掛。」

和鐵達尼號相關的出版物要是都列出來，可能有一座冰山那麼高。有一本食譜名為《鐵達尼號上的最後晚餐：來自這班輪船上的菜單和烹飪手冊》（*Last Dinner on the Titanic: Menus and Recipes from the Great Liner*），還有一份國會針對這次沉船事件的聽證會檔案的再版，《鐵達尼號慘劇：一九一二年參議院調查報告的官方文稿》（*The Titanic Disaster: The Official Transcripts of the 1912 Senate Investigation*）。《洛磯山新聞》（*Rocky Mountain News*）的編輯派蒂‧索恩（Patti Thorn）針對鐵達尼號的出版熱潮評論道：「其實鐵達尼號的沉沒，也並非只是個慘劇。」

麥可‧林頓（Michael Lynton）是現任企鵝出版社的主席和執行長，之前則是迪士尼好萊塢影片公司的總裁，這似乎是一件順理成章的事情。他在迪士尼就職之前取得企管碩士學位，還在華爾街當過一陣子投資銀行家。「他體認到以媒體駕馭媒體的價值所在。」一位很欣賞他的天才經紀人傑夫‧柏格（Jeff Berg）表示，「如果你在一個領域中已經擁有一定的資源，比如書，那麼你就可以把你的品牌擴大到其他領域。」林頓把他的經營策略稱為「書＋」（books plus）。

在這個「書＋」的世界裡，愈來愈難分辨到底是先有書的出版，還是先有電影的播映。一九九六年迪士尼拍攝了用真人、真狗演出的《一〇一忠狗》（*101 Dalmatians*）電影，上映同時，與新電影有關的書籍、舊版動畫片的「新書」也一併同步上市。不僅如此，一九六一年動畫版影片當時所出版的「舊書」，也再版了。如此一來，市面上就有好幾種不同版本都聲稱是原作，以致書市一片混亂。

在環球影城（Universal City）裡，就能明顯地看出書籍在製片公司心目中的地位。環球影城是個位於洛杉磯郊區的電影主題公園，原址是老環球電影公司的廠址。那裡的書店有個小架子，擺著三十幾種書，其他充斥在書店裡的，都是些和電影相關的產品或無關的雜物，還有糖果。

多如牛毛的有線電視頻道為書籍的推廣和創新，同樣提供了無限的可能性。賽門舒斯特為年輕人出版了天氣頻道的書籍；袖珍圖書出版社，則出版和喜劇中心頻道（Comedy Central）播出的《南方四賤客》（*South Park*）相關的系列書籍。袖珍圖書出版社原來為賽門舒斯特所有，現在維康集團旗下，也擁有MTV公司，出版MTV圖書。黑人娛樂電視臺（Black Entertainment Television）買下蔓藤花紋出版社（Arabesque），出版了一系列非洲裔美國人的羅曼史小說。按照總公司維康的統計資料，到一九九八年初為止，賽門舒斯特已經由「尼克奧迪恩兒童頻道（Nickelodeon programming）出版了八百五十萬冊圖書」。AE傳記出版社（A&E Biography）專門出版與各種名人相關的書籍，尤其賴瑞・佛林特（Larry Flynt）的傳記賣得特別好，原因就是電影《情色風暴1997》（*The People Versus Larry Flynt*）在當年與這本書同時發行。

同時擁有多項娛樂產業的所有權，有助於推動此種所謂的「協同作用」（synergies），這個名詞已經在各種商業會議中濫用，就像尼克森在白宮時無時無刻地提起「國家安全」這個詞一樣。例如，維康集團擁有袖珍圖書出版社全部和喜劇中心頻道一半的股份，而迪士尼則同時擁有海柏利昂公司（Hyperion）和ESPN電視臺，並且為其安排類似的出版計畫。

在這個新世紀的開端，行銷已然成為一種信條，反之亦然。電視福音傳道人派特・羅伯森（Pat Robertson）和其基督教廣播網（CBN）正在出售《聖經》的新譯本，這是有經濟利益的。這個譯本文字通俗簡單，還用了很直接的名字《聖書》（*The Book*）[158]。羅伯森和其同事們製做了一些鈴鐺（「搖動我，敲擊我，翻轉我，改變我，釋放我，讓我去看，去看那《聖書》」）。廣告預算是七百萬美元，包括促銷的日曆和寫有《聖書》摘錄的門環掛飾，還有大量資金製作音樂CD和電視廣告。出版這本書的宗教出版社的一位高階主管說：「與美國交流思想是非常昂貴的。」

名人效應

正如每個人都知道的，電影和電視的興起助長了美國的名人文化，幸運者可以上媒體，不然就當個沒沒無聞的作家。最先與媒體結緣的作家中，有一個就是賈桂琳．蘇珊（Jacqueline Susann），她所寫的《娃娃谷》（*Valley of the Dolls*）在一九六六年二月出版，之後立即被拍成了電影。蘇珊身兼演員、模特兒和廣播名人數職，也許這還不夠讓她感受到具有明星光環，她後來又嫁給了歐文．曼斯菲爾（Irving Mansfield），前好萊塢廣告商和電視製片人。蘇珊必須經常參加名作家的書籍巡展。她的第一個出版商伯納．蓋斯（Bernard Geis），以前擔任過普林帝斯霍爾（Prentice-Hall）出版社的編輯，由於靈活地利用了電視促銷的強大動力，使得其著作獲得不少助益。在蘇珊《娃娃谷》的旋

[158]「The Book」也是《聖經》的另一個英文名稱。《聖經》的英文本標題一般都使用「Bible」這個詞，來自希臘語「書」的意思，因此「The Book」是英文本的完全意譯。

風書展上，她與梅里·格里芬（Merv Griffin）、麥克·道格拉斯（Mike Douglas），以及其他廣播網的重要人物、當地主持人一起做電視採訪。一位傳記作家寫道：「到一九九六年夏天，賈姬（Jackie-Jacqueline 的暱稱）已經成為美國最有知名度的女人之一。到處都可以看到她，雜誌、報紙、書店和公共汽車上的海報，當然還有電視裡。」賈桂琳·蘇珊的丈夫描述這個現象說：他銷售的是賈桂琳，而不是「一堆爛紙」。

如今，走在蘇珊開闢出來的這條光明道路上的，是《純屬胡言亂語》（*Pure Drivel*）的作者史提夫·馬丁（Steve Martin）。這本書只是把這個喜劇演員以前發表在《紐約客》上的文章集結成冊，重新包裝出版。在一次採訪中，馬丁說他大約用一個星期的時間思考文章主題，然後用半天的時間撰寫出來。一九九八年這本文集出版時，馬丁「意外」出現在他以前主持過的節目「週六夜現場」（Saturday Night Live）中，還接受了多家電視節目的採訪，有查理·羅斯（Charlie Rose）、羅西（Rosie）、「雷吉斯與凱西李現場秀」（Live with Regis & Kathie Lee），以及「大衛·賴特曼深夜脫口秀」（The Late Show with David Letterman）。

作家名人到大衛·賴特曼的節目上接受訪問，同樣地，這位電視名人賴特曼也拿到了著書的合約，書名就叫《大衛·賴特曼的十大新書排行榜：愛斯基摩新娘的婚紗設計》（*David Letterman's New Book of Top Ten Lists: and Wedding Dress Patterns for the Husky Bride*）。哈潑柯林斯一位資深編輯莫羅·迪·普萊塔（Mauro di Preta）說：「名人本身就是促銷過程中一個不可思議的宣傳機器。如果你能找到任何一個名人來合作，再加上具有創意的行銷，其效果將會非常強而有力。」

每個出版商都相當樂意與任何名人簽約，隨便舉個例子，一九九七年班坦集團夏季書目的頭條就是喜劇演員辛巴達（Sinbad）的《我也不是沒酷過：辛巴達之旅》（*I Ain't Never Been Cool: The Voyages of Sinbad*），以及「週末夜生活」欄目的演員之一茱莉亞·史威尼（Julia Sweeney）的《上帝也感歎》（*God Said, "Ha": A Memoir*）。

名人寫作的吸引力不在於他們能夠寫作，他們的名氣來自唱歌、打棒球，或者講笑話——或者與這些事情有關的周邊人。辛普森（O.J. Simpson）[159]案件之後，出版了一大堆書，著書者有：他的辯護律師、辯護律師的前妻、有罪案的檢察官，還有代理檢察官，以及這場案件中受害家庭的律師、證人、偵探、陪審員、被解雇的陪審員、報導這次審判的新聞記者、辛普森前妻的朋友、受害者的其他家庭成員、被告的朋友、被告的前女朋友、被告的外甥女，以及拒絕認罪的被告本人。有人開玩笑說，辛普森案件的陪審團所面臨的真正難題是：到底是要選藍燈書屋？還是選雙日出版社？*

名人們有那麼多忠實的追隨者，所以出版商們必須小心翼翼地和他們保持良好的關係。肥皂劇明星瓊·考琳絲（Joan Collins）計畫撰寫兩本小說，從藍燈書屋拿了四百萬美元的預付款。當出版

159 一九九七年美國黑人橄欖球星辛普森，被控應對其前妻以及前妻現任男友的死亡負責。該案件從聽證、取證到庭審、上訴等全部過程，都被各種媒體大肆報導，案件審理的整個過程都顯示了媒體製造轟動效果的龐大威力。辛普森花費鉅資爲自己請了十一名辯護律師，花費四百萬到七百萬美元；而當地檢查機關也動用了九名訴訟律師，從調查取證到整個訴訟過程花了九百萬美元，令許多納稅人不滿。而此案更爲著名的一點在於，警方所掌握的證據顯示辛普森殺妻罪證確鑿，但是由於控方愚蠢地僞造證據，而辯方又趁機大打種族牌，使整個案件上升到了黑人民權運動的政治高度，最終辛普森被無罪釋放。

商意識到他們拿到的兩本書稿——其實就是一個內容兩種版本——沒有一本值得出版時，自然希望把他們的錢要回來。藍燈書屋在法庭上說，他們承諾過會為一本「完整」的書付費，當然那就表示必須有個清晰的開頭、中間和結尾。在審判期間，陪審團都站在美麗的考琳絲小姐這一邊，他們判定她至少可以為她蹩腳的作品獲得一本書的報酬。據說陪審團的團員們離開時，把考琳絲未出版的書稿都留在法庭了。

在公開陳述的時候，考琳絲的辯護律師對陪審團說，透過這個案子會使他們看到「一個作家如何與她的編輯進行合作，從而完成那個被稱為小說的神祕事物」。他的意思簡言之就是，若一名作家不會寫作，那也不是她的錯，理應由出版社出錢請書籍外科醫生，來為不合格的書稿動手術。

許多名人是如此地忙於出名，以至於即使他們能夠寫作也不願意花時間來寫。電視節目主持人湯姆．布洛考（Tom Brokaw）、丹．拉瑟（Dan Rather），還有彼得．詹寧斯（Peter Jennings）最近名下都有新書出版，不過都是依賴別人很大的幫助才寫出來的。曾經當過新聞記者，如今任職於公共事務圖書公司的彼得．歐斯諾斯（Peter Osnos）說：「這些傢伙都認為自己是名新聞從業人員，他們不願意只被當作一個電視節目主持人，他們不需要稿費，只是想讓人們把他們當作家來看待。」為了被當成作家，這些主持人每天早上必須出現在有線電視的談話節目裡。他們面對的選擇是：當個作家，或者看起來像個作家。他們都太忙了，以至於難以兩全。

一旦建立起名人不必自己寫書的這種默契，那麼他們在其他方面的可信度也會變得不那麼重要了。一般而言，一個人要作傳總是必須在經歷了一個比較完整的人生之後；但是像辛巴達和斯威尼這樣的人，可以說才剛剛開始她們的人生。此外，缺少可信度也可以成為一個賣點。籃球明星魔術強森（Magic Johnson）被診斷出感染愛滋病（AIDS）病毒，據說是由於雜交所致；此後不久，他就和藍燈書屋簽了著書合約，是跟前公共衛生部部長艾弗特・庫普（C. Everett Koop）合寫關於安全性行為的書。威廉・莫洛出版公司付給連環殺手傑佛瑞・丹墨（Jeffery Dahmer）的父親萊諾・丹墨（Lionel Dahmer）十五萬美元，請他寫作一本育兒指南。

據狄克・莫瑞斯（Dick Morris）的朋友說，被從柯林頓總統的顧問團名單中刪除，令莫瑞斯感到非常高興。這是他口無遮攔地把白宮內幕講給一個妓女聽的後果，於是他索性把這些內幕講給全世界聽，寫了一本《選戰大謀略》（*Behind the Oval Office*），為此獲得了兩百五十萬美元的訂金。瑪莎・克拉克（Marcia Clark）作為辛普森案的首席原告律師，雖然輸了案子，卻從地區律師辦公室得到一萬四千三百三十美元的一小筆獎勵，以及來自維京出版社四百二十萬美元的一大筆訂金，要她寫一本關於這件案子的書（這筆訂金大概相當於政府辦這個案子所用經費的一半，當然都是納稅人的錢）。克拉克的合作律師，這個敗訴案件的二號角色，則拿到了一百三十萬美元。

在發掘有潛力的新作家時，超級經紀人簡・米勒（Jan Miller）說她從來不擔心他們的寫作能

* 我們必須公平一點，其實辛普森也幫其他許多人賺了錢。一個約旦人瓦斯菲・托雷馬特（Wasfi Tolaymat）花四千美元買下了辛普森殺人後住的那家賓館房間的所有家具；之後他轉手賣了三十萬美元。辛普森的前妻妮可（Nicole）在被殺的當天，和家人一起在一家名爲弦月（Mezzaluna）的餐館吃晚飯，那裡也是和她一起被害的羅納德・高德曼（Ronald Goldman）當服務員的地方；同樣地，這個餐館在案發之後每天比平常多賣出二百四十份餐食。辛普森的好友柯林（A.C. Cowlings）開通了每分鐘二・九九美元的「我問柯林熱線」（1-900-Ask A.C. Cowlings），最初的三十天就賺了三十萬美元。當然，也有一些出版商因爲這件事情大大地虧錢。被告的前女友寶拉・巴比耶里（Paula Barbieri）收了三百萬美元的預付款，但是她的書只賣了十五萬冊。

力，這方面她可以雇請一位書籍醫生。相反地，她關心的是這些作家是否有潛力上電視、上商業資訊片，或者製作錄音帶。書商們捨得付給瑪莎．克拉克這個魯莽律師那麼多錢寫書，就是看中她很有電視緣。NBC電視臺日界線（Dateline）節目的執行製作人尼爾．夏普羅（Neal Shapiro）曾經說：「能夠讓電視觀眾主動尋找並且觀看的，才是重要的訪談，十二點和二十點的收視率可是不一樣的。」

肌肉強健、一頭長髮的法比奧（Fabio）是雅芳宣傳目錄（Avon Book）的封面帥哥，也是個理想的作家。雅芳集團打算讓他撰寫一本關於他自己的書，封面配上他的性感照片（他說好，由他來構思情節）。他的名氣還為他招來一系列生意，都是只要他打扮漂亮地站在那裡就可以的工作。其中包括一張音樂CD、一款凡賽斯（Versace）的古龍水、掛曆、T恤等等。在一部兒童動畫電視系列《雷神索爾》（*Thor*）中，他還為那個長得像法比奧的男主角配音。

名人出書的經濟效益，驗證了一句古老格言：擁有的愈多，得到的就愈多。一九九八年《富比士》（*Forbes*）公布四十位收入最高的藝人名單上，有十九個人至少出過一本書。有兩位作家名列其上，分別是麥克．克萊頓（Michael Crichton）和史蒂芬．金，但是報酬最高的還是那些演員，比如出過兩本書的「辣妹合唱團」。一九九二年，美國最富有的人之一——山姆．威頓（Sam Walton）收到一份四百萬美元的訂金，這是商人自傳中最高的訂金。一般的著作合約裡常見的一項條款就是，如果作者的書不值得出版，則出版商有權力拒絕接受書稿（並收回訂金），但是在他的合約裡是沒有這一項的。

明星們知道名氣就像存在銀行裡的錢，在你缺少鈔票的時候，只要填單子領錢就可以了。「作為一個沒有什麼資產的單身母親，收入也比大多數人想像的要少得多，我已經陷入了極深的經濟困境。」約克女公爵莎拉．佛格森（Sarah Ferguson）在她的自傳《我的人生》（*My Story*）中，如此說道。她還寫了幾本兒童讀物，並且利用她的貴族身分寫了一本關於維多利亞女王的書。前副總統的夫人瑪麗蓮．奎爾（Marilyn Quayle）與人合寫了一本糟糕的書——《擁抱毒蛇》（*Embrace the Serpent*），據說她後來解釋寫這本書是為了給孩子賺取大學學費（再後來，她又否認了這個說法，因而她為什麼寫這樣一本書就成了懸案）。

名人們也清楚地知道，寫一本書還可以讓他們成為真正的巨星。華盛頓演講人公司（Washington Speakers Bureau）價昂為名流們代理演講，每年都會整理出一份漫長的演講目錄。《米其林指南》（*Michelin*）無論封面還是內容，每一個題目都和明星有關。一九九七年版的手冊中，氣象預報節目主持人威勒．史考特（Willard Scott）在封面上出現了三次；瑪格麗特．柴契爾（Margaret Thatcher）和瑪麗蓮．奎爾各有兩次上榜記錄；科林．鮑威爾（Colin Powell）、詹姆士．貝克（James Baker）、諾曼．史瓦茲柯夫（H. Norman Schwarzkopf）、比爾．布萊德利（Bill Bradley）、法蘭．塔肯頓（Fran Tarkenton）和李．艾科卡（Lee Iacocca），則是每人一次。

對美國而言，不是每個人都像威勒．史考特或者法蘭．塔肯頓般的如此重要。但是，基本上每個人都可以自認為似乎很重要，並且許多人可以同時賺取一大筆錢。他們所要做的事情就是，沿著富蘭克林開闢的路線出版他們自己的書，因為書是推銷你自己的最佳途徑，下一節就是要談論這個部分。

最佳名片

公共關係學之父愛德華・伯奈斯，為推動閱讀提出了一個富有創造性的企劃。他在為賽門舒斯特和哈考特—布萊斯（Harcourt Brace），以及其他幾家出版社當顧問時，說服了建築師、室內設計師和結構師在設計和建築家庭用房的時候，加上固定的書架。他說：「既然有了書架，就必須在上面放書。」

這一原則還可透過其他方式運行：書籍本身也促進生產。班傑明・富蘭克林的書店不僅賣書，還賣文具、鉛筆、墨水以及地圖。遠在邦諾集團在其書店裡附設咖啡館之前許多年，富蘭克林就已經在他的書店裡賣咖啡、乳酪，甚至鱈魚、祕方藥、漁網以及彩券。亞馬遜網站最初是在網路上賣新書，現在還代售珍藏本圖書、錄影帶、唱片、私人賀卡、電子產品、工具和玩具，而且還主持拍賣。一九九九年，他們買下了家庭雜貨網路公司（HomeGrocer.com）三分之一的股份，這個網站擁有西雅圖和波特蘭地區的雜貨零售和快遞業務。亞馬遜網站還買下了藥房網路公司（Drugstore.com Incorporated），現在他們可以把百憂解（Prozac）和巴爾扎克（Balzac）一起賣了。

哈利・謝爾曼在創辦每月一書俱樂部之前，也曾經留心和利潤頗高的藥妝店打交道。他與查爾斯（Charles）和雅伯特·伯尼（Albert Boni）合作出版了一部小開本、皮革封面的莎士比亞戲劇集，收錄了十五個劇本。為了促銷，他說服惠特曼糖果公司（Whiteman Candy Company）製作了惠特曼禮物書，即一本小書加一大盒糖果。圖書及糖果愛好者們透過郵購或者直接到藥妝店購買，當時搶購了兩千五百萬份。

一九九〇年代中期，北方信託公司——一家銀行——在佛羅里達州開辦了七家非營利的圖書俱樂部，在芝加哥和舊金山市也各開了一家。這家銀行發現這是一種非常好的招徠顧客的方法。也是在那時候，歐耐斯特·海明威的三個兒子完成了「海明威用具」的授權。取得授權的是湯瑪斯威爾家具製造廠（Thomasville Furniture Industries），他們生產的物品包括將近上百種臥室、客廳和廚房家具，也有書房系列、座鐘等其他零件。反正沒有一件物品是像海明威在自己家裡的擺設，但設計靈感全來自於海明威曾經拜訪過的地方，或者他的作品裡所提到過的。*

雅芳作家法比奧沒有獨占香水模特兒的市場，《麥迪遜之橋》（*The Bridges of Madison County*）也有自己的香水。就像查爾斯·狄更斯的《小杜麗》（*Little Dorrit*）替波斯陽傘、嗅鹽瓶、書籍，以及藥品大做廣告一樣，惠特爾通信公司（Whittle Communication）在一九八〇年代出版了一大套系列小書，收錄的全是大作家們零星地為聯邦快遞等多家公司撰寫的廣告。

在所有書籍所推銷的商品中，推銷得最好的當然是它們的作者。喬·布萊克（Joe Black）說：

* 湯瑪斯威爾的一位家具設計師在一次發表會上說：「正如海明威鼓舞了他那一代人一樣，湯瑪斯威爾希望能夠激發今天的消費者們，在家中顯示其個性精神的欲望。」這就是美國市場的特點，向大眾銷售個性。

「這個生意（我的書）能帶來這麼多收入，真令我感到吃驚，任何人都能製作出一本書……它自己就知道怎麼去利用（素材）。」

布萊克退休後在科羅拉多州的家裡養老，在那裡他向我傳授了他的智慧。在五十多歲以前，他的職業生涯是在南卡羅萊納州一家紡織企業——美利肯公司（Milliken & Company）——度過的，在這行他受益匪淺，賺了不少錢。在美利肯待了十五年之後，布萊克希望能像他祖父那樣經營自己的生意。他的專業稱為「持續改善流程」，或者用大家都能明白的說法，就是指導人們如何把銷售、生產和交貨流程做得更好。他的顧問生意中，很大一個組成部分就是演講——「一個我非常擅長的事情」——於是，某天他的一個客戶建議他把演講的內容寫下來。如今布萊克已經是個作家了，他寫的書有《態度關係》（*The Attitude Connection*）、《未來的回憶》（*Looking Back on the Future*）、《打個好基礎》（*Building a Quality Foundation*），還有《通過：生命的反思》（*Passing Through: Reflections on Life*）。他喜歡把自己出版的這些書，稱為「管理人員的廁所讀物」。

我們生活在一個由喬·布萊克們主導的國家，各種顧問取代了富蘭克林獨立人格的夢想。根據《金錢雜誌》（*Money Magazine*）的統計，從一九七八至一九九二年間，美國的顧問行業成長了百分之五十二。據估計從一九九五至二○○○年，全球顧問行業的稅收增加了一倍。「顧問就是行為的所在。」安永管理顧問公司（Ernst & Young）的總裁如是說，這些行為中有很多與書籍出版業有關。用杜克大學（Duke University）富科商學院（Fuqua School）總結的話來說：「顧問就是關乎交流的事情。」尤其是《窮漢理查曆書》中，所建立的那種自助交流。

布萊克帶著他的書去演講，並且把它們放在演講場所後方他的視野之外。等到他的談話結束，他就讓這些書出現。透過對聽眾的瞭解，有時候他會要求人們按標價購買一本他的書，而有時也會讓人們隨意取走一本，並留下他們認為這本書所值得的金錢。一次有個人留下了三百美元，他說：「在這些人中，有人是如此地絕望」到希望能獲得幫助。還有一次他在莎拉．李公司（Sara Lee Corporation）為行政人員舉行一次講座後，在演講場地後方銷售書籍賣了八千美元。

販售書籍所直接獲得的金錢雖然很好，不過書籍還可以牟取更大的利潤。布萊克把他的書當作名片使用，他把書送給那些首席執行長或者他們的秘書，然後他們不是把書再轉送至老闆那裡，就是為了答謝這份饋贈，會給布萊克回電話。布萊克把他送書給那些執行長的行為，稱為「讓精子與卵子結合」。推銷圖書——也就是推銷你自己——在統計了一半的出版社之後，經營《出版家》（*Publishing Entrepreneur*）雜誌的傑羅德．詹金斯（Jerrold Jenkins）就說：「如果你寫了一本書，那麼你的身價就跟著你的地位一起水漲船高。」

書籍也被當成精神顧問。就像教會已經學會吸引教友的最佳方式是，增加音樂、減少儀式，並且提供代客泊車服務。鄉村牧師傑克斯（T. D. Jakes）就利用電視、郵件、網路、電話、雜誌，以及如《淑女、她的情人和她的主人》（*The Lady, Her Lover, and Her Lord*）這樣的書籍來傳播福音。在一個名為命運想像（Destiny Image）的小出版社工作之後，他在一九九七年與企鵝出版社簽署了一份兩本書一百八十萬美元的合約。一位《華爾街日報》的記者說，傑克斯「小心翼翼地滋養、保護，並且出售著他的產品——他自己」。

《專家、權威人士與演講人年鑑》（*The Yearbook of Experts, Authorities, & Spokespersons*），顯示了顧問業與出版業是如何滑入同一軌道的。在《年鑑》一書中，我們會看到《激進的誠實：如何透過說實話來改變你的生命》（*Radical Honesty: How to Transform Your Life by Telling the Truth*）一書的作者布萊德·布蘭頓（Brad Blanton）博士，他是健康中心的輔導員。還有寫了《活力再現：化壓力為助力》（*Beating Job Burnout: How to Transform Work Pressure into Productivity*）一書的貝芙麗·波特（Beverly Potter）博士。以及，來自男性性功能障礙研究所的醫學博士、美國外科醫師協會（F.A.C.S.）會員謝爾登·伯曼（Sheldon O. Burman），他沒有告訴我們他寫了什麼，但是他把自己稱為「著名的演講人和著作等身的權威」。我只是猜測，如果他有寫什麼書的話，很可能裡面也會有「改變」（transform）這個字眼。

現今的大部分出版商，已經意識到了顧問類書籍的潛在利潤。賽門舒斯特出版集團的資深公關凱利·甘迺迪（Kerri Kennedy）即說：這些男人和女人們聚集至一處來促銷他們的書籍。不過，也有許多作者像班·富蘭克林那樣寫作和出版自己的書籍，這在某種程度上出於必然性。通常大型出版社只做暢銷書的買賣，此種觀念已經使得那些具有潛力的中等水準作家，很難再獲得重要出版商的重視了。不過，所謂的「必然性」，也並非唯一的理由。現今的電腦技術已經使得自助出版，相較於必須由專業排版和印刷工人在專門的機器上工作，要便宜得多了。

自助出版的邏輯，或多或少有如此的想法在：如果目的是為了錢，那麼為什麼不盡可能地多獲得一些呢？換句話說，就是不要滿足於出版商所付出的一點版稅，而是要自己出版，以留住每一分利潤。喬・布萊克說紐約出版商對他的書有興趣，但是他認為他可以自己推銷自己；而且，如果他能夠在企畫中有更多的參與，那麼他就可以更妥善地做好一些事。他將自己的出版社取名為「生活視界圖書公司」（Life Vision Books）。為保證利潤，他在第一本書出版前就取得了六家公司的預售承諾。他們還未看見成品，就答應購買了兩萬冊。

與喬・布萊克談話之後很難不喜歡上他，而且也很難不欣賞他所宣稱的，透過他寫的書來改善人類的生存條件。儘管如此，他那種如敘家常的警世名言（「你家廚房餐桌上所體現出來的價值，遠比你辦公室會議桌上所體現出來的價值，要重要得多。」）還是達不到當年窮漢理查的水準（「失去時間再也找不回來」）。*

大部分的顧問類書籍品質，即使多數出自那些本該相當關注編輯品質的出版社，也還是非常、非常糟糕。來看看邦尼・約翰・迪恩（Bonnie St. John Deane）《持續健全：在瘋狂世界中製造快樂的空間》（*Succeeding Sane: Making Room for Joy in a Crazy World*）一書的首篇第一句，這本書是由賽門舒斯特所出版：「這本書正如一棵枝繁葉茂的大樹緊緊抓住我，令我心懷敬畏。」再看看末篇最後一句：「這本書的結論就是：事實上，由你做主。」160

號稱「國際知名作家、演說家和顧問」的芭芭拉・葛蘭茲（Barbara A. Glanz）是《整理家務：

---

*當代書籍極少有如富蘭克林當年那樣激勵讀者的語言，也寫不出莎士比亞那種可以世代傳誦的不朽文學名句了。例如，「天助自助者」，「吃飯是爲了活著，但是活著不是爲了吃飯」，還有「有了沒有愛情的婚姻，就必然有沒有婚姻的愛情」。

160 作者所諷刺的兩句原文分別爲：「This book took hold of me like a tree putting down roots and spreading its branches as I watched in awe.」和「The conclusions of this book are, in reality, up to you.」兩句皆有語義不通之處。

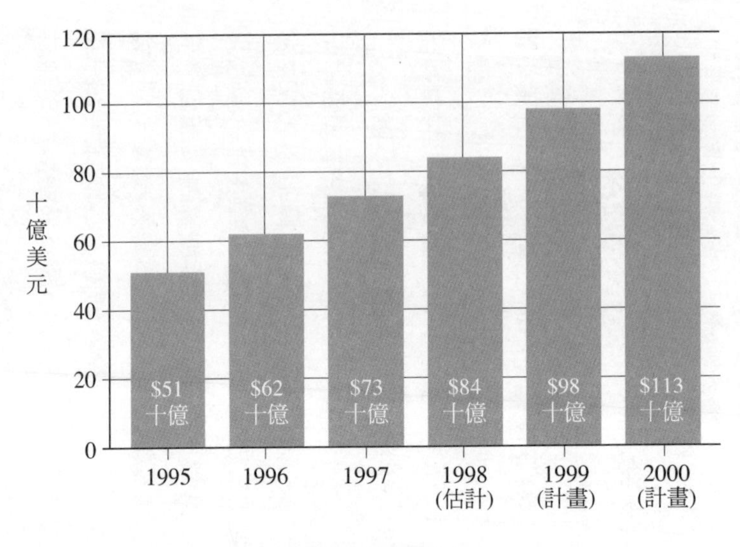

全球顧問行業收入表

資料來源：一九九八年甘迺迪資訊諮詢公司（Kennedy Information LLC）菲茨威廉（Fitzwilliam）製作，經《全球管理顧問市場：預算與預測資訊資源》許可複製。

為居家重建活力的方法》（*Care Packages for the Home: Dozens of Ways to Regenerate Spirit Where You Live*）一書作者，由安德烈．麥克米爾公司出版（Andrews McMeel）。她搶救生活的建議中，有一項是與朋友或在家族間設立一個「大笑俱樂部」，讓大家每週一次聚在一起看看誰的故事最好笑。

同樣愚蠢的還有麥可．葛柏（Michael J. Gelb）的《如何像達文西一樣思考》（*How to Think Like Leonardo da Vinci*，德拉寇特出版社〔Delacorte Press〕）。他培養創造性才華的步驟，包括開拓個人感官，〈自我評估：嗅覺〉一章建議讀者們思考他們能否「根據氣味來辨認自己的朋友」。他還把他自己的地址和電話寫在書後，以供讀者可以邀請他親自來講這些廢話。

用自己的書來進行自我推銷的最高層

次，顯然要數顧問羅利．平斯基（Raleigh Pinskey）的《自我推銷一〇一法：可視行銷專家的自我經營策略》（*101 Ways to Promote Yourself: Tricks of the Trade for Taking Charge of Your Own Success by Visibility Marketing Expert*）。他的明顯建議？發展一種棋盤遊戲（第三十一號策略），帶人們出去吃午飯（第五十號策略），還有寫一本書（第四十三號策略），用他的話說就是「像滑落一根圓木」[161]。其實他總結的那些滑落圓木的步驟，還不如濃縮為下列的「別擔心，快樂點」原則：

- 別擔心自己不是某一領域的權威。每個人都會成為某方面的權威，例如「祕書能夠成為接電話專家，高空作業的電纜電線工人能夠成為勇氣和恐懼方面的專家」。
- 別擔心自己不能長篇大論。其實就是把你以前寫過的東西再寫一遍，就像寫某種報告和短文，「把它們拼在一起然後列印出來」。
- 別擔心手邊沒有紙筆可寫作，甚至沒有時間也沒關係。在你開車「去上學、去健身，或者去購物」的路上，拿個錄音機把話錄下來，再雇個祕書把這些話打出來。
- 別擔心你沒時間整理這些打出來的內容。「到電話黃頁的作家欄下找個人。」
- 別擔心沒人為你出版。自己出版，「封面是很容易做的」。*

161 原文是「like falling off a log」，取自英文一句成語「as easy as falling off a log」，即「易如反掌」之意。

最主要的一點是，平斯基強調：一本書就是一張通往財富和名聲的車票。他所羅列的寫書附帶的部分益處有：信譽、財富、晉升，以及「在收音機和電視節目中出現的機會」。

瑪莉蓮．羅斯（Marilyn Ross）和湯姆．羅斯（Tom Ross）建議：「寫本書把自己塑造成你專業領域中的權威。」他們曾經是喬．布萊克的出版顧問（本書附錄B中對他們有更多關注）。作為精明的顧問，需要擴大自己的名聲以招攬生意，羅斯夫婦也遵照自己的建議寫書：《鄉村生活：把你的藍色西服換成夢幻牛仔裝》（*Country Bound: Trade Your Business Suit Blues for Blue Jean Dreams*）、《從推銷你的書開始飛躍：寫給作家和出版商的賺錢手冊》（*Jump Start your Book Sales: A Money-Making Guide for Authors and Publishers*），還有《自助出版完全手冊》（*The Complete Guide to Self-Publishing*）。順帶一提，他們把最後這本書題獻給班傑明．富蘭克林。

黑格爾哲學的宣傳反論

湯瑪士．愛德華．勞倫斯（T.E. Lawrence），他的另一個更響亮的稱呼，即「阿拉伯的勞倫斯」，他所撰寫的《智慧七柱》（*Seven Pillars of Wisdom*）一書，是個逐步賺錢的經典。這本書的第一版為私人出版，只發行了八冊，他送給了湯瑪斯．哈代（Thomas Hardy）、蕭伯納（George Bernard Shaw），以及其他幾位著名作家。隨後在一九二六年，又一次私人出版，在英國一共訂購了二百二十冊，每冊一百五十美元。相同的模式從一九二七年也在美國開始，勞倫斯授權了十套的出版銷售權，每套兩萬美元。

如今的市場無奇不有，據說有個名為加百利．威爾斯（Gabriel Wells）的人，花了一千一百五十美元在紐約的拍賣市場買到這本書的英國版，並且只用了一千美元就買到了一本英王詹姆士一世欽定的《聖經》（*King James Bible*）。還有一位民眾（John Q. Citizen），則只花不到三美元就愉快地買到了另一本勞倫斯的書，是摘要版的《叛血黃沙》（*Revolt in the Desert*），這本書成了「每月一書」的推薦書目。最不可思議的是，蕭伯納曾經說解甲歸田的戰鬥英雄和作家是不用擔心金錢的，當時他正在寫《聖女貞德》（*Saint Joan*），可能是這兩種英雄把他的思路給混淆了。《紐約時報》的眼光更中肯一些，明智地觀察到「黑格爾哲學的宣傳反論」，勞倫斯的狡黠程度絕不亞於他的羞澀。*

上個世紀最暢銷的作家霍蘭（J.G. Holland）說：「公眾並不接受市場上太坦率的人。」他也是史克里布納出版公司的編輯。儘管作家們都非常關心收入問題，在表面上還是必須假裝並非是為了金錢而推銷自己的書。在醫學領域也一樣，當醫師在為你做年度體檢時，肯定不會讓你知道他正在想著如何多做幾床闌尾切除手術，好賺點錢來整理後院的游泳池，因為家裡的孩子正不斷地催促

---

* 附加說明一下，可以根據顧問類書籍的封面來評價它們，尤其是封面上所引用的推薦。那些誇大其詞的推薦文字往往來自一些不知從什麼地方來的人，比如這個，「《利潤地帶》是我十年來讀過的書中，最增長見識、最有益的一本商業書籍」——蘭姆扣創投公司總裁大衛．斯里尼。我的研究助理波妮．鮑曼打電話到位於在聖路易斯安那州的蘭姆扣投資公司，得知該公司只有兩名員工，其中一個就是斯里尼。

* 勞倫斯意識到他在經營一樁好買賣，又用他的軍旅小說《造幣廠》（*The Mint*）的初版賺了五十萬美元。

他。藝術界也有這樣的人，例如多納泰羅（Donatello）[162]。據說，他把雕塑賺來的錢放在一個柳編籃子裡，掛在他佛羅倫斯畫室的天花板上，工人們和朋友們不用告訴他就可以自己直接取用。

為了顯示其腦袋沒有被馬克．吐溫所謂的「銅臭」所沾染，蕭伯納曾經舉例說：「任何時候出版商若是膽敢在寫作方面提意見，我就會立刻還擊，也會對他的生意提供意見。」阿佛烈．克諾夫出版公司（Alfred A. Knopf）付給安．萊絲兩本書五百萬美元後，這位哥德式小說作家告訴記者：「這些錢只是『小費』（lagniappe）——那是路易斯安那州額外費用的說法。」《巴爾的摩太陽報》對犯罪小說家喬治．佩勒卡諾斯（George Pelecanos）的採訪，就是一種對作家們理想化的新聞報導，記者熱情描述佩勒卡諾斯擺出一副對金錢不屑一顧的樣子時，說道：「如果用一首歌來形容他，那一定是《快樂的牧羊人》。」然而，這個新聞報導背後不為人知的故事是——佩勒卡諾斯四處參加巡迴書展，還曾經要求一家地方書店為他辦簽賣會。

作家們不能顯示出對金錢的熱衷，除非他們要表現出是為家庭和朋友所做。因此，華盛頓．歐文不願意讓出版社把他的《見聞札記》（*The Sketch Book*）交給編輯評議，因為他自有具勢力的朋友在幕後幫他製造影響。弗拉基米爾．納博科夫有個忠誠的老婆，替他做了所有的雜役苦差。他在汽車後座上寫作《羅麗泰》（*Lolita*）時，一直是他太太維拉（Vera）在開車。維拉還替他的手稿打字，並且抱怨說家裡所有的事情都是她在操心置辦。

當然，那些把自己裝扮成不屑於市場行銷的作家們，隨著時間推移多少還是會顯露出對於金錢的在意。「生意使得在其控制下的每樣事物，都受到詛咒。」亨利．梭羅（Henry Thoreau）曾經這樣說。他還繼續強調：「我能從寫作中得到快樂，就很足夠了。」不過，同時他也寫了幾封短信給詹姆士・羅素・羅威爾（James Russell Lowell）囁嚅地索取「每頁六美元，三十三頁」一共一百九十八美元的稿費。海明威曾經寫信給他的編輯麥斯威爾・柏金斯（Maxwell Perkins）說：一，他不是「一個站在聚光燈下渴望出名的演員」；二，這本新書封面上，他的名字印得太小了。

由於市場愈來愈無孔不入，作家和出版商們就必須使用更具顛覆性的方式促銷，盡出各種低劣手法。威廉・艾略特・海澤爾格羅夫（William Elliott Hazelgrove）想了個點子，對外宣傳他正在伊利諾州海明威童年時代生活的橡樹園的閣樓上創作小說。《紐約時報》也曾經策畫過這種事，喬治・奚孟農出的主意，他要在一間玻璃屋裡寫篇小說，這樣可以讓人們來參觀他寫作。不過，後來《紐約時報》預計發表這篇小說的如意算盤破滅，因為奚孟農隨後就吸引了許多出版社的關注，因此不必再去實行這一惹人非議的表演計畫了。

現今在每個城市中均有自屬的眾多作家，使得出版商們對於一般的巡迴書展逐漸失去了興趣。為了找到新的促銷方式，他們讓作家自己去和零售商交流，以提高出版圖書所付「預付款」的利潤。羅納德・雷根（Ronald Reagan）競選團隊的成員之一，愛德溫・米斯（Edwin Meese）寫了一本書《與雷根一起》（*With Reagan: The Inside Story*），他的朋友們為了幫他的書促銷，想出了一個點子，說老好人愛德溫支付不起促銷巡迴書展的開銷，因而這些死黨發起成立了一個免稅的「米斯圖書基

162 一三八六—一四六六年，義大利文藝復興第一代藝術家，也是十五世紀最傑出的雕塑家，代表作爲青銅像《大衛》、《蒙大拿的馬利亞》。

金會」。捐贈一百美元者可以成為會員，捐贈一萬美元則可以成為基金會理事。如此搖身一變成為一個促銷圖書的慈善團體，而這是由宣導自由市場經濟的雷根主義者們所想出來的主意。

我們現在已經進入了一個反宣傳的廣告時代。這一潮流的開始沒有一個正式的時間，不過大概可以認為是一九六七年。當時，哈潑柯林斯出版社拒絕與《形象》（*Look*）雜誌簽署一份在當時可說是巨額（六十六．五萬美元）的合約，讓其在威廉．曼徹斯特（William Manchester）的《總統之死》（*The Death of the President*）一書出版之前，在該雜誌上連載。從那之後，出版商們就學會了每一個成功的脫衣舞娘早就明白的道理：讓觀眾留下來持續消費的最好辦法，不是滿足他們的要求，而是吊足他們的胃口。而讀者們也頗為合作，使得曼徹斯特的這本書成為《紐約時報》暢銷書榜的榜首。

一九九一年奧利佛．諾斯（Oliver North）《火線》（*Under Fire*）一書的促銷方式，也是屬於非常規市場行銷方式的一種。這本書剛在書店上市時，沒有做任何促銷廣告，於是它的悄悄上市反倒成了新聞，這本書的摘錄還上了《時代》（*Time*）雜誌的封面，泰德．卡波（Ted Koppel）在他的電視節目《夜線》中為之做了兩期節目。之後，諾斯就開始了他二十個城市的巡迴書展。

當對書籍的溢美之辭遍地都是的時候，行銷部門的員工們就會開始尋找純粹的批評之語了。理由十分清楚，因為任何人都會願意購買一本被炒得火熱的書。買到一本真正糟糕的書，也是一件挺有意思的事情，就像克里斯多福．希鈞斯（Christopher Hitchens）的出版商對他那本辛辣的傳記——《宣教立場：德蕾莎修女理論與實踐》（*The Missionary Position: Mother Teresa in Theory and Practice*）所做的那樣。沃索出版社（**Verso**）把新書樣本「分贈給天主教會中每一個我們想得到的教士團，還有紐約的紅衣主教和教皇。我們認為天主教會所表示出的任何不滿，對讀者來說都是個好消息」。結果教會中沒有任何職員上當。不過，沃索出版社還是設法找到了大量「作者抨擊修女」之類的評論，以達到他們上述的目的。這本書的平裝本封面上，就引述了這樣一條評論：「如果有地獄存在的話，希鈞斯就該為這本書下地獄。」

熟悉掌握了這套技巧之後，出版商及其追隨者們就可以去尋找自貶身價的各種方式了。當代文庫出版社（**Modern Library**）召集了一群作家評選「二十世紀一百部最佳小說」。一九九八年，在經歷了令人不滿的評選過程之後，一份令人尷尬的排行榜出現了，評委們對每一個採信這份書單的媒體表達了深深地歉意。而當代文庫出版社在那之後的幾個星期內銷售的《尤利西斯》，比他們之前兩年所販售的多上許多，這使得他們又把目光轉向了非小說類文學作品，於是又進行了一個「二十世紀一百部最佳非小說類文學作品」的評選。當代文庫出版的《亨利·亞當斯的教育》（*The Education of Henry Adams*），又適時地成了榜首。排行榜發布之後的兩個星期內，這本書的訂單數量高達其年度銷量的十倍。

* * *

我並不是說反宣傳的促銷方式不好；相反地，這些天花亂墜的廣告策略最終催生的是莫大諷刺，而這個現象是好的。

從小學老師強迫學生們閱讀的那一刻開始，所傳達的訊息就是書籍是神聖的，卻沒有人花時間去告訴孩子們，其實很多書都是糟糕的。其造成的結果就是，太多的青少年成長為成年人之後，還是認為任何寫書的人「一定是聰明的」。於是，理所當然地，這方面教育的匱乏也為市場顧問們提供了極大的便利。也極少有真正反宣傳的作家不同流合污。華克．波西（Walker Percy）就拒絕把他的書拿到迪克．卡維脫口秀（Dick Cavett Show）節目中去推介；他說他的工作是寫書，而不是賣書。波西讓我們可以暫時舒緩一下緊張的神經。

在這個書籍可以像唇膏和油門一樣抽取的市場經濟中，我們必須學會時刻保持對廣告手法的警惕性。一九九六年，大眾對於小說作家尤金．伊齊（Eugene Izzi）之死的反應，就是一例。當伊齊被發現吊死在芝加哥一間辦公室門外的時候，就有人懷疑這是一個弄巧成拙的宣傳騙局。精明的文字消費者就是依賴著這種警惕性，區別出班傑明．富蘭克林和羅恩．波沛爾（Ron Popeil）兩人的層次。一個是公共圖書館的創建者和改良爐具的發明人，另一個則為我們帶來了麥克風和金廚刀具（Ginsu knife），並且曾經震驚地表示：「我也能寫一本書呀！」

高水準書籍的成長，取決於高水準讀者的成長。消費者們愈是警惕廣告商們的手法，就愈能發現其產品的問題。我們必須要記住，班傑明．富蘭克林是個天才，不僅因為他會寫作，也因為他會閱讀。

拙劣的致謝

透過本章，讀者們可以知道作家如何濫用書前的致辭，
就像他們對待自己的家人一樣；
同時那些想當作家的人，
也可以在此學會如何寫致辭、
獻辭之類的文字。

凡是想要獲得君主恩寵的人們，
向來都是把自己認為最寶貴的事物，
或者自以為君主最喜愛的事物作為獻禮。
……因此，殿下，請您體諒我敬獻這小小禮物的心意而接受它吧。

——尼可洛・馬基維利在《君主論》中，致梅迪奇家族偉大的羅倫佐的獻辭

在頌辭的一開始，每一個人都是值得尊敬的……

——喬納森・斯威夫特（Jonathan Swift），《如何使你的致辭富有感情色彩》
（*How to Make Dedications Panegyrics or Satires; and of the Color Honourable and Dishonourable*）

「啪」地打開一本書，直接閱讀它的致辭和獻辭，對我而言是個重新體驗多年前我作為海軍軍校學生時，一次經歷的經典時刻。有天夜裡我受命和一名年輕士兵，共同在我們所駐航空母艦的艉甲板站崗，在一帶白色的月光下，望著漆黑的太平洋海面，他向我訴說著傷心往事，主要關於他冷漠的父母。儘管當時我看不清他的臉，卻能感受到我們之間有種真誠的情感交流。過了幾天，我們在大白天巧遇，我注意到這個士兵的胳膊上有個很大的刺青，是一顆心，上面刻著「母親」。

作家們，無論是從事非小說類文學創作還是紀實類創作，都為自己不肯讓步的誠實與勇氣感到驕傲，也為他們自己的創新性和獨特風格而自豪。但是，一觸及一本書的完結篇，他們就會像那個年輕的士兵一樣，停滯了自己的判斷力，循規蹈矩地把那些陳腔濫調拿出來堆砌在自己的書上。如此所導致的結果，就是所有書前的致辭、獻辭，都像遼闊的月球表面一樣絲毫不值得探索。

不信的話，可以做個測試，隨便從架子上抽出五十本書看看就可明白了。

在所有題獻給親屬的書中，有一半是獻給配偶的。這不只是缺乏想像力的問題，更是令人懷疑這些作家的頭腦是否清醒了。據一位愛情專家說，所有的殺人犯中有四分之一為已婚，或是與人有戀愛關係。而初次結婚的人中，有一半左右以離婚告終，而第二次踏入婚姻殿堂的人跟第一次的沒什麼差別，還是有一半的定時炸彈會爆炸。為了避免你的文字工作受到離婚影響，最好的辦法就是學習海明威，他把自己的書獻給他的四位前妻。

還有個麻煩，這五十本非小說類圖書的獻辭中，沒有一本對其中提到的任何人或事有否定的意見。我們會對一個眼中只看到敵人，不能寬大為懷的作者感到懷疑。但是，如果一個作家身邊永遠圍繞著無數樂於助人的圖書管理員、令人快樂的打字員、完全公正的資料來源，以及總是及時為其提供意見的無私學者，我們也應該同樣產生懷疑。如果讚美不能有批評來與其比較，那麼過多的讚美即會顯得一文不值。

誠實受賄的墮落

上述事實並不總是如表象般的愚昧。早期作家們的頌辭並不比今日作家的，更易理解或更有趣，某種程度上而言，是更加乏味、更加沒有誠意。但是，這些缺點在當年卻是優點，如今就不是了。古代作家不會像今日的作家那樣，無緣無故地亂用那些親密字眼。基於精明的利己主義，古代作家在書內容的前幾頁會對自己的書大肆吹捧一番。也會試圖藉此躲避掌權者的迫害，或者希望富有的贊助人能夠資助他們的作品——或者，如果可能兩者都要。

非常擅用政治手腕的尼可洛．馬基維利，最初是計畫把他的作品《君主論》敬獻給當時統治佛羅倫斯的朱利安諾．德．梅迪奇（Giuliano de'Medici），因為他有權力為馬基維利提供益處（例如，提供首席參謀的職位）。後來，朱利安諾在這本書尚未完成就去世了，於是馬基維利又將其題獻給了朱利安諾的弟弟——羅倫佐．梅迪奇（Lorenzo "The Magnificent" Medici），佛羅倫斯城的新任統治者（不幸地是，馬基維利的計畫並未奏效。當他把書獻給羅倫佐的時候，根本沒人理會他）。

亨利．費爾丁的《湯姆．瓊斯》（*The History of Tom Jones*）題獻給「欽委財政委員會之一員，光榮的喬治．利特爾頓（George Lyttelton）。」利特爾頓是一位文學贊助者，幫助過亞歷山大．波普，以及其他一些除了費爾丁以外的學者。當時文學贊助的觀念根深柢固，因而費爾丁即赤裸裸地寫出了他的願望：「我請執事許我將大名題於本獻辭之端，其事雖始終遭執事拒絕，而我仍堅決認為，我願執事之護持此書，絕非分外之想……」

作家們時而會偏離正常情況，即使是些特例，還是能夠證明此種普遍的法則。法蘭西斯科．德．克維多（Francisco de Quevedo y Villages）一六四一年的作品《童年玩具》（*Toys of Childhood*）中的獻辭，是這樣寫的：「根本沒有人……我認為所有作家為他們的書寫獻辭有兩個目的，而且這兩個目的是不能分開的：一個目的是敬獻給為其出版的贊助者，另一個是保護其作品不受到批評。」

要精心製作這些頌辭也是件不容易做到的事，如果沒有文學技巧，就必須要有敏銳的政治本能。人們致獻辭的合適人選限制在皇室、教會主教，以及有錢、有勢力的貴族。就像馬基維利和克維多所提出的那樣，這種限制不僅出現在英格蘭，也同樣出現在其他地區，甚至包括幕府時代的日本，在那裡作者們把書題獻給將軍和大名。在這些狹小純粹的世界中，這些領主城堡的房間和地牢裡，塞滿了背叛他們的敵人。一個今天還戴著王冠的聰明女皇，可能明天就與監牢裡的白癡侄子換了地方。知道他們有可能會因為一個被誤導的獻辭而被吊死，作家們設計出了聰明的策略以保護自己。

就像一位將軍只有在絕對必要的情況下，才會出動他的主力部隊，伏爾泰（Vlotaire）一開始並未為其《狂熱分子，或先知穆罕默德》（*Fanaticism, or Mahomet the Prophet*）寫獻辭。但當這部被認為瀆神的戲劇在僅僅演出了三場就被迫關閉後，他趕緊將其題獻給了教宗本篤十四世（Pope Benedict XIV）。在教宗隨後賜給了他熱情的祝福之後，這位作家高興地意識到羅馬主教對於文學的判斷力，與其在信仰方面一樣是一貫正確無誤的。

恐懼感也可以驗證思想。尼古拉．哥白尼（Nicolaus Copernicus）關於太陽而非地球是宇宙中心的激進觀點，使得他與愚昧但是有勢力的教會發生了衝突。出於恐懼——但是並沒有恐懼到失去理智——他把其著述題獻給了教宗保羅三世（Pope Paul III）。簡直可以說是有史以來最聰明的獻辭：「我把這部嘔心瀝血的作品敬獻給教宗陛下……因為，即使在我所生活的地球上最遙遠的一隅，由於您的教廷的崇高，以及您對一切文化還有天文學的熱愛，您被推崇為至高無上的權威。因此，您的威望和明斷可以輕而易舉地制止誹謗者的中傷，儘管俗話說：暗箭難防。」

湯瑪斯．潘恩，這個善於煽動的人，對他的《人權》（*Rights of Man*）也採取了同樣的方式。他認為這本書可能會引起轟動，而且事實確是如此。在一七九一年這本書印行十週之後，就賣了五萬冊。當時的經典小說也只能賣到一千二百五十冊，而普通作品的平均發行量就只有七百五十冊。這本書對專制主義進行了嚴厲的批評，也包括對他自己的英國君主。為了保護自己不會因煽動罪名被逮捕，他很精明地把這本書獻辭寫成「致美利堅合眾國總統，喬治．華盛頓先生，尊敬的閣下，我向您呈獻這部小小的論著用以捍衛自由的法則，這是您花費心血所創建的卓越功業……」潘恩當時所指望的，是喬治三世國王（King George Ⅲ）的內閣正熱衷於建立良好的盎格魯—美利堅之間的關係。潘恩的計謀在華盛頓那裡進行得不太順利，因為華盛頓也正在試圖改善這個關係，因而當他收到這份獻辭和五十本贈閱的《人權》時，反應很冷淡。

當緊張的作家們一時無法確定獻辭的目標時，他們往往會把花束投向任何一個被看到的人。機智的巴爾塔薩．哥別爾（Balthazar Gerbier）爵士在他一六六三年出版的《給建築者的忠告》（*Counsel to Builders*）一書中，寫了四十一份獻辭。這些讚美詞占據了他書中一半的篇幅。《羅馬殉道聖人錄》（*Martyrologium Romanum*）一書的編者亞歷山大．波利蒂（Alexander Politi），在致辭中把他的書獻給一年中的每一天。還有些人把自己的書分成若干卷，以創造更多的機會寫更多的致辭。

還有些機智作家出於自私的目的，用鉛筆寫下敬獻之辭後，又因為同樣的原因迅速將其擦掉。喬治．查普曼（George Chapman）翻譯荷馬的《伊利亞特》，完成於一六〇〇年左右，他在致辭中把這本書敬獻給安妮皇后（Queen Anne）、萊諾克斯（Lennox）公爵、英國上議院大法官、索爾茲伯里（Salisbury）伯爵、薩福克（Suffolk）伯爵、北漢普頓（Northampton）伯爵、阿倫戴爾（Arundell）伯爵、潘布魯克（Pembroke）伯爵、蒙哥馬利（Montgomery）伯爵及其夫人、南漢普頓伯爵、薩塞克斯（Sussex）伯爵及其夫人、沃爾登（Walden）男爵、萊爾（Lisle）議員、羅瑟（Wrothe）女勳爵、貝德福（Bedford）女伯爵，以及湯瑪斯．霍華德（Thomas Howard）爵士。一開始還包括阿拉貝拉．斯圖爾特（Arabella Stuart）女勳爵，她曾經被作者描述為「我們英國的雅典娜，藝術與知識方面正直的仲裁者」。後來這位阿拉貝拉女勳爵捲入一場反對國王的謀反，為此她被關進了倫敦塔，並因精神病死於此處，她的名字也在隨後印行的查普曼那本書的獻辭中被抹去了。

在作家們的共同努力之下，那些無力的讚美詞愈來愈糟糕，還不如乾脆不放。羅伯．羅夫地（Robert Loveday）一七三六年翻譯的法文著作《處女膜的前奏曲；或者愛情的傑作》（*Hymen's Praeludia; or Love's Master-Piece*）中，就有一份獻給「永遠值得尊敬的女士，柯林頓女勳爵閣下」的致辭，頗代表了當時的風氣。羅夫地乏味的致辭中，充滿著卑躬屈膝的謙卑姿態，最後的結尾也寫得佶屈聱牙：「當太陽（那是您的美德最清晰的徽章）升到子午線上的時候，並不會以高傲的態度俯視大地。因此，如果您能把您的微笑和鼓勵賜予我這本小書，那麼無論任何其他人再有什麼不善意的態度，都不會使我害怕了，夫人，您最謙卑、順從的僕人，羅夫地。」

獻辭的市場與其他商品的市場運作方式是相同的，都是企圖在公正性與合理性之下，找到一個標準化的價格。以撒．狄斯雷利告訴我們，「在大革命到喬治一世時代之前」，一齣戲劇獻辭的價格是十基尼，到了喬治一世時代則漲到了二十基尼。而有名氣的作家可以要價二十或者三十英鎊。而且，就像在所有的市場上一樣，還有獻辭仲介，他們被稱為獵鷹人（falconer）和雜種人（mongrel，一種蔑稱），四處搜尋已經完成但是還沒有寫獻辭的圖書，亦即獻辭中還沒有填上人名的圖書。雜種人負責出版印刷，而他的夥伴到城裡去物色合適的贊助人。獵鷹人把這本書引薦給貴族，並在書上寫上這位貴族的名字。受到大肆奉承的這位貴族，就會回報相對的金錢。一本稱做《O就是O》（*O perse O*）的書，描述了十七世紀早期這類騙局的操作方式，並且建議說：「如果一位紳士看到這類書中之一僅獻給自己一個人，可能不禁會懷疑這人若是個私生子，除他之外，可能還有好幾名父親。」

逐漸地，這種情況不再令作者們那麼擔驚受怕了，因為他們對書店老闆的感激，已經超過了對那些提供贊助的貴族了。這一改變發生在山繆．強森的時代，是他最終清醒地認識到傳統的獻辭顯示出了貴族們勢力的衰退。強森博士以擅長寫獻辭著稱，所以經常受託幫別人書寫獻辭。當然，他也不會在這些作品上署自己的名字。他曾經計畫把他那本著名的辭典，獻給後來當上了國務祕書的查斯泰菲爾德（Chesterfield）勳爵，查斯泰菲爾德只給了強森一點點時間和十英鎊，然後就不再理會他。直到那本《英語辭典》問世，查斯泰菲爾德才寫了兩封信發表在《世界》（*The World*）上，以支持這本「即將出版」的書。強森為此種遲來的幫助深感憤怒，就寫了一封信給查斯泰菲爾德，說這回他不打算寫獻辭了。「尊敬的閣下，七年來，我一次次地恭候大駕，又一次次地被拒之門外，與此同時，我也毫無怨言地克服種種困難，為自己的作品辛勤工作。最後，我終於在沒有獲得您任何幫助或者鼓勵，乃至一個微笑的情況下，將之付梓了。」強森體認到他不需要任何的「贊助人」，這個詞在他自己的辭典中被定義為「為阿諛奉承付費的可憐人」。

在著作業轉往以市場為導向時，仍然有一些缺乏想像力的作家，還在迷糊地繼續發掘那些可以寫在獻辭中的先生、女士們，范妮．柏尼（Fanny Burney），也就是後來的德阿布萊夫人（Madame d'Arblay），把她的小說《埃維莉娜》（*Evelina*）題獻給「《每月評論》和《批判評論》的作者們。……沒有名字，沒人推薦，既沒有榮譽也沒有恥辱的沒沒無聞之人，我該向誰尋求恰如其分的保護，是公開宣稱自己是所有文學行為的巡官的那些人嗎？」山繆．福特（Samuel Foote）那本出版於一七五三年的《巴黎的英國人》（*The Englishman in Paris*）的開頭是這樣寫的：

我的書商提醒我說，他的大多數讀者關心分量遠多過關心品質。因此，如果一本書沒有多出半頁內容，他們是不會滿意的；而在他看來，一篇致辭恰好可以滿足這一要求。但是在這個國家之中，我並沒欠任何一位偉大的先生或者女士的情，而且我也覺得我的作品不需要他們的保護，我也不認識哪個人的重要性會超過我的書商。因此，維蘭特（Vaillant）先生，我對你表達深深地感激，爲了你正確出版我的書，爲了那些美麗的鉛字，還有質地精良的紙張，還有所有你對這部作品的付出。您的謙卑的僕人，山繆．福特。

不幸地是，這種創意很快就沒人用了。你可以把每一本書題獻給你可怕的君主而不會喪失名譽，你卻不能把每一本書題獻給你的出版社，而不會導致人們對你作品的價值產生疑問（究竟出版社是因為做善事才出版你的作品，還是因為你的作品值得出版呢？）。威廉．梅克匹斯．薩克雷在十九世紀中葉即明智地建議說：「現在最好允許獻辭這種既無力又沒意義的體系消失或者被遺忘。」

如今，獻辭這種東西對於寫作已經沒有什麼意義了，就像護城河與吊橋對於貴族們來講早已過時。但是又像小孩子愛啃手指頭一樣，作家們還是帶有強迫症似地保持著這一習慣，把他們的書題獻給愛人和朋友，甚至在那些非小說類散文作品中，還把從圖書管理員到鞋店售貨員都一一列出致謝（虛構小說類極少有獻辭，原因很簡單，虛構小說類作品原本就被認為是虛構的，如有雷同，純屬巧合）。這都滲透著工業時代團隊合作的精神。

獻辭的書寫被如此非理性地保存在寫作流程中，以至於沒有人在實質上認真思考過，為之想出一個正當理由，或者至少想想這部分到底應該怎麼寫。那些激勵作者們寫作的指南類書籍，大量談及如何挑選字體以及怎樣編寫參考書目；而書前的致辭和獻辭卻彷彿是不登大雅之堂的話題，不被納入討論。有一本寫作指南上是這樣建議的：「如果作者想要寫一篇獻辭，那麼他應該盡可能地壓縮其內容。」《芝加哥寫作手冊》（*The Chicago Manual of Style*）認為獻辭是，「由作家們決定的一些瑣事」。儘管如此，它也令人失望地不鼓勵作者將其寫得獨特或有趣：「過度的」獻辭文字，都是「陳舊的」；而幽默的獻辭，則「不適於出現在嚴肅作品中」。一本由諾曼．卡森斯（Norman Cousins）編寫的指南性書籍《為愛情或金錢寫作》（*Writing for Love or Money*），對於獻辭隻字未提，儘管愛情在獻辭中早已成為一個常見主題。寫作獻辭是如此地令人困惑，以至於現在的獻辭會一時出現在書後，一時又混雜在序言、前言，甚至緒論裡。

當我問隨筆作家約瑟夫．艾普斯坦（Joseph Epstein），他是不是真的寫了這個話題的時候，他是這麼回答的：「就像你在新婚之夜一樣，這是你被認為你所應該瞭解如何處理的眾多事情之一。」他在《我極限的中點》（*The Middle of My Tether*）一書中，曾經簡短地記錄說，他認為他所收到過最恰如其分的致謝辭，就是「（在諸多事情中）我最感謝約瑟夫．艾普斯坦引導我閱讀亞歷山大．赫爾岑（Alexander Herzen）[163]。」

我另外能找到的唯一對此話題說了些有用的話的人，大概就是新聞記者理查．羅偉萊（Richard

163 一八一二—一八七〇年，俄國思想家、作家，其長篇回憶錄《往事與隨想》爲國人所熟知。

H. Rovere），在他三十多年前寫的一本《美國學者》（*The American Scholar*）中曾經提及，他最為讚賞的是用諷刺手法來寫致辭。羅偉萊自己的諷刺性作品，是這樣開頭的：「正如先前出的六本書那樣，我生命中這第七本書的出現，除了它的作者以外還應該歸功於很多人。「皮襪故事集」（*Leatherstocking Tales*）那無與倫比的創造者，以及與他同時代偉大的華盛頓．歐文都曾經說過，E pluribus unum（拉丁文，合眾為一〔美國標語〕）這句話無論是對年輕共和國，還是對學者們的作品來講，都是一句妙語箴言。」

如果文學評論者們能夠對獻辭和致謝辭給予多一些的關注，那麼作家們有可能會考慮提高這方面的寫作水準，或者乾脆就不寫這些東西了。即使作家不為此改變他們的寫作方式，起碼可以讓我們看看評論家們是如何嘲笑他們的。高爾．維達（Gore Vidal）就是這樣一位少見的評論者，他在對羅伯．卡爾德（Robert Calder）的《威利：薩默塞特．毛姆的一生》（*Willie: The Life of W. Somerset Maugham*）一書的評論中寫道：「卡爾德值得讚揚的是，他使用『威利』這個朋友們用來稱呼毛姆的暱稱，盡力顯示了毛姆強悍性格中溫和的一面。但是，我們的教師（卡爾德的工作）也在他的致辭中讓自己遠離了『粗俗』，他寫道：『不成敬意地獻給我的雙親，以及我的子女──埃里森、凱文、洛林和達妮。』（他們是否會不成敬意地尖聲叫著：『爸爸，有什麼好東西？』）沒關係，孩子們，至少你們的父親已經做出了一個值得驕傲的老套水果蛋糕。」

不成文的法規

儘管沒有任何規則在控制著致辭和獻辭的寫作，作家們卻依然孜孜不倦地寫作著這些虛情假意的陳腔濫調。就好像每個人都獨自漫無目的地在茂密的山林中遊走，最後卻莫名其妙、殊途同歸地走到一間小破屋子裡。作家們在為他們的致辭和獻辭找到合適的寫法之前，總要繞很多彎路。因此，能夠為這一趟旅程提供給他們一張地圖，將會是一個善行。下列總結的四項（迄今為止的）不成文規則（如果沒有其他用處），起碼可以幫他們省點時間。

規則一：用自己的方式提出問題

在一開始，要說你所欠的恩情非語言所能表達。「對於我從各位學者、圖書館員，以及編輯那裡所獲得的幫助，我只能說大恩不言謝了。」或者是：「對於我所得到的幫助簡直無以為報。」還可以這樣說：「我能寫出這樣一本書，實在是個奇蹟。」這些句子都是現實中的作家們所寫出來的。

任何致獻辭的專有名詞中都有兩個關鍵字，「感激的」（indebted）和「無價的」（invaluable），例如「我對於——幫助我複印稿件，以及影印卡紙時的無價幫忙相當感激」。而短語「持續的鼓勵與建議」是基本詞語；「深切地感激」則是必須出現的，而會用「令人愉快的」來描述處理瑣碎雜事的人。

在一篇致辭或獻辭的高潮處，應該用語言顯示出你曾經出現過思考上的低潮。如果你能夠自己主動冒險坦白，就說些難以理解的。例如，我們在威廉．沙特納（William Shatner）《未來悍警》（*Tekwar*）的致辭中可以看到的：「羅恩．高拉特（Ron Goulart），一位驚人的作家，為我展示了如何完成一部小說的技巧和途徑。」

還有個同樣有效的方法，像保羅．萊特（Paul C. Light）在《改革浪潮：改善政府工作，一九四五－一九九五》（*The Tides of Reform: Making Government Work, 1945-1995*）中那樣，把大家所共知的事實當作你自己的發明創造來說：「寫獻辭往往是一本書的寫作計畫中，最令人愉快的一部分。因為我只在完成之後才寫這一部分，這是個讓我憶及所有為之付出辛勞的人和單位的時候。」他用這種方法把自己和所有其他作家區別開了，顯得別人似乎都是在任何工作都還沒做的時候，就已經寫好了獻辭。

規則二：寫些跟家庭有關的內容，注意要使其顯得漫無目的又得讓人領情

首先，你可能會擔心這將是你這輩子唯一的一本書，所以必須把所有需要致謝的對象正確地寫出來；其次，你會想把這本書獻給和其相關的所有人。你的親戚們是一定要的，像是叔叔、伯伯，表哥、表妹，還有到你家用你的電視看足球、喝你的啤酒、除了娛樂週刊其他什麼文字都不看的小舅子。

這樣的例子，有丹尼．謝特（Danny Schechter）的《看得愈多，瞭解得愈少》（*The More You*

Watch, the Less You Know）：「在如今這個事業需要通力合作，生活已經共同分擔的時代，感激應該從哪裡開始又該到哪裡結束呢？」他感激他的雙親、他的兄弟，以及他兄弟的「合作夥伴山迪、我那驚人的女兒莎拉・德布斯、她的母親瓦莉瑞爾、丹澤爾・麥肯齊及其全家、我的姑母丹娜和叔父喬治，以及表兄弟馬克和大衛。還有家庭密友，我童年時代的好友……」收尾的最後一句是「尼爾森・曼德拉（Nelson Mandela），以及我的許多南非朋友」。

對於真正的至親，比如你的太太或孩子，你要顯示出寫作是一種能把無辜的人折磨成瘋子的苦差事。「我把大部分的時間都用在了《像鳥一樣呼哨》（*Whistled Like a Bird*）這本書上，為他們（指我的丈夫和孩子們）所剩的就那麼一點點了……大概有兩年的時間，傑克一直父代母職，而且基本上沒有享受過家裡的飯菜。」（很明顯他並沒有真正做好母親的職務。）或者「感謝你在我實在沒有時間做飯的情況下，自己給自己做飯吃」。再或者「孩子們……希望你們沒有被我的勤奮工作嚇到」。

讀者應該也會想知道，為什麼你的配偶還願意守著這樣一個不正常的家庭。因此，你應該讓他／她看起來對於清洗馬桶，或者幫你整理稿件這些瑣碎的事情充滿熱情。所以，要感謝你的配偶「為其溫柔的勸告和寬容，以及全心全意的支持」。或者「我太太在這本書的孕育和生產過程中，對我的寬容和忍耐，令我感激涕零」。

有時候，作家們嘗試使用不同的詞彙來表達政治正確的觀點。尤金・吉諾維斯（Eugene D. Genovese）把《奴隸造就的世界》（*Roll, Jordan, Roll*）這本書獻給他的妻子，她「沒有幫我的書稿打過字，沒有參與我的研究，沒有補過我的襪子，也沒有做過其他人在一般的致辭中讀到過的那些令人覺得『沒有她這本書就寫不出來』那類驚人的事情」。無獨有偶，詹姆士・史考特（James Scott）在《農民的道德經濟學》（*The Moral Economy of the Peasant*）中，也說過類似的話：「我想要說的是，我的妻子和孩子都有自己的專業領域和所關心的事物，事實上他們對於這本書並沒有任何貢獻。在我的研究和寫作過程中，他們並沒有表示理解或者提供幫助，反而是盡量讓我離開工作去體會更多的生活樂趣。我希望能夠一直如此。」

艾伯特・保羅・麥尼諾（Albert Paul Malvino）習慣於把這樣一份致辭貼在他的每一本書前，即使是在類似《電子儀器基本原理》（*Electronic Instrumentation Fundamentals*）這樣的專業題目下：

獻給喬安娜
我那才華橫溢又美豔絕倫的妻子
沒有她我什麼都不是
她永遠安撫、慰藉著我
從無抱怨、打攪
只有付出，不求回報
並且幫我寫致辭

我發現這種破題方式，已經吸引了我（至於我的太太「瑞吉娜・漢密爾頓，她有別的事情要做……」）。但還是不要著迷於此吧。現在這個方式已經跟致辭給你的出版社，以及不夠適度的自命不凡一樣陳腐不堪了。

順帶一提，要舉自命不凡的例子，沒人比得過賽門・夏瑪（Simon Schama）。基本上沒有哪個歷史學家的寫作會像他如此地惺惺作態，他作品中的人物在沒有撞到腦袋的情況下，自己也會得腦震盪。他把這一寫作技巧也運用到他作品的起始，一個明顯的例子就是《公民：法國革命編年史》（*Citizens: A Chironicle of the French Revolution*）：「在這本書的寫作過程中，我的孩子喬雷和加柏瑞爾，還有我的太太吉妮，自始至終都在忍受我喜怒無常的壞脾氣、黑白顛倒的作息，以及種種他們所完全想像不到的怪癖行徑。他們所給予的回報，卻是獲得了遠超過我所應得的充滿愛意和容忍的協助。吉妮對這本書各個方面的問題，從論點到設計，提供了她一貫正確的判斷。如果任何一位讀者對我的寫作有所恭維，都應該歸功於她。」

經過深思，你應該會認為這樣的一篇致辭可能會提醒夏瑪的家人要把他打成腦震盪。但是沒有人會介意，即使是明顯認為這證明了夏瑪是個真誠作家的讀者。

規則三：讓讀者懷疑你的角色

讓讀者覺得你是一個任人擺布，連算數都數不清楚的飯桶。「如果沒有某某某的鼓勵，我恐怕無法承擔（或者完成）這一工作。」或者「如果我經常像個固執又呆板的學者，那可不是他們的錯。」再或者，「感謝我的經紀人發現了我，並且給了我這樣一個機會，把我從迷失和絕望中拯救出來。」我懷疑這本書其實是獻給她的心理醫生的。

聽起來有些自我保護意味的話，暗示了你可能有某種罪惡感。《希特勒的無線電廣播》（*Hitler's Airwaves*）一書的兩位德國作家霍斯特．伯格米爾（Horst J.P. Bergmeier）和雷納．洛茲（Rainer E. Lotz）就寫道：「這本書的作者就讀小學時正值『二戰』期間，我們對於納粹操縱媒體的方式沒有直接體驗，對德國的英語廣播更是如此。」不過，他們也只能這麼說了。

表現出你知道正確的事情該如何做，但就是不打算做，可能會更好。《義大利經典食譜》（*The Classic Italian Cookbook*）一書的作者瑪瑟拉．哈桑（Marcella Hazan）就致謝說：她丈夫的「名字實際上應該是放在封面上」。

規則四：表現出對這本書的責任感，不過別提錢

在你所寫的致辭結尾的某個段落，你應該說：「這本書中的錯誤都是我該負責的。」儘管在此前所有的告白中所隱藏的意思，都是壓倒性地讓人相信，你對這本書的內容幾乎沒什麼貢獻。

有一個簡潔的表達方式就是：「如果沒有我這麼多家庭成員的幫助，這本書是無法完成的，這些成員包括我遠在肯德基州的表兄弟，他們幫助我回憶起許多我已經完全忘記了的事情。還有，太平洋戰爭最後那混亂的幾年中，和我一起在第五艦隊服役的同事們。」

另外的範例，還可以看看凱．簡．霍茲（Kay Jane Holtz）所說的：「把這本書從一個信念變成一個成品，整整花費了整村的人力，這村人都是我的同事、朋友和家庭成員。」（《柏油公路上的國家》〔*Asphalt Nation*〕）。或者是如尼爾．艾契森（Neal Ascherson）說的：「許多人，活著的和已過世的，都曾經幫助我寫作這本書。」（《黑海》〔*Black Sea*〕）。把失誤推到死人身上總是不會錯的，反正他們沒法辯解了。或者，學學詹姆士．米契納（James Michener），他藉由《伊比利亞》（*Iberia*）一書的致謝辭，與十五個人達成了「可以永不還債」的共識。

再或者，像《邏輯基礎》（*Elements of Logic*）一書的作者理查．惠特利（Richard Whately）那樣，他在一八七〇年向蘭達夫（Llandaff）大主教愛德華．柯普斯登（Right Reverend Edward Copleston）致謝說：「儘管我有理由相信，連您自己都已經忘記了在我們關於這一主題的談話中，您為我提供了幫助的那一部分內容；正如我不只一次地發現，當我重複那些我清楚地記得是從您那裡得來的觀點時，您自己都不肯承認。」

還可以考慮歸咎於上帝。菲力普．詹姆士．貝利（Philip James Bailey）把他一八三九年發表的詩歌《樂》（*Festus*），獻給「我們的天父，如果沒有祂所賦予的靈感，這本書將永遠無法寫出來。」喬治．霍恩（Geroge M. Horne）主教寫道：「種族隔離在《舊約》和《新約》中，不僅是寫下來而已，而且還強烈要求的」，然後他就把《二十世紀的十字架》（*The Twentieth Century Cross*）獻給上帝，以掩護他自己。而那個不名譽的福音佈道家金貝克（Jim Bakker），將他的書名取為《我錯了》（*I Was Wrong*），看似是承認了他的罪惡，但是又隨即拉扯上了「從未離棄過我最好的朋友……基督」！

前置頁上的榮譽榜

有時候確實也有些作者在前置頁（front matter）上，說出了真正能夠提升其作品價值的話。不過，這少之又少，簡直就像翁布里亞（Umbrian）白菌一樣珍貴。

這些真正具有文字天賦的作者們有個共同特點就是，他們在文字中尋求中肯的語言和有意義的內容，而不是毫無技巧地把一些文字嫁接到書中。要像艾略特在《荒原》中那樣，寫出與事實相符的致辭：「致艾茲拉．龐德，最卓越的匠人（il miglior fabbro）。」龐德對艾略特的這首詩影響至深，為其刪減了一半的長度。

天主教徒孔漢思（Hans Küng）[164]為強調其《論基督教》（*The Church*）一書與全球教會的關係，將這本書獻給坎特伯雷大主教。新聞記者文森．西恩（Vincent Sheean）把他那本「一個聽眾的自傳」——《最初和最終的愛》（*First and Last Love*）獻給了歌劇明星珞特．雷曼（Lotte Lehmann）女士。伯納德．福爾（Bernard Fall）把他的《兩個越南人》（*The Two Vietnams*）「獻給英勇、堅忍的越南人民——北方的與南方的」。民調專家喬治．蓋洛普（George Gallup）和伊萬．希爾（Evan Hill）所寫的《長壽的祕密》（*The Secrets of Long Life*），「獻給二萬九千位九十四歲以上的美國人，以及一億七千九百九十七萬一千位希望活到這個歲數的美國人」。

格雷安．葛林（Graham Greene）在《沉靜的美國人》（*The Quiet American*）一書中，那篇獻給雷

內和芳的有趣致辭發揮了一箭雙鵰的作用。既回憶了「我與你們在西貢度過的那些美好的夜晚」是這部小說的背景，同時也讓作者有個機會否認他的朋友與小說中人物的相似性，以保護她們。

安東尼奧・聖修伯里（Antoine de Saint-Exupéry）的《小王子》（*The Little Prince*），既是寫給孩子也是寫給成年人看的書，這是兩種有著巨大差異的讀者。但是，他那迷人的致辭適時地疏通了代溝，說明兩代人都可以愉悅地閱讀這本書。

> 謹獻給萊昂・維爾特
>
> 我請求孩子們原諒我把這本書獻給一個大人。我有一個很嚴肅的理由：這個大人是我在這個世界上最好的朋友。我還有另外一個理由：這個大人什麼都懂，包括寫給孩子們看的書。我的第三個理由是：這個住在法國的大人又冷又餓，他非常需要安慰。如果所有這些理由都還不夠，那麼我很願意把這本書獻給這個大人身爲孩子的時候。所有的大人一開始都是孩子（但是，很少有哪個大人還記得）。所以我把獻辭改爲：
>
> 謹獻給萊昂・維爾特
>
> 當他還是小男孩時

164 一九二八年出生，瑞士人，當代著名的天主教神學家、基督教護教大師、改革神學家。戰後，他有力地促進了一場自路德以來最大的宗教改革運動，並在他的書中指出「沒有宗教和平就沒有世界和平」，得到西方眾多知識分子的認同。

我的朋友喬爾．史沃德洛（Joel Swerdlow）一開始，也是很沒想像力地把他的頭兩本書獻給他的祖父母和父母。後來他讀了約翰．史坦貝克（John Steinbeck）的《伊甸之東》（*East of Eden*）那篇一頁長的致辭，完全用對話的形式寫了一個故事。史沃德洛現在嘗試著精雕細琢出一些有意義的致辭，像他在《治癒一個國家：越戰將士紀念碑》（*To Heal a Nation: The Vietnam Veterans Memorial*，與詹．史庫格斯〔Jan Scruggs〕合著）一書中，所做的那樣。那份長篇的致辭獻給他死於白血病的兄弟，與書中的內容非常協調。下面是那篇文章的結尾：「他的鼓勵可以感動那些仍在忍受著戰爭痛苦的人，那些以生命承受著未來戰爭負擔的人，以及每一個受到諸如絕症這類生命威脅的人。『現在就彼此珍惜』，他的鼓勵是這樣說的。『享受每一天，記住所有善意和忠誠的行為，無論這些行為看起來有多麼微不足道，這可以擊敗生活中大部分的陰謀詭計。』」

致力於中肯實用的致辭寫作，有時候能夠使得一本書在初始就開宗明義。亞瑟．克拉克（Arthur C. Clarke）[165]的第一部成名小說《童年末日》（*Childhood's End*）一開頭就說：「這本書所表達的觀點，並不是作者的觀點。」他這樣說，是因為他並不同意這本書所預設的前提，即星空不為人類閃耀。

幽默書籍也應該有個幽默的前置頁。以撒．艾西莫夫和傑普森（J.O. Jeppson）即深知這一點，因此他們把《笑的空間》（*Laughing Space*）一書題獻給幽默感。馬克．吐溫可以說是最擅長寫致辭的作家了，懂得如何在關鍵時刻加入笑點。他把《苦行記》（*Roughing It*）題獻給這本自傳體小說中的一個角色：「致加利福尼亞的喀爾文．希格比，一個誠實的人，一個親切的夥伴，一個忠貞的朋友，這本書的作者將它寫出來，就是為了紀念我們一起當了十天百萬富翁的那段不尋常的日子。」

吐溫因為愚蠢的投資賠了錢，不過這段經歷又為他那賺錢的寫作提供了素材，他在那段艱難的還債生涯中完成了《赤道環遊記》（*Following the Equator*）。當美孚石油公司（Standard Oil）的亨利·羅傑斯（Henry Rogers）幫他解決了困難之後，作為回報，吐溫把這本書獻給羅傑斯的兒子，「為了贊許他現在的狀態，並希望他的未來不要以本書作者為榜樣，一丁點都不要」。

不過，幽默不應該太隱晦，以至於大家都看不出來。海倫·凱瑟卡（Helen Cathcart），一個相當著名的英國皇室傳記作家，總是為其作品向「給予我幫助的哈洛德·艾伯特（Harold Albert）」致謝。實際上，根本就沒有凱瑟卡女士這樣的人存在，只有艾伯特先生，他就是這些作品的真正作者。不幸地是，我們並不知道實情，直到艾伯特一九九七年去世的時候，才由他的朋友揭露出這一真相。隱祕的笑話是無禮的。

更糟糕地是，自以為詼諧地把書題獻給自己，其實是個令人生厭的蠢主意。比如，夏洛特·恰克（Charlotte Charke）的《夏洛特·恰克夫人的生平記述，自寫自身》（*Narrative of the Life of Mrs. Charlotte Charke, Written by Herself*，一七七五年版）中，就說：「謹獻給她自己。夫人，眾所周知，

165 一九一七—一九九八年，英國科幻小說作家。《童年末日》被認爲是克拉克最成功的小說之一。他在此前已經寫了兩、三部關於星際宇宙的科幻小說，其中《哨兵》（*The Sentinel*）還被著名導演史丹利·庫柏力克（Stanley Kubrick）看中，與他共同改編成電影劇本《2001：太空漫遊》（*2001: The Space Odyssey*）並成爲銀幕經典。克拉克一直堅持一種宇宙觀，他相信地球在太空中猶如一個池塘，而人就像其中的青蛙，當青蛙繁殖到這個池塘難以負荷的時候，必然有部分會遷往另外的池塘，即其他的星球。他的一系列作品都表達了這一觀點，唯獨本書中提到的這本《童年末日》是個例外。因此，才會有本書作者所稱道的這樣一篇致辭的出現。

致辭中屢次湧現的總是不斷地恭維，我仍然希望能夠避開那些庸俗的表達方式，儘管我是極度想說明您是如此地與眾不同，並給予您一個公正的斷言，您的作品是這個時代的極品……」與其如此作為，還不如像格林（E. H.H. Green）所做的那樣，他把他的《保守主義的危機，一八八〇－一九一四》（*The Crisis of Conservatism, 1880-1914*）一書獻給了他的狗。他指出，在過去的十五年中，對他而言那條狗比任何一位教育部長，都更有幫助、更有意義。

華特．克魯瑟斯．賽勒（Walter Carruthers Sellar）和羅伯．朱利安．耶特曼（Robert Julian Yeatman）合寫的《一〇六六及其他》（*1066 and All That*）一書，是前置頁致辭最有幽默感的作品之一。在各種趣談中，有這樣一則：「第二版序言。第一版只用通草紙印了一冊，並且用平版裝訂，由編者之一簽名，賣給了另一位編者，結果還被他在從皮卡迪利廣場坐車到牛津大學圖書館的時候，遺落在計程車上了。」

這本書還有篇很適切的致辭：「……他們也要把感謝獻給他們的妻子，為了她們並未在索引上出錯。這本書沒有索引。」

前面已經提到過，想用致辭和獻辭來取悅配偶的作者，其實是在冒著大風險。「永遠不要把一本書獻給你的太太，」一些喋喋不休的人想當然耳地說，「因為從提筆到付梓的期間太漫長了。」作者固然可以有耐心地相信婚姻的穩定，但是遲來的致謝卻不再有激情。馬利恩．克勞福（F. Marion Crawford）在他的《卡薩．巴奇奧》（*Casa Braccio*）中，寫道：「這個故事，我的第二十五部小說，我滿懷深情地獻給我的妻子。」他的太太能有多高興呢？

沒有人願意聽別人在致辭中，情緒激動地抱怨一場婚姻的失敗。職棒選手吉姆．波頓（Jim Bouton）把《四壞球》（*Ball Four*）一書獻給他的太太（「致芭比，感謝您，教練」），然後就離婚了。而芭比．波頓（Bobbie Bouton）和另一位運動員的離異妻子南西．馬歇（Nancy Marshall）合著了一本書《家庭賽事：兩位棒球運動員之妻的傾訴》（*Home Games: Two Baseball Wives Speak Out*）。由於徹底受夠了男人，她們把這本書獻給她們各自的女兒。馬歇沒有兒子，但是波頓有兩個，所以她在致辭中對她的兒子們說：「總有一天你們會明白的。」

要獻給並非配偶的戀愛對象，最好的解決辦法是省略真名實姓，如此還可以顯示出最真實的親密關係。傑克．希金斯（Jack Higgins）的《舞廳羅密歐回憶錄》（*Memoirs of a Dance-Hall Romeo*）一書中的致辭，就屬於這一類：「為了紀念那久已遠去的歲月中的女孩們，特別是說了『是』的那些……」史蒂芬．西佛曼（Stephen M. Silverman）把他的《出走的狐狸：贊納克王朝在二十世紀福斯的最後日子》（*The Fox That Got Away: The Last Days of the Zanuck Dynasty at Twentieth Century-Fox*）一書「獻給『R』，一位已婚婦女，她會明白那是誰」。

此種拐彎抹角的致辭方式用在隱祕的愛情上或許精明，不過對於一個值得尊敬的人物，也隱晦地只用縮寫或者完全隱瞞身分，此種行為就相當令人討厭了。因為如此一來，致辭的敬獻對象無法充分享受到他理應獲得的榮譽。畢竟，如果姓名縮寫就可以令人滿意，為何作家們不要求把圖書獎都改成祕密頒發呢？

庫爾特．馮內果（Kurt Vonnegut）的《歡迎到猴子籠來》（*Welcome to the Monkey House*），就不

適合用姓名縮寫了。他把這本書獻給他的朋友兼前編輯，「諾克斯．伯格（Knox Burger）只比我大十天，然而待我就像是個稱職的父親一樣」。（瑪麗．希金斯．克拉克〔Mary Higgins Clark〕更甚，用她經紀人的名字派翠西亞．米勒〔Patricia Myrer〕為她的孩子命名。）同樣地，沙林傑（J.D. Salinger）在《法蘭妮與卓依》（*Franny and Zooey*）中所寫的獻辭，既溫情又巧妙地向他的一位同事致意：「就像一歲的馬修．沙林傑滿心想讓午餐同伴吃下冷掉的白扁豆那樣，我也一心希望我的編輯、我忠實的顧問，以及（可憐蟲）密友——威廉．蕭恩（William Shawn），《紐約客》的天才編輯、遠程射擊的愛好者、無生產力作家的支持者，以及最不可理喻、謙和的天生藝術編輯——能夠接受我這本淺陋的作品。」

致辭和獻辭也是個清算的好地方，最著名的例證之一，就是愛德華．塞茲比（Edward Sexby）在一六五七年寫的小書《殺人不是謀殺，關於三個問題的簡要演說》（*Killing Noe Murder Briefly Discourst in Three Questions*）。這本書半帶嘲諷地「謹獻給奧利佛．克倫威爾閣下」，塞茲比支持暗殺他的行動：「閣下您無可選擇的死亡是為了人民，但是對於您來講，在生命的最後時刻想到您的離開是多麼有利於這個世界，將會是一種無法言語的安慰……您將成為這個國家中一位真正承先啟後的人物。」

雖然在獻辭中惡言相向頗具效果，但那些無理的不遜之言看起來，該怎麼說呢，就是無理。艾倫．德魯里（Allen Drury）關於華盛頓新聞女性從業人員的小說《安娜．赫斯廷》（*Anna Hastings*），對於當時初露頭角的女性主義就抱有極不恭敬的態度：「謹獻給所有那些精力充沛、堅決果斷、不屈不撓，甚至有的時候還有點殘酷無情的貝蒂、芭芭拉、海倫、南西、凱、瑪麗、麗茲、迪娜、桃莉絲、梅、薩拉、伊芙琳、瑪麗安娜、克雷爾、弗蘭、拿俄米、米麗亞姆、瑪克辛、邦妮們，以及其他諸位，這些女性們從未停止令她們在華盛頓出版部門的男同事們感到快樂或者煩惱，甚至還經常害他們出局。她們已經在一個艱苦的團隊中做到了——當然，在某種程度上。但她們就是做到了。」

此外，作者在文藝圈的冤家，或者其他任何會危害到你這本書的經營的人，也很適合在獻辭中對其執行絞刑。拜倫爵士就非常快意地用惡毒的語言，把他的《唐璜》（*Don Juan*）題獻給他文學上的仇人「鮑勃．騷塞（Bob Southey）！你真是一位詩人——桂冠詩人……」在這篇十七世紀時代的獻辭中，他還嘲諷了柯立芝（Coleridge）和華茲華斯（Wordsworth）。而在《真相，或曰，以不可爭議的事實證明查理一世不是個殺人犯，而是為了子民的烈士》（*Veritas Inconcussa, or, A most certain Truth asserted that King Charles the First, was no Man of Blood, but a Martyr for his People*）一書中，法比安．菲力普（Fabian Philipps）特意提到了亨利．貝爾（Henry Bell），此人出了這本書的盜版（與塞茲比對著克倫威爾的頭顱大喊大約同時期）：

儘管你曾經向我和出版社紐克姆先生表明你並不是這本書的作者，也壓根就不懂拉丁文，而你的同事也說你對英語懂得並不多，因爲你以前只是一個印刷工人，甚至不夠資格成爲一個排版工人。雖說如此，你依然厚顏無恥地印刷並出版我的這本書，還漏掉了一半的標題，加上你自己或者其他人幫你編造出來的標題，並且以你的那點兒忠誠把這本書題獻給皇帝陛下，還說了「是寫在他與我們的痛苦之中」。你製作了這本書，並且在出版之前就定了較高的價碼……

一九三〇年代，十四位出版社拒絕出版康明斯（E.E. Cummings）[166]的詩集，於是他以破釜沉舟的態度，向自己的母親借了三百美元，交給他的朋友雅各（S.A. Jacobs）協助出版他的詩集，雅各擁有一個名為金鷹（Golden Eagle）的小型出版社。為明確表示對那些拒絕他的出版社的態度，康明斯把他的詩集命名為《沒有感謝》（*No Thanks*）。他在致辭頁中重複了這一標題，在下面列出了十四個拒絕他的出版社的名字，並且把他們的名字排列成一個骨灰罈的形狀，算是獻給那些為他帶來不幸的人的一點禮物。

還有另一種調侃方式的致辭：「我必須稍作說明，這本書的絕大多數研究都是在哈佛大學圖書館完成的，因此它所涵蓋的內容與學校所能允許我讀到的書是相符合的，」這是艾爾菲·柯恩（Alfie Kohn）在他的《沒有競爭：反對競爭的案例》（*No Contest: The Case Against Competition*）一書中所寫的，「我很高興我能夠利用這些資源。然而，我能夠獲得使用它們的特權，似乎僅僅因為校方覺得我還算個人物。」

在《銀色子彈》（*The Silver Bullet*）——一本研究馬丁尼酒的學術作品中，作者洛威爾·愛德蒙茲（Lowell Edmunds）譴責《紐約時報》書評版的編輯，因為他們未能發表他的作品：「這些編輯們發現他們的杜松子酒變成汽油了嗎？還是他們喝了太多的馬丁尼，結果像舍伍德·安德生（Sherwood Anderson）[167]那樣把牙籤給吞下去了？」

《喬治・華盛頓的報銷單》（*George Washington's Expense Account*）一書的作者，在致辭中表達他對利益平衡的要求，並點出三位他認為應該讀過他的作品卻沒有讀的教授。然後，給予他的研究助理最高的獎賞：把自己的電話號碼給了她。

不過，前置頁上最為適當的開場白，還是那些發表有原創性、詼諧風趣的，或對自己有利的內容。當然，關鍵還是能為自己帶來益處，而且不要自以為新鮮地重複那些陳腔濫調。

德斯蒙德・拜格里（Desmond Bagley）在《山崩地裂》（*Landslide*）一書中，就沒有開闢新的領域，他把這本書題獻給「所有的好書商」，但是《奪寶密戰》（*The Vivero Letter*）一書，卻很有創意地題獻給了他經常光顧的兩家酒吧。查爾斯・狄更斯把《皮克威克外傳》（*The Pickwick Papers*）題獻給一位很不尋常、但是對於作家們非常重要的朋友——湯瑪斯・塔爾福德（Thomas Talfourd），塔爾福德曾經致力於加強版權保護法律的實施。路易士・拉莫（Louis L'Amour）的《帝國元帥》（*The Iron Marshal*）題獻給了班坦圖書集團的整個銷售團隊，並且按字母順序列出了所有成員的名字。勞倫斯・布拉克（Lawrence Block）把他的《殺手系列之鬱金香計畫》（*The Topless Tulip Caper*），題獻給美國為懸疑小說作家設立的艾德加・愛倫・坡文學獎（Edgar Allan Poe Award）評選委員會，以及三位特殊的書評人——《出版人週刊》的芭芭拉・班農（Barbara Bannon）、《紐約時報》懸疑類作品書評人紐蓋特・卡倫德（Newgate Callendar，筆名）以及約翰・狄克森・卡爾（John Dickson

166 一八九四—一九六二年，美國實驗主義詩人。

167 一八七六—一九四一年，美國短篇小說作家，死於腹膜炎，據說是因不慎吞食牙籤所致。

Carr）——他在《艾勒里．昆恩推理雜誌》（*Ellery Queen Mystery Magazine*）[168]上寫書評。《先發制人》（*Lifemanship*）是史蒂芬．波特（Stephen Potter）那些賣弄小聰明占便宜的作品中的一部，在這本書裡的致辭中他很巧妙地再次賣弄小聰明。他是這樣寫的：「謹獻給菲麗斯，願上帝能夠再次賜予她那光輝的視力。」儘管菲麗斯是作者九十六歲的曾祖母，而且只能看到近距離的物品。但這是一個贏得評論家好感的方法。

在少數情況下，作者們會為無私的目的，行使他們的致謝特權。賽門．德格（Simon Degge）爵士把他的《教區牧師的顧問》（*The Parson's Counsellor*）一書，題獻給利奇菲爾德（Lichfield）的伍茲（Woods）主教，讚揚他重建了一所教堂。伍茲並未做這件事情，不過卻從中獲得啟發。這本書面世之後，這個教堂真的被重建了。

不過，作者們還是將更多地關注放在他們個人利益的實現，而且錙銖必較。因此，當作者們非得愚蠢地把他們的書題獻給一個龐大的親友團，那就不妨學學瑪麗．史托特（Mary Stott）的《我走之前》（*Before I Go*），即羅列了二百個親友的名字。狄托．布萊恩．勒康伯（Ditto Brian Lecomber）的《指導》（*Talk Down*），則題獻給了三百九十九個人，很明顯這些都是他指導過飛行的人。

這裡我們從不穩定性轉移到了光輝耀眼的銷售市場。每個人都願意看到自己的名字被白紙黑字地印出來，而在一本書的獻辭中被提及的人，也都成了這本書的熱心購買者。

168是佛列德瑞克．丹奈（Frederic Dannay, 1905-1982）和曼佛瑞．李（Manfred Bennington Lee, 1905-1971）這對堂兄弟共同創作的偵探推理小說所使用的筆名，也是他們作品中偵探的名字。他們還創辦了世界著名的偵探推理小說雜誌《艾勒里．昆恩推理雜誌》。

與書籍有關的修養

在本章中，
作者將要為那些希望循規蹈矩的人，
說明好的禮儀要點。

（當妳寫情書給一位紳士的時候）

不要做出任何永恆的承諾……不要寫任何會在個人方面——或者在法律方面——令人為難的話……不要寫那些可能令他困惑的花言巧語……不要讓他覺得沒寫信給妳會有愧疚感；也許他痛恨鋼筆。

——安妮．奧利佛，一位提供典型文學建議的典型禮儀專家多年來，這個世界上的艾蜜莉．波斯特（Emily Post）[169]們，一再地告訴我們如何管理生活中的種種細節。來看看她們那些作品的目錄：介紹「吃櫻桃的禮儀」；「做客時的失禮行為」；「改掉致命的小毛病」；「如何用紙巾擤鼻子」；「擁抱、親吻以及飛吻問候」；還有那些總是令人感到麻煩的「餐桌禮儀」。但是，儘管有這麼多作家為這些高雅的舉止提供建議，基本上他們不對其他作家和讀者進行評論。茱蒂絲．馬丁（Judith Martin），她的另一個稱號「禮儀小姐」更為有名，偶爾會在她的書中提到一點與書籍相關的問題。但是她對於文學的態度，也跟其他人一樣，好像書籍與優雅社交行為間的關係，僅止於可以將其放在頭頂上控制平衡，以練習良好姿態之用。她的《禮儀小姐基本訓練：通訊》（*Miss Manner's Basic Training: Communication*）一書，幾乎專門致力於像連鎖信和「電話插撥」這類話題。

不過，這些禮儀人士似乎無意關注書籍禮儀這塊空白領域。他們的精力完全放在教導家長們如何處理小孩子的同居戀人，如何找個合適的紋身位置，以及重新考慮給所有的舊規則套上時尚新裝。

一件事情總得有人去做，按照這個理論，我主動請纓。儘管現在還不是那麼明顯，但是書籍恐怕會成為二十一世紀的第一號社會問題。

汽車製造商、後衛球員，以及電影明星——還有他們的孩子甚至也想——都在寫書了，因此也

169 一八七二—一九六〇年，美國禮儀專家，其作品《社交規範藍皮書》以所謂的「美國風範」建立一套被美國社會廣爲接受的禮儀標準，一版、再版，風靡至今。她同時也是一位小說家。

可以說幾乎所有人都在寫作了。不過，他們都未接受過一丁點的指導。因此，就像艾蜜莉．波斯特知道吃櫻桃的正確方法，是把頭埋到碗中咀嚼，我也貢獻出我所知道的，作為有教養的作者和讀者的權威標準。

新書發表會*

新書發表會與任何一場莊重的婚禮一樣，具有引起幸福感、受傷感，以及蓄意破壞的可能性。你可以確信對於那些交情普通的朋友而言，如果他們沒有被邀請參加會覺得受辱，但若被邀請了又會覺得有點煩，因為這意味著他們必須浪費幾個小時的時間，而且還必須費心考慮挑選哪種禮物——既然如此，就花錢買書吧。而親密的朋友，有許多可能是作家，或者將要成為作家，就會希望這是他們自己的發表會。

各種新書發表會之間的差異，就像分別在洋基球場和聖派翠克大教堂舉行的兩場婚禮之間的區別那樣。許多簽書會是非正式的，經常於午餐時間在書店舉辦。傍晚在書店舉行的發表會通常有點心和邀請函，但是也歡迎路過的遊客。而出版社們，也希望一場擁有眾多賓客名單的圖書聚會，能夠具有新聞價值。一九九八年藍燈書屋為諾貝爾文學獎得主童妮．摩里森（Toni Morrison）的《樂園》（*Paradise*）舉行了盛大的新書發表會，三百五十名賓客到場，大部分是名人。另一種極端的類型，則是私人書會。

大多數作家都歡迎能夠讚頌他們自己以及其作品的機會，部分作家實際上是在為別人召開新書聚會。《警察廣場》（*One Police Plaza*）的作者威廉．考尼茲（William J. Caunitz）即為出版社的員工們舉辦聚會，還包括接待員。一般而言，一家出版社為一位作家的新書發表所支付金額的範圍，在一千到五千美元之間。

新書發表會上最悽慘的情況，就是出席人數太少。一位書店老闆回憶道，有一次新書發表會上到場的只有作家的太太和出版社的代表，不過作家並不認識這位代表，這位代表為了讓作家不至於因無人到場太尷尬，因而假扮到場賓客。

就像聖誕晚會一樣，新書聚會也會留下事後的遺憾。麥克米倫（Macmillan）出版社的前副總裁兼公關部主任蘇珊．瑞契曼（Susan Richman）回憶當年她為肯．麥考利夫（Ken McAuliffe）的《偉大的美國新聞：村聲雜誌盛衰記》（*The Great American Newspaper: The Rise and Fall of the Village Voice*）一書舉辦新書發表會的事情，儘管瑞契曼可以拿到免費贈書，但她還是買了一本。麥考利夫簽書時寫下：「親愛的蘇珊，明天早上妳會後悔的，但是今晚我愛妳。」

「你知道嗎？」瑞契曼說，「還真的是這樣。」

為了把遺憾和誤解控制在最小範圍內，請記住：

＊儘管禮儀作家們都沒提過圖書聚會，安妮．奧利佛（Anne Oliver）卻在她的《最後一筆：保持從容、優雅，以及精緻生活指南》（*Finishing Touches: A Guide to Being Poised, Polished, and Beautifully Prepared for Life*）一書中，建議年輕女孩們利用圖書館舉行聚會。

• 如果你是一位作者，不要指望在你自己的新書發表會上，能夠得到比你自己給自己一個驚喜來得更多的事物。正常情況下，出版社會為你這麼做，但若不可能，就像南西・卡翰（Nancy Kahan）所說的，「找個人來幫你做，這個人可以是你的母親。」卡翰以前是慈惠姊妹團（Sisters of Charity）的一位修女，她曾經被稱為圖書界的珍珠・梅斯塔（Pearl Mesta）170。「從我離開修道院的那個禮拜，我就開始舉辦圖書聚會了。」

• 在眾多「粉絲」中保護自己。每個人都可以吻新娘，但是一些作家的崇拜者想要得到更多。他們會把作者逼到牆角，而周邊的賓客只想趕快說一些禮貌的賀詞然後回家。簽書時作者坐在桌子後面，而出版社或者書店代表應該站在兩邊，如果必要作者們也可以學學偵探小說作家派翠西亞・康薇爾，當大批群眾擁上來的時候，有六名保全為她維持秩序。不過，就像所有其他事情一樣，總是有例外的，尤其對於琪琪（Kiki）這種特殊傳奇人物而言。她是法國在兩次世界大戰間時代的名人，演電影、畫畫，為她的情人攝影師曼・雷（Man Ray）當人體模特兒，還寫她自己的論文。一個週六晚上，在拉斯佩爾大街（Boulevard Raspail）一家書店的簽書會上，琪琪把她的親筆簽名連帶香吻送給了每位買書的顧客。

• 儘管讓新書聚會圍繞著你書中的某個主題展開，別擔心那會有多俗氣。為了慶祝《壞品味百科全書》（*The Encyclopedia of Bad Taste*）一書的出版，哈潑柯林斯出版集團的公關經理，在拉斯維加斯的美國書商協會舉辦了一場壞品味的新書發表會——這個城市倒真是這種品味的縮影。這位經理租下了凱薩皇宮大酒店，請了一堆面貌酷似法茲・戴斯（Fuzzy Dice）、阿契・邦可（Archie Bunker，此二人皆為美國電視諧星）的賓客，在那裡兜售作品。為了慶祝強・克拉庫爾（Jon Krakauer）的《阿拉斯加之死》（*Into the Wild*），出版社設立了一面可供賓客攀爬的人造岩壁。安・萊絲努力地想把作品中的人物，塑造成一個哥德式的小說家，她在紐奧良的家用骷髏作裝飾，並且出售印有她自己大腦透視圖的T恤。為了與自己塑造的形象保持一致，她躺在棺材裡由一輛靈柩車拉著出席自己的新書發表會。

不過，要小心新書的主題聚會失去控制。有個足以引以為戒的例子，是為傑克・漢娜（Jack Hanna）及其《州界上的猴子：其他來自美國幸運的動物園管理員的趣聞》（*Monkeys on the Interstate: And Other Tales from America's Favorite Zookeeper*）一書舉辦的新書發表會。漢娜弄來了兩隻小猩猩、一隻小袋鼠，還有一隻巨型的蟾蜍，以及一堆巨大的非洲蟑螂。那些猴子覺得書架比為牠們準備的人造叢林擺設更有趣，牠們還到處撒尿。

還有一個應該引以為戒的故事，是關於麥可・摩爾（Michael Moore）的書《縮小！》（*Downsize This!*）。摩爾憑他那部抨擊通用汽車的電影《大亨與我》（*Roger and Me*，又名《羅傑與我》）出了名，他說正在致力於促進反抗鮑德斯集團（Borders Group）要包攬全美書店的合作計畫。當他在自己的新書主題發表會上簽書時，情況變得具有諷刺意味了：他告訴店

170 一八八九—一九七五年，本名 Perle Reid Skirvin Mesta，美國民主黨政治家，以熱衷並擅長召開上流社會的聚會著稱，被稱爲「華盛頓的珍珠・梅斯塔」。

員，他們應該加入工會，並且遵照鮑德斯主管人員的意思，建議顧客在別的地方買他的書。

• 不要忘記你的新書聚會是如何開始的。自然你是想發表新書，而忙碌的新書發表會令你興奮得甚至自我膨脹。但是，這只是你所有事情的其中一項。如果你是全職作家，回到打字機前吧，沒有新書，就沒有新的發表會。如果你是兼職寫作，那麼別忘了做好本分工作。

• 被稱為「電鋸Al」的艾伯特．鄧樂普（Albert "Chain Saw Al" Dunlap），就是個忘記了這一準則的負面教材。鄧樂普以他嚴酷的管理風格著稱，其特點是大幅裁減員工，卻在一九九八年從日光公司（Sunbeam Corporation）總裁和首席執行長的位子上被撤職。董事會除了不滿公司的財政萎靡，更大的指責是認為公司已經日漸頹危，卻無法阻止他不斷地促銷自己的新書《玩真的！》（*Mean Business*）。鄧樂普是在飛往倫敦出席一場新書簽書會之前，收到解聘的通知書。

• 如果你是一場新書發表會的賓客，不要指望能夠與作者有親密的交談，尤其在一場盛大的發表會中。當作家們盡自己最大能力彬彬有禮地對待每位賓客的時候，他們是沒有能力深入思考的。小路易士．魯賓（Louis D. Rubin, Jr.）是一位作家，也曾經在阿岡昆出版社（Algonquin Books）擔任過發行人，他回憶說有名女子在發表會上不停地問他：「我是誰？」最後這名女子向他解釋說，他們曾經在同一所小學念書。不過，魯賓認為她實在是改變太多了。有個書店老闆說，路人經常會混進新書發表會來吃點心，他其實不在乎這個（畢竟是出版社掏腰包的）。但是，他很反感那些不請自來的人，還特別熱情地跟作者討論，以向其他人顯示他們是名副其實的賓客。

- 最後，關於在發表會上販售書籍的問題：某人家中舉辦的舒適聚會，不會是個賣書的場所——就是這樣。而在公共場所舉辦的發表會，則可以在邀請函上標明「可現場購書」。只有沒教養的人才會因為沒有贈書而感到驚訝，同時也只有沒有社會經驗的作家，才會指望他所有的朋友都來買他的書。還有，不要像我的一個朋友那樣，在我的一場新書發表會結束後對我說：「在你的發表會上，我買了別人的書。」

書封與其他外包裝上的服裝準則

多年來，英國風格控制著時尚。高等教育的設置規定，都應該有牛津那樣爬滿常春藤的高牆；而作家的標準形象，則都應該看起來像是剛走過泥濘地的模樣。他們穿著斜紋的軟呢子外套，如果是男人，還必須叼個菸斗，手裡牽著一隻獵犬，儼然一副剛剛捕到一隻獾的得意模樣。

這副形象已經過時啦！如今英國風格在藝術和文學方面的影響漸漸式微。英國那位對自己國家的高等教育實行緊縮政策的瑪格麗特・柴契爾（Margaret Thatcher）算不上是個讀書人，而她的繼任者約翰·梅傑（John Major）首相則是完全沒上過大學。這樣的結果，就是促使美國人終於有機會自己決定出席新書發表會時的穿著了。在這一過程中，他們已經得出了吸菸有害健康的結論，並且意識到既然不是在滿是泥濘的街道上，斜紋的軟呢子外套也不是那麼必要了。

幾年前我在《芝加哥論壇報》（*Chicago Tribune*）書評編輯辦公室無所事事的時候，曾經用高度科學的態度研究了那些書籍封面的照片，發現一個顯著的傾向，就是鏡頭上的作家們一如他們所欲呈現的樣子。百分之七十一的男性作家穿著毛線衫、T恤或者運動衫，百分之一的人光著臂膀；另外百分之二十八的人打了領帶，而百分之十的人領帶結是鬆的。女性作家則有三分之二穿休閒裝，三分之一著套裝。穿得最正式的就是茱蒂絲·馬丁，作為禮儀小姐，她必須看起來像那麼回事兒。

照片中的固定元素，大概就是狗。任何想從書籍封面的作者照片中，找到一些隱祕線索的人都會發現，絕大多數的文字產品都是獻給狗窩的。公開的照片為我們帶來了第一項準則：你穿什麼——以及你在公開的照片中和什麼在一起——反映出了這本書的內容，或者「一個真實的你」，這兩件事在許多人心目中是同一件事。我的一個好朋友茱蒂·麥奎爾（Judy Maguire）是個垃圾讀物的熱中讀者，就喜歡看封面照片。「嘿，這個傢伙像不像個懸疑作家？」或者，如果是情色小說，她就說：「好傢伙，這樣一個女人是怎麼得到這些素材的？」

丹妮爾·斯蒂（Danielle Steel）就能理解這一觀點。她把自己設想成一個具有神祕感的人，但是又在公開的照片中做出性感姿態。籃球明星丹尼斯·羅德曼（Dennis Rodman）的《盡情使壞》

（*Bad As I Wanna Be*）是一本值得同情的書。他在紐約第五大道的一家邦諾連鎖書店的簽書會是，怎麼說呢，與之相匹配的：他穿著鑲有蕾絲花邊的婚紗，橘黃色的頭髮上戴著頭紗。由於羅德曼成功的穿著，連鎖店的銷售額在隨後的一週內飆升了百分之三十五。在《南西・雷根：未經授權的傳記》（*Nancy Reagan: The Unauthorized Biography*）一書的一張照片中，作者凱蒂・凱利（Kitty Kelley）坐在一堆資料之間。很明顯地，她是寫出了一本深入研究且值得信賴的書。

棕髮的奧莉薇・葛斯密有時候會戴上金色假髮，在某種意義上而言，這還不算是虛假。倒是她的作品，比如《暢銷書》（*Bestseller*），就像是那些把頭髮漂成金黃色的美女一樣的一部文學作品。

儘管性感照片不失為一個好主意，作者們仍然需要用與監督他們的文字相同的精力，來監督他們的照片。作家卡羅爾・瑞佛斯（Caryl Rivers）選擇了一條鑲有水鑽的黑色短裙和一件低領上衣，出現在她那本令人震撼的《下流舉止》（*Indecent Behavior*）一書的封面上。出版社很明顯地沒有察覺出她的意圖，將照片作了不適當的裁切。瑞佛斯認為原來照片已不適合在雜誌和其他大眾媒體上發布，為了解決這個問題，她用水彩在原來的照片上畫了一個黑色的圓領。

吉爾・克萊門茲（Jill Krementz）是主要為作家們拍照的攝影師，同時自己也是個作家，她贊成把配偶和孩子都拍進照片裡去。不過，我的範圍僅限於孩子、狗，以及其他生物。動物不應該進入照片中，除非牠的形象也在書中出現。羅納德・派克（Ronald Parker）在《綿羊手冊：當代牧羊人指南》（*The Sheep Book: A Handbook for the Modern Shepherd*）書中與一隻綿羊合照，看起來就很協調。

此外，也不該在封面上炫耀你的新生寶寶，除非你的書是跟懷孕或者育嬰相關。

克萊門茲努力要提高書籍封面照片的藝術水準，這點是正確的。就像她所提到的，配偶、孩子以及朋友往往最後會拿著這照片仔細端詳。而這也正是為何作者們，總是會錯誤地想要給家庭成員上封面的機會的原因。另一常見問題是，出版社付給專業攝影師的費用太少了。「我認為作家們應該獲得更多。」克萊門茲如此說道。把我的第一項準則再說明白一點：有教養的出版社應該出錢拍些得體的照片。因為，新書發表會的穿著準則，必須穿著能體現書籍內容的服裝出席，而這一準則同樣適用於你在書籍封面上的照片。

一個最終原則，事實上並不是每個人都必須拍張照片的。賴瑞．麥穆特利（Larry McMurtry）和卡羅斯．卡斯塔尼達（Carlos Castaneda）就避免了這件事情。出版名人麥可．柯達（Michael Korda）說，卡斯塔尼達「認為照相機偷走了人的靈魂」。儘管這聽起來有點未開化，不過不拍照片是可以增加一點神祕感的。小說家湯瑪斯．品瓊（Thomas Pynchon）就非常低調，他的最新公開照片是他大學畢業紀念冊上的那一張。許多年前，一位編輯不瞭解品瓊羞於鏡頭的個性，曾經派一名攝影師到他位於墨西哥城的住所。那名攝影師在品瓊家見到一名男子，那人對他說品瓊出門了，晚些才會回來。攝影師走後，品瓊趕緊溜走了。品瓊，用他的編輯用語來講，就是「宣傳人員的夢想」。＊

送出與索求的簽名

湯瑪斯．哈代認為那些到處追著要簽名的人，都是些敗類，而他也把人家送來的書，全扔進一間大房間裡。馬克．吐溫則反對與任何寫作相關的都是工作，向他索取簽名，就像是向「一位醫生要一具他的屍體以紀念他」。沙林傑曾經拒絕為一名小女孩在他的書上簽名，這名女孩跟他一樣也住在新罕布夏州康沃爾的一個小鎮子上。在沙林傑搬到這個小鎮以來，所接受的幾次採訪中，有一次他對一名年輕作家說，親筆簽名其實就是「一種毫無意義的姿態」。

艾德蒙．威爾森則把作家塑造成粗魯與驕傲的形象，向他索取簽名——以及其他任何類似事物——都會照例獲得如此答覆：

> 艾德蒙．威爾森很抱歉地說明以下的事情他是不會做的：閱讀手稿，按照別人的要求寫文章或者寫書，寫前言、序，爲宣傳的目的而發言，做任何編輯工作，擔任文學競賽的評委，接受採訪，管理教育課程，發表演講，參加座談或者評論，上廣播或上電視，參加作家聚會，回答調查問卷，參加或者在任何形式的大小座談會上發言，出售手稿，把他自己寫的書捐贈給

＊儘管如此，害羞的作者們也不該在有人要爲他們拍照的時候抱怨。像品瓊，就曾經因爲有人偷拍了他和他兒子的照片，登在倫敦的《泰晤士週刊》（*Times Sunday Magazine*）上而暴怒。他的出版社告訴《泰晤士報》要強烈否認這張照片。作者們常哭喊著要出名，而當他們眞的出名時，是不應該對其抱怨的。

> 圖書館，爲陌生人簽名，允許他的名字被印刷在信箋上，提供關於他的個人資訊，提供他的個人照片，提供關於寫作或者其他題目的觀點。＊

哈代、吐溫、沙林傑，還有威爾森，他們其實錯了。沙林傑可以認為簽名毫無意義，但是很顯然，那位向他要簽名的小女孩可不這麼認為。讀者對於作者而言，可能是陌生人，但他們是作者的衣食父母，這些作者至少可以把自己的名字寫在父母的書上吧。負責舉辦新書發表會的南西．卡翰對於她的書《生意的樂趣》（*Entertaining for Business*）的看法很正確：「他們花了四十美元。我太高興了，我應該寫上四頁紙來感謝。」

也有許多人把買書當作投資，在書上簽名可以使之升值。市面上賣的尼克森（Nixon）《回憶錄》（*Memoirs*），沒有簽名的十九．九五美元一本。還有兩種附有親筆簽名的版本，一種售價五十美元；另外一種則是撰寫了贈言的版本，限量兩千五百冊，每本二百五十美元。而且，沒有人比新罕布夏州的一名書商更懂得收藏圖書的經濟價值了，他在一九二九年卡爾文．柯立芝（Calvin Coolidge）的《自傳》（*Autobiography*）出版時，買了若干本。在波士頓的喬丹．瑪什（Jordan Marsh）百貨公司舉辦的簽書會上，這名商人一次又一次地排隊，每次拿著一本新書對這位前總統說：「閣下，請幫我簽名吧。我的名字叫羅伯特．弗斯特……約翰．史坦貝克……約翰．多斯．帕索斯……」他把這些書一直保存到一九六〇年代才開始出售。

當然，也有一些人不願意作家在他們所買的書上寫字。因此，作家只有在人家要求的時候才能簽名，他們不能自行拿起別人新買的書，就跟人家說：我在這裡簽名吧。無法意識此種分別的作家，理應受到電影《只有兩人的遊戲》（*Only Two Can Play*）裡那名作家的待遇：他寫的書中沒有簽過名的，反倒是稀有的。

從轉手賣書的角度來看，通常不以個人為對象的作家親筆簽名題字，最具有價值。但是，當你被要求不只是簽個名而已時，一個簡單的「祝福」往往是比較安全的，幽默、簡短的也很好。已故的芝加哥專欄作家麥克・羅伊克（Mike Royko）把他的《說誰，說我》（*Sez Who, Sez Me*）送給他的助理一人一本，每本上都有同樣的簽字：「你是最棒的，別告訴其他人。」這種陳腐又虛偽的語言最要不得。理查・哈利波頓（Richard Halliburton），一九二〇至一九三〇年代的那個瘋狂的遊記作家特別專擅如此。在他的新書發表會上，來的大多都是當地的老婦人，他寫道：「這裡的一切都是那麼美好，書籍和陳釀葡萄酒，非常可愛的小男孩兒們……」

如果有些對題字要求比較高且過分的人，那麼作者——作為一名作家——就應該敢於題寫一些巧妙的內容，例如「致薩莉，一個有夢想的女人」，這就比按照她的要求寫「致薩莉，我夢想中的女人」要好得多了。此外，即使買書人不認識作者，也應該確定替他們簽名的是個正確的人。有個故事說西班牙人經常在他們的國家，看到一個面貌酷似海明威的人，他總是很友善地拿起請他簽名的人手中的海明威作品，在書中的空白處上龍飛鳳舞地寫下：「致以最好的祝福，我不是——歐耐

＊剛好有個完全與之相反的例子，就是利昂・艾德爾（Leon Edel），他是威爾森文章的編輯，就是他爲我提供了上面引述的威爾森這段話，當時他正在寫他自己的回憶錄。

斯特・海明威。」

其他一些在簽書會時應該做以及不應該做的事：

- 在參加書店的簽書會時，索取簽名的人不應該帶來他們在別的地方購買的書，或者試圖讓作者在照片、其他一些非文字物品上簽名。當讀者排隊已經出了書店，延伸到街道上時，索取簽名的人就不應該再要求作者寫太長的題字了。
- 茱蒂絲・馬丁，我們的禮儀小姐，堅持簽名應該簽在圖書的致辭頁上。我得向她脫帽致敬，至少她對於書籍總算有一項意見。不過，多數作者都認為前置頁的任何位置都是可以的。
- 如果你過分講究筆勢，那就別請作者在你的書上簽名。伊莉莎白・克魯克（Elizabeth Crook）出版第一本小說《烏鴉的新娘》（*The Raven's Bride*）的時候，曾經努力練習簽名，包括日期、城市，以及「以此致敬」。在她的首次簽書會上，第一個排隊簽名的婦女低頭看了看她的簽名，然後說：「寫得不怎麼樣呀，不是嗎？」
- 即使作家給了你他的親筆簽名，也不表示他或她願意做你的筆友，或者願意收到你的書。著名作家會收到太多處理不了的信，大部分來自「借錢信作家」（Begging-Letter Writer）們，狄更斯這樣稱呼他們。*如果作家們不回信，你應該高興起碼他們沒有像紐約洋基棒球隊的唐・馬丁利（Don Mattingly）那樣，他寄給我小兒子的回信是一張加入他的球迷俱樂部的邀請函，要繳十二・九五美元的入會費，相當於一本平裝書的價錢。

- 不要讓跟你關係親近的作家朋友，在一本你打算賣到二手書店的書上簽名。作家們就像狗一樣，總在尋找與自己相同的氣味，所以很可能會發現你為了一點蠅頭小利把他們的書歸入了廢紙堆。保羅・索魯（Paul Theroux）發現他的多年老友奈波爾（V. S. Naipaul），把他親筆簽名的那些書全都賣掉時，大受傷害。為了報復，他撰寫《維迪亞爵士的影子》（*Sir Vidia's Shadow*）這本書時，把奈波爾設定為故事人物之一，並且是個反派角色。

與作家對談

禮儀的很大一部分內容，是教人如何說一些言不由衷的話語，如果你不是一個天生說謊者的

* 狄更斯說那些「借錢信作家」總是恐嚇他，而且什麼都要。他「沒日沒夜地堵在我家大門口，打我的僕人，還躲起來在我進出時伏擊我……他病了、死了、被埋葬了，可是很快又起死回生地把這些事情再上演一遍，他變成了他自己的兒子、他自己的母親、他自己的嬰兒、他愚蠢的兄弟、他的叔父、他的姑母、他年邁的祖父。他想要一件大的外套，穿著去印度。」還有一個求援者向他索取一頭驢子。

話。在「改掉致命毛病」一類的教導中，經常會提醒你不應該對一個人大呼小叫：你看起來真糟糕！這一假設基本上也適用於任何一場關於書籍教養的對話，尤其是一句經常被問到，但多半得不到回答的話：「你讀過我的書嗎？」

閱讀自己朋友寫的書是一件很好的事情，但也不是非得如此不可。而或許你對道路用鹽的歷史沒有興趣，不過直截了當地說你沒讀過那本書，就顯得有些失禮了。如果你冀望作家總是可以被蒙蔽也無不可，不過提醒你要記住，作家們對於每個細節問題都是很在意的。馬塞爾．普魯斯特（Marcel Proust）[171]曾經有一次很沮喪地說：「幾個月前才出版的一本書，為何都沒有人跟我提起，到底是因為他們已經把這本書給忘記了呢？還是他們壓根兒就沒看呢？」

基於相似的理由，其他一些評論也是被禁止的。不要以為說一句「這本書很有意思」，就能僥倖逃脫，交通事故也很有意思呢。與此同等糟糕的話，還有「嗨，那天我看了你的書」。我認識的一位作家就曾經等著對方說下面那句呼之欲出的話：「我喜歡這本書。」如今他已不抱期望了，他會直接說：「謝謝。」

有一些比較好的說法，相當於文字上的飛吻。你可以說你還沒有閱讀這本書，但它在你預計閱讀的書裡排首位；或者說你故意把它留到夏天再讀，以便更好、更充分地享受它；或者乾脆就避開這個話題不談。《芝加哥論壇報》書評版前任編輯戴安娜．唐納文（Dianne Donovan）則是建議可以如此說：「我明白那是一部好作品。」

我一位朋友的技巧相當聰明，他買完書的幾天後會打電話給作者說：「我剛看完第一章，非常棒。」優雅的態度可以使作家避免受到傾軋。而整天談論自己作品的作家，就像那些整天把自己的孩子掛在嘴邊的家長一樣煩人。

最後，不要問一本書是怎樣出爐的。作家們會因此而覺得需要解釋為什麼他們的書不是暢銷書，或者詳盡描述愚蠢的書評人以及懶惰的推廣人員。

當然，也有特殊情況可以不須如此掩飾，就是當你真的讀了一本書並遇到問題時。這種情況下，你有權以批評的態度進行評論，如果那位作者不予回答，那就太糟糕了。

在部分情況下，謊言是可以接受的

克萊兒・布茲・魯斯（Clare Boothe Luce）送花到自己的辦公室，還為她自己的第一本書《浮華世界》（*Vanity Fair*）寫了一篇匿名的讚美文章〈自命不凡的人〉（Stuffed Shirts）。華特・惠特曼把他的《草葉集》和匿名推薦一起寄給出版社，那篇推薦文其實是他自己寫的。對於大多數受過教育的人而言，這種行為並不算失禮。為你的書撒一下謊是可以的，不過你還是必須遵守一些基本原則。

首要之務，要允許出版社為你撒謊，但這個謊言的程度跟他出版你的書所應負的責任是相對

171 一八七一—一九九二年，法國作家，他的小說《追憶似水年華》被認爲是意識流小說的代表作品。

的。例如，出版社在精裝書封面上言過其實地說：這是自《飄》（*Gone with the Wind*）問世以來最偉大的作品。你就必須一口咬定，由於你一直忙於下一本書的寫作，以至於對這本書的封面設計僅草草地看了一眼。用這個方法來個似是而非的否認。

出版社也可以選擇在書的封面上，引用誇大其詞的推薦。這個時候很適合邀請你的朋友寫些短評，他們不會拒絕的，因為他們很快也會需要你來為他們的書寫一些誇張的推薦文。

接著輪到你了。當朋友請求你幫忙寫推薦文時，並不需要真的讀過朋友請求推薦的那一本書。你只需要寫些吹捧的話就可以了，而且吹捧得愈強烈愈好。（吹捧一本你沒讀過的書會更容易些，否則你的心裡可能還會悄悄地升起一絲質疑。）這是可以被接受的，因為畢竟你是在為別人而撒謊。（當然，你同時也會獲得益處。引人注目的讚美更容易被放在書封上，在別人的著作封面放上你的名字，與自己的名字放在自己著作封面上是一樣的光榮——而且比起你必須做的那些研究和寫作容易多了。）標準的吹捧方式，是寫上一或兩段堆滿優美的措辭，並且授權出版社可以從中截取任何段落使用。

雖然撒謊被逮到很尷尬，不過還不至於毀了一本書。德瑞克．古德溫（Derek Goodwin）的《消磨時間》（*Just Killing Time*）一書，使用的是筆名德瑞克．馮．阿曼（Derek Van Arman）。當時連同已寫好的推薦文一起投稿，而且推薦人還是約翰．勒．卡雷（John Le Carre）和約瑟夫．溫伯（Joseph Wambaugh）這樣的知名人物，雖然是假造的。在八家出版社的競價戰爭中，最後是賽門舒斯特公司獲勝，付了古德溫九十二萬美元買下這本書的版權。不過，之後那幾位列名的推薦文作者本人出來否認曾經寫過那些文字（溫伯說：「我從來就沒寫過那些熱情讚美的文字，連對我自己的書都沒有過。」），古德溫也承認是他自己假造的。賽門舒斯特公司撤回了合約，但是達頓公司買下了版權並且隨即出版，付給古德溫六十萬美元的預付款，相較於賽門舒斯特所支付的並未減少許多。

不過，《華盛頓郵報》的書評人發現，這本書與其他作者的書中有一些非常相似的章節（「我們索性說《消磨時間》算是改寫吧」），而且這種雷同也只不過「通常特別激勵人心，並且明顯比其他同類作品更好」。

由別人捉刀代寫，但使用你的名字署名的著作，當然就是徹底的捏造，不過此種情況普遍存在，也被普遍接受。即使是專業的媒體人——例如電視節目主持人——也雇用寫手來撰寫他們自己的生活。這種情況是如此地廣泛，以至於名人們不僅僅雇用寫手寫自傳，甚至寫小說和歷史作品。而寫手再雇用寫手，也同樣是個公開的祕密。

不過，大眾對此現象並不吃驚。當查爾斯．巴克利（Charles Barkley）或者辛普森被發現他們在其自傳中錯誤引用時，大眾絲毫未感到被欺騙。「我應該更負責任一些，並且出版前再把它看一遍。」巴克利這樣說。而那位約克女公爵莎拉．佛格森吹噓，對於她書中關於維多利亞女王的部分她能夠侃侃而談。事實上她並未讀過，對此讀者們也毫不介意。

儘管如此，謊言還是有界限的。羅勃．皮拉特斯（Rob Pilatus）和法畢斯．莫爾凡（Fabrice Morvan）組成的米利瓦尼利（Milli Vanilli）雙人合唱團[172]，他們的假唱本身事實上並未惹來任何麻煩，甚至可以說他們絲毫未受此種作假行為影響。真正使他們跌落的，是他們對於自己的謊言信以為真。當他們以這首〈女孩妳知道這是真的〉（*Girl You Know It's True*）獲得葛萊美獎（Grammy Award）時，並未感謝任何人。緊接著他們灌製了新唱片，隨後又展開了一百零八個城市的對口巡迴演唱。假唱之所以被拆穿，是因為在一場演出中音響設備出了問題所引發。

莫琳·迪恩（Maureen Dean）——水門事件中關鍵人物約翰·迪恩（John Dean）的太太，也有類似的教訓。她告訴《華盛頓郵報》的記者，說她家的僕人每天不斷地削鉛筆，以供迪恩能夠持續撰寫那本《第一夫人們》（*Washington Wives*）直至筋疲力盡。於是，這本書的寫手憤怒地現身了——露茜安妮·戈柏（Lucianne Goldberg）公開說：「我看到了她說的話，當時我就想，我在曼哈頓西區上城的公寓裡，穿著我媽媽的破法蘭絨睡衣，靠著窗戶坐在電腦前，聽著孩子大哭、小狗亂叫的時候，她在那裡跟記者說什麼鉛筆、稿紙之類的，還說得那麼無聊。」迪恩女士應該繼續像當年陪著她老公出席水門事件聽證會時，所表現的那樣：保持那迷人的沉默。

對於你的寫手僅給予無力的答謝，是遠遠不夠的。李·艾科卡（Lee Iacocca）將威廉·諾華克（William Novak）的名字放在致謝辭的最後，並稱他為「我無價的合作者」。而艾科卡也充滿深情地感激在他三十八年職業生涯中，用過的所有祕書。比爾·寇斯比（Bill Cosby）的頭兩本書都用「父親」（Fatherhood）開頭，但是對於書的真正父親——他的寫手雷夫·熊斯坦（Ralph Schoenstein）隻字未提。直到第三本書問世，熊斯坦也只是獲得了「由衷感謝」。

向曾經提供過協助的人表達謝意的方式中，最差勁的典範要屬唐納·川普（Donald Trump）了，川普居然讓他的寫手幫他支付新書發表會的十六萬美元活動費。沒有人可以要求寫手必須對他代寫的書負責任，除非他們也同時分得所有一半的利益，當然也包括在封面作者的位置上占據一半席位。

如何與書商相處

艾瑞克・巴納姆（Erik Barnum）是我非正式的書店智囊團中的資深成員，他以前在華盛頓市經營辛蒂・克拉瑪書店（Sidney Kramer Books），現在則住在佛蒙特州（Vermont），那裡空氣新鮮，也沒那麼自我。他那些八卦簡直勝過荷馬的《奧德賽》。他曾經生動地描述在一次圖書出版聚會上，有位賓客舉手打了個響指喊一聲「服務生」；另外一位賓客當即走到放收銀機的櫃檯後方，拉出更多的葡萄酒，並且開始提供服務。

書店職員與作家協力工作，報酬卻很低，並且發現他們的工作，就是為那些根本不讀書卻到處參加各種社交聚會的賓客們，倒廉價的葡萄酒。當作家們順道過來書店的時候，不是打算談論但丁，只是要看看他們的書擺放得夠不夠顯眼。我的一個朋友就記得曾經在紐約第五十三街一家連鎖

172 此事爲二十世紀八〇、九〇年代歐美樂壇的一大醜聞。米利瓦尼利是一九八九年一家德國唱片公司打造的雙人演唱組合，由羅勃・皮拉特斯和法畢斯・莫爾凡兩個外形英俊、舞姿勁爆，但根本不會唱歌的模特兒組成。他們所灌製的唱片，則是由外形不討好但唱腔優美的歌手演唱，現場表演以對嘴來矇混。當時這一組合紅透歐美樂壇，並獲得葛萊美最佳新人獎，一九八九年唱片銷量三千萬。後來，由於在一次巡迴演出中麥克風落地才暴露事實眞相，而葛萊美也將其榮譽收回。

書店裡，看到莉蓮．赫爾曼（Lillian Hellman）在那裡嚴厲地斥責一名工作人員沒有把她的書擺到櫥窗中。在首都華盛頓，一名學者路過巴納姆的書店時，走進去責問為何不把他的書擺在更高的架子上。因為你名字的開頭字母是「Q」，笨蛋！當時巴納姆在心裡如此嘀咕著。

記住：

- 離書店員工遠一點。如果你非接觸不可，那麼至少對於幫助你安排巡迴書展的工作人員好一點。這不僅是因為表現友善會讓人愉快，也因為——就像我的丈母娘向我指出的——善待別人是明智的。*參加美國書商協會年會的書展陪同們已經把他們的本職工作放在一邊，專心致力於頒發最差作家客戶金靶獎（Golden Dartboard Award）。過去幾年的得獎者包括：莎莉．麥克琳（Shirley MacLaine）、傑佛瑞．阿契爾（Jeffrey Archer）、瑪莎．史都華（Martha Stewart），還有費．唐納薇（Faye Dunaway）。很顯然，這一小撮人已經成了出版界不受歡迎的人。
- 如果你不喜歡你的書在書架上所放的位置，而你又是個知名作家，那就不要太堅持了。我的一個英國朋友有一次在紐約一家書店發現詹姆士．克萊威爾（James Clavell），正在把他自己的書挪到另一個位置上。我這位朋友認為這種做法是不符合競爭精神的，而這也同時降低了這名作家在他心目中的地位。不過，如果你是個尚未出名的作家，那麼請儘管偷偷地、悄悄地，把你的書挪到一個更好的位置吧，或者索性把你的名字改成 A. A. Aaron。

把書籍當作禮物送

如果你想知道為什麼美國人看起來如此地沒文化，看看禮儀手冊中關於送禮物的建議就可略知一二。

只有麗堤蒂雅・鮑德瑞奇（Letitia Baldridge）修訂的《艾美・范德比爾特禮儀全書》（*The Amy Vanderbilt Complete Book of Etiquette*）一書，熱情地建議給不會讀書的嬰兒送書。這種熱情源於作者認為，嬰兒會撕毀書頁（總比毀掉別的具有價值的物品好些，「比如菸灰缸和裝飾品」），而毀掉這些東西不會使家長們因為財物受損而大發雷霆。

其他提到把書籍當禮物送的情況中，只有極偶爾的是送給比蹣跚學步的幼兒大一些的孩童。艾美・范德比爾特禮儀手冊比較新的版本，是由南西・塔克曼（Nancy Tuckerman）和南西・鄧南（Nancy Dunnan）所編輯，她們建議的禮物是「一排色澤鮮豔的襪子」以及綁腿。根本就沒有提到書。艾蜜莉・波斯特送給十幾歲小男孩的生日禮物，則是電玩和海報。當你的兒女從中學畢業的

* 我的丈母娘會很高興我完整引述她的話，原話是：「明智處世是很好的，而善待別人才是明智處世。」

時候，你可以送書給他們，但是不要送歷史類或者文學類的。我們被告知，最合適的書是《布萊克法律辭典》（*Black's Law Dictionary*），或者其他一些專業知識類書籍，而這些書籍可以幫助他們獲得未來他們所不願讓「自己的」小孩破壞的財產。

對於那些住院的病人，塔克曼和鄧南建議可以給他們送一串排憂解乏的念珠，和「一本最新暢銷書」。「一本以個人所喜愛的運動為主題的書籍，也是不錯的禮物」，范德比爾特－鮑德瑞奇如此建議，儘管人家可能更想要「一個高爾夫器材的清潔器」。波斯特女士認為一個發育完全的成年人，可以送他一本書作為禮物，但是她一再強調，不要任何嚴肅讀物，對於修女，輕鬆小說就可以了。不過，波斯特女士認為送給職業婦女的禮物，最好是「支票、現金，或者一件附有本地百貨公司禮券的禮物」。

我自有主張。這方面必須歸咎於我的家庭，我的祖父就是個行徑古怪的英國人，曾經發明一種新型高爾夫球支架，儘管他從來就沒參加過任何一家高爾夫球俱樂部。聖誕節的時候，他也從來不包禮物，只是讓我到他塞滿了書的地下室去抱走一排書。我的父親繼承了這一送書的傳統，在我出生的那天，他就送了我一本書。那是一本皮面裝訂本的《三劍客》（*The Three Musketeers*）。當我摔壞了不止一個菸灰缸的時候，它在書架上引誘著我，這也是我學習閱讀的動因。

我想說，只要有可能，就送書吧！通常你可以送一本隨便什麼人寫的書，但是也有些例外。你應該把「自己寫的」書送給那些給予有益評論，或者為你寫了封面推薦的人。你也可以把書送給一些向你索求的人——不過，這裡就有另一個準則了：讀者不應該向作家要書。如果你買書是非自願的——為了使雙方皆大歡喜——那麼就堅持要求加贈高爾夫器材清潔器。

透過朋友和親戚推銷

儘管購買朋友或親戚的書並非必要，但若你仍然這樣做，那是非常好的，如果你還能幫他們推銷那就更好了。當然，就像所有禮儀上的瑣事一樣，並非每個人都能直接想到推銷細節。例如，你的姑母說她買了兩本你的書，一本用來收藏，另一本借給朋友看，這就有損於銷售了。她應該替她的好友不自己花錢買書，而感到羞愧。

羅伯．卡倫（Robert Cullen）是《蘇維埃資源》（*Soviet Sources*）一書的作者，那是一本關於駐莫斯科的外國特派員的驚險小說，卡倫曾經從事這一職業。他很自豪地告訴人們，他的姊姊如何積極地促銷這本書。他姊姊剛好在出版業工作，寫了通知信分寄給他們家所有在北卡羅萊納州、費城以及華盛頓的親朋好友們，希望他們每人購買六本，並把這本小說當作禮物分贈給朋友和圖書館，還要求他們這六本書要分別在不同的書店裡購買。到了書店時，他們必須先確認這本書是封面朝外，而不是書背朝外。如果書店沒有這本書，他們要記得敦促店員補貨。而且她還提醒他們不要用信用卡付費，否則會洩露了這之間的關聯。最後，他們外出搭乘公共交通工具的時候，也要記得隨時攜帶這本書，並且讓封面朝外。

如何尋求作家幫助

你可能會把你的初稿送一份給一位著名作家，希望他或她能夠花點時間審閱，並且免費提供意見。但是，時至今日，你自己又做了多少免費工作呢？「如果作家們把別人送來的初稿都看了，那麼他們也沒時間做別的事了。」艾德蒙．威爾森如是說。「一個希望自己的初稿能夠得到意見的作者，應該投送給出版社或者編輯，他們會付錢給做這項工作的人。」威爾森這段話說得非常正確。

給書評人的感謝

任何你要想感謝給予你好評的書評人的時候，請先思考一下這個故事。

在二十世紀早期，亞瑟．亨格福特．波倫（Arthur Hungerford Pollen）為英國海軍發明了一種高射炮控制系統。但是，直到當時海軍中最受尊重的火炮官員弗雷德里克．奧格威（Frederick C. Ogilvy）賞識他之後，皇家海軍才採用了他的發明。波倫想要表達他的謝意，就送了奧格威一籃牡蠣。不幸地是，那些牡蠣已經壞掉了，幾個星期後奧格威就去世了。

就像本書另一章所說的那樣，書評人雖然傾向於為書籍寫好評，但他們認為自己是個具有獨立思考的個體，他們不喜歡有人暗示他們是溫順服從的。因此，當一位充滿感激的作者對他們有所回饋的時候，他們會很敏感。所以，不要用你的體貼毀了他們的好意。

要改善的毛病

沒有任何行為指導，可以把所有可能發生的情況都涵括進來，但是對於把大部分人生都用來獨自思考的作家們而言，最重要的原則就是：時時記得廣大讀者一直在注意著你呢。這樣就可以避免發生小說家凱伊・吉本絲（Kaye Gibbons）所遇到的糗事了。

在北卡羅萊納州安森郡（Anson County, North Carolina）舉辦的一次作品朗讀會上，吉本絲女士開始覺得有些噁心，她禮貌地請求原諒，離開會場去了洗手間。大部分人都會贊同在洗手間嘔吐的時候，她應該先把胸前的麥克風摘下來。

不體面的職業

本章內容說明了：

圖書評論如此之差，

是因為如此多的因素迫使如此少的評論家能夠表現得好。

我們可以就以下的範圍來講，
當書評人「被允許」進行評論時，
那些書評人真正的責任，
不僅只是為了「吸引」讀者的注意，而提出作品最適切的優點，
其責任還在於應合理地指出並分析作品的缺點，
並且說明這部作品該如何改進，從而促進文字工作的進步，
而不是不恰當地去關注個別的創作者。

——艾德加．愛倫．坡

這一代的人不能算是真正的評論家，他們是文學記者。

——羅伯．史特勞斯

事實上，「偉大」一詞在如今的書評中被使用得如此普遍，
以至於要成為一名傑出作家的唯一出路，就是當個壞作家。

——詹姆士．法雷爾

十九世紀詩人湯瑪斯・摩爾（Thomas Moore）向一位苛刻的文學評論家法蘭西斯・傑佛瑞（Francis Jeffrey）挑戰，在破曉時分以手槍進行決鬥。不過，即使沒有警察趕到並把兩人都逮捕，他們也不會發生任何事情。畢竟這兩位作家在使用火器方面，都是很笨拙的。此外，如傳言所說，這兩名決鬥者早已非常明智地預先互示了沒有上膛的決鬥手槍。所有的情況似乎就應該是如此。作家們所選擇的武器就是筆，可以血肉橫飛卻沒有任何人會死亡。爭執可以常年不息，敵人換了一個又一個，每一次鬥爭突圍都是對文學的滋養。

拜倫爵士是位侮辱和傷害敵人所向無敵的大師。他在那位滿腹激情的傑佛瑞所編寫的《愛丁堡評論》（*Edinburgh Review*）中，發現了一段對他早期詩作的辛辣評論，當時他正在寫作一首諷刺同時代詩人的詩歌，名為〈英格蘭詩人〉（English Bards）。作為報復，拜倫把他的作品擴展成了長詩〈英格蘭詩人與蘇格蘭評論家〉（*English Bards and Scotch Reviewers*）。他不是把他的文字像手槍那樣地直射評論者，而簡直就像槍戰片裡用機關槍掃射般地發洩著他對評論家的憤怒。

在〈塗鴉的人群〉一節中，他擊中了山繆・柯立芝（Samuel Coleridge；「浮誇的頌詩和臃腫的章句」）和威廉・華茲華斯（低下層中最吝嗇的傢伙）。他還嘲笑摩爾─傑佛瑞的決鬥（「沒有人能記住那最後的一天／那場曾經榮耀的幾乎致命的衝突／當利特爾*沒有子彈的手槍遇到他的眼睛／而弓街上的隨從站在那裡大笑？」）。在這首詩的一小段中，他又把七、八個詩人貶低了一番，

*摩爾（Moore）曾經使用湯瑪斯・利特爾（Thomas Little）作爲筆名。

包括曾經是他監護人的卡萊爾（Carlisle）伯爵，而拜倫也曾經把自己那本《閒暇的時刻》（*Hours of Idleness*）題獻給他。拜倫之所以改變態度，是因為在這位年輕詩人想要進入英國上議院的時候，伯爵拒絕保舉他。

讓摩爾繼續歎息；讓斯特蘭福特（Strangford）抄襲摩爾；
詛咒卡蒙斯（Camoëns）能夠唱他往昔的歌詞；
讓海利（Hayley）蹣跚，蒙哥馬利（Montgomery）咆哮，
而神聖的葛拉罕（Grahame）歌詠一首愚蠢的詩歌；
讓拙劣的小詩人鮑爾斯（Bowles）繼續修辭鍊句，
嗚咽著哀訴他的十四行詩；
讓史托特、卡萊爾、瑪迪達（Matilda），
還有寒士街上的其他詩人，
葛羅夫納地區最好的詩人，
都去胡亂塗鴉，直至死亡讓我們從中解放，
或者讓常識來再次維護他自己的權利。＊

「作家的作品是公眾財富，」拜倫在這首詩的序言中說，「花錢買作品的人只要他高興，就可以

評論並且發表自己的意見；而我所努力要做的，就是像他們對待我那樣對待他們。」換句話說，他明白戰爭才剛剛開始。為了避開眾人對〈英格蘭詩人與蘇格蘭評論家〉一詩的嚴厲批評，拜倫隨即去了君士坦丁堡（Constantinople）。

「沒有什麼比被人射擊卻沒有被射中，更讓人覺得痛快的事了。」作家兼首相溫斯頓・邱吉爾（Winston Churchill）如此說道。打筆仗不僅是為作家們整日孤獨的寫作生涯，帶來一些轉換的興奮，也為讀者帶來極大的樂趣。感覺上是受到了一點傷害，不過正如史尼威爾（Sneerwell）夫人在《醜聞學校》（*The School for Scandal*）一書中，所說的那樣：「沒有些怪僻性格的人也不可能機智詼諧。」此外，這樣的競爭總比純粹的泥漿摔跤要好吧。畢竟目標更崇高一些。

評論家們無法單槍匹馬地改變文明的進程。對卡爾・馬克思（Karl Marx）《資本論》（*Das Kapital*）的負面評論，無法阻礙俄國革命和冷戰的發生。同樣地，他的合作者弗雷德里克・恩格斯（Frederick Engels）所寫的正面評論，也無法保證共產主義的蓬勃發展。**這對於一個評論家的要求太高了，而且事實上也不是我們所期望的。在觀念上，我們並不願讓評論家來指揮，而是只賦予他們擁有提意見的權利。每部優秀的非小說類作品，當評論家提出還存在著其他解釋，以及哪

*他也這樣寫評論家：我們能夠擁有這樣的判斷嗎？不——就像／在十二月尋找玫瑰，在六月尋找冰霜；／希望風能夠止息，或穀糠中還有稻穀；／相信女人或者墓誌銘，／抑或其他虛假的東西，／在你信任評論家之前，他們自己就是惹人憤怒的。

**「自從世界上有資本家和工人以來，沒有一本書像我們面前這本書那樣，對於工人具有如此重要的意義。資本和勞動的關係，是我們全體現代社會體系所圍繞旋轉的軸心，這種關係在這裡第一次得到了科學的說明，而這種說明之透澈和精闢，只有一個德國人才能做得到。」——恩格斯，《民主週刊》，一八六八年三月二十一日，萊比錫。

邊的解釋並不夠充足時，便很容易引起爭論，這是不難理解的。同樣地，每一部虛構的小說類作品，則很容易被詮釋。

用孟肯的話說，評論家「使得藝術作品為觀眾而存在」。一本好書所帶來的樂趣，有一半在於事後對其進行的談論。依照馬克思的辯證法，活躍的評論為優秀作品建立了標準，並且帶來進步。

不幸地是，如今我們的進步很小，就像那些熱情的書籍分析和評估所顯示的那樣，是非常稀罕的。一九八六年，比爾．韓德森（Bill Henderson）出版了《毒舌書評》（*Rotten Reviews*），這是一本對經典著作負面評論文章的彙編。因為該書銷量很好，隨即又出版了《毒舌書評II》（*Rotten ReviewsII*），蒐集的是對一些晚近作品的抨擊文章。但是，這是一本內容空洞的書，在每篇文章之間不僅有著大量空白頁，所摘錄的文章也都是些時代更早些的作品。如今對文學及其評論的標準，與拜倫時代是大不相同了。

雜文兼小說作家伊莉莎白．哈德威克（Elizabeth Hardwick）一九五九年在著名的《哈潑雜誌》（*Harper's Magazine*）上發表的一篇文章中說：「甜蜜、溫和的讚譽從各個地方撲入眼簾；一種普遍的，也可以說有點白癡的觀念占據了主導地位。對於戲劇來講，簡單的『新聞覆蓋率』遠勝於其思想性；而所謂的『可讀性』，一個討人歡心的小詞，已經代替了老式雜文，那可是另外一種簡潔、有趣的文體。」

對評論家進行評論的人，多年前便已經持續地反應他們的意見。維克多．納瓦斯基（Victor Navasky），頗富文學思想的《民族》（*Nation*）雜誌出版社主編，他即認為現在的書評極少告訴我們

「如何去思考書籍」，而只是一些新書報告，實際上就是出版社的公關服務。也許有一些評論家想要成為，「在我們文明進化的自然選擇中提供判斷的媒介」，一名出版人對部分具使命感的評論家做如此推測。但是他們無法如此，當代的大眾媒體系統不會允許他們這樣做。

評論，就像十九世紀詩人威廉・華茲華斯所說，是「不體面的職業」。現在依然是這樣。

作為新聞的書籍：為什麼安定是不好的

瑪格麗特・富勒（Margaret Fuller），被認為是美國第一位全職書評人，在十九世紀中期的時候，擔任《紐約論壇》（*New York Tribune*）的文學編輯。她說書籍是「觀察整個人類的媒介，是所有知識、所有經驗、所有科學、所有理想，以及我們在自然中能夠收集到的所有實踐的核心。」出於對文學評論的興趣，她批評了當時存在的腐敗現象。出版社購買對書的好評，並且用書評換取廣告空間。書評人們經常用他們的評論來吹捧朋友，或者詆毀仇人。「看起來沒有評論媒體能逃過這種腐敗。」研究當時圖書業的史學家約翰・特貝爾（John Tebbel）說。不過與之相反，富勒的觀點是要講出「整個真相，以及除了真相以外，還是真相」。

在這個時代首次出現富勒這樣的人物，是有合理性的。美國新聞報業，傳統上只對部分特定領域有興趣，當時正開始致力於把自己重新改造為大眾媒體。新聞記者不再只是狹隘領域的特殊代言人，他們開始獨立自主。然而，新聞報業雖然開始有所轉變，卻仍然無法實現富勒的想法。現代新聞業的結構從根本上推崇毫無批判力的評論，出版社不再被迫花錢購買有利的評論，他們擺脫了某種程度的束縛。

阿道夫・歐克斯（Adolph Ochs），一位開創報業新風的人，在一八九六年以七萬五千美元買下《紐約時報》之後，很快便設立了一個週六書評專欄（從一九一一年開始，這一評論專欄改在週日刊出）。對於文學事物的關注隨即為報紙帶來了聲望和廣告收入，但是他不喜歡主動發起咄咄逼人的評論。而為了與他的基調，即有利可圖的宗旨保持一致，歐克斯把書籍當作新聞來看待。這意味著必須撰寫直接、冷靜且不具攻擊性的報導，那是一種在當時揭祕爆料的八卦小報和高水準的文學期刊中，都看不到的文章。歐克斯認為，觀點只能出現在社論版。一位研究報刊業的史學家蓋伊・塔勒斯（Gay Talese）說：「每當一場演出遭到抨擊，或者一位作家受到聲討的時候，都會令歐克斯感到痛苦。」

這一情況延續至歐克斯的女婿、其繼任者亞瑟・海斯・蘇茲貝格（Arthur Hays Sulzberger）。為了回應一篇負面評論的投訴，他坦言：「如果撰寫這篇評論的作者如此容易引起眾怒，那麼他應該把書還回來，並且他必定不是一個可以作出適當評論的人。」

《時報》的競爭對手，《紐約先驅論壇報》（*New York Herald Tribune*）在一九二〇年代中期，設立了一個週日書評專欄。負責這一專欄達三十七年之久的伊莉塔・范多倫（Irita Van Doren）人脈甚好，她的前夫是歷史學家卡爾・范多倫（Carl Van Doren）；離婚之後，她的男友是競選過美國總統的溫德爾・威爾基（Wendell Willkie）。她非常地風趣，其哥倫比亞大學的畢業論文題目為《莎士比亞是如何使舞臺上的死屍下臺的》（*How Shakespeare Got the Dead Bodies off the Stage*）。在書評方面，她的見解與歐克斯相同。為這份報紙寫傳記的作者寫道：「如果說她主持的圖書版面有什麼缺點，那就是太過斯文，而且總是不願讓負面評論通過，有效地阻止了苛刻的評論出現。」

一九三〇年代中期，一份研究調查詢問了三十五位書評編輯如何看待他們的使命。超過四分之三的人說，他們具有引導人們選書的作用；百分之十三的人則說他們在塑造讀者的品味。而歷史學家詹姆士・特拉斯羅・亞當斯（James Truslow Adams）在一九三二年一篇名為〈週六文學評論〉（**Saturday Review of Literature**；這類文章如今已不復存在了）的文章中，寫道：「大量生產的新聞業正在大力降低評論水準。以美國人的日常觀點來看，一本書充其量是一則『新聞』。」

新聞報導的種種教條和常規，經常會與評論的教條和常規牴觸。一篇報導通常是客觀的，與新聞保持一定距離；但一篇評論，則是存有偏見總是製造了書籍的新聞。而記者們日復一日地套用公式，在嚴格的截稿日前把新聞版面填滿；評論家們則憎恨使用規定的詞彙來填充那少數幾種的簡單句型。作為一名記者的要素，是精力充沛；但是，對於評論家而言這樣的優點不過是還好，他們認為最有價值的美德是思考和見解。賀瑞斯・葛瑞利（Horace Greeley）對富勒相當不滿，因為她更喜歡在家裡工作。她根本就不願意整天在拿索大道（Nassau Street）《論壇》總部三樓的編輯室裡，圍著富勒團團轉。

一向致力於節約版面空間的新聞報紙，已經成為戕害隨筆的主兇，這種文體在十九世紀——

那個文學極其繁榮的時代，曾經具有高度的創造性，然而在我們這個時代，卻已經消失不見了。《紐約客》幾乎是最後一種還歡迎長篇、無層次文體的流行出版物，但也在一九九〇年代投降了。從新聞報刊的角度看，理想的書評人的文字，應該像路易士．甘尼特（Lewis Gannett）那樣。一九二八年伊莉塔．范多倫請這位新聞工作者到《先驅論壇報》做每日書評，在隨後的二十八年裡，他寫了大約八千篇書評。他可以三個小時讀完一本書，然後在期限內在他的「書籍與其他」（Books and Things）專欄中刊登。

「一份日報基本上無法期待一篇真正的評論，那會需要比較、沉思，以及從容不迫的判斷。」吉羅德．強森（Gerald Johnson）在他為《時報》寫的傳記中，如此說道，「不過，一本新書的新聞要素——它的作者與出版社、它的主題，以及對其文學品質的大致描述——很快地也會隨著其他新聞事件發生而被覆蓋。」

《紐約時報書評》在美國的書評界，一直擁有最大的影響力。除了它本身的週日版之外，《時報》還單獨賣出七萬七千份副刊和聯合評論。自從伊莉莎白．哈德威克發表了她嚴厲的言論抨擊之後，《時報》的書評也開始試圖變得更具有批判性，如今常會聽到出版社抱怨它太過苛刻以及精英化。儘管如此，這種進步還是有限的。我從一九九七年至今的《時報》書評中，隨機挑選了三期，包括四十三篇評論成人小說及非小說類讀物，具有實質性內容的文章。其中三十四篇是正面評論，只有四篇是真正的負面評論，有兩篇是正負評論各占一半，還有三篇完全是描述性的，根本就沒有評論。

正面評論的文章中其實也有指出一些缺點，不過評論家們都使用極其小心、謹慎地方式，來告訴他的朋友他有口臭。我們不妨把此稱為一種自相矛盾的謬誤，就是先在敘述中遮遮掩掩地提出一些批評，然後再趕緊將其推翻。

- 「這部小說也是有點瑕疵的。缺乏一個強有力的反派角色……然而，這樣的缺點是可以被忽略的，感謝書中的……」
- 「每位學者都可以批評說，一些主題不該被忽略或者沒有被認真對待。但是，幾乎很少有人可以實際做到那樣的成就。」
- 「——的誇張手法，並不像認真的諷刺文學，而是接近於說大話……儘管如此，這也並不會減弱——在這裡所付出的努力。」
- 「如果說這部小說所存在的弱點……然而，那些徹底改造以及他所探究恐怖聲音的細微差別，都提供了令人憂慮、引人深思的看法，以至於任何懷疑不足以……」
- 「這是一個令人興奮並且很重要的故事——不過，我倒是希望它的節奏能再快一些，語句再簡潔一點……不過總而言之，**每一點**都是值得稱道的。」（黑體的重點詞是我加的。）

不是只有《時報》才這樣。這種自相矛盾的謬誤也見於《華盛頓郵報》（*Washington Post*）：「這本書的確是有缺點，還有些氣人的牽強附會……這些都是些吹毛求疵的意見。總體來說……這是一部偉大的作品。」

當代的評論家就像個自尊心訓練營的顧問一樣，這是本書編輯希薇亞．法蘭克說的。不過，這種勉強的評論，清楚地反映了我們身在其中的這個，包羅萬象、客觀不偏不倚、政治正確的社會生活方式，而且正如歐克斯所認為的，平衡、不帶感情的寫作，比起固執己見的分析，能吸引到更多的讀者。更多的讀者意味著更多的廣告客戶，因為他們需要大量觀眾。更多的廣告客戶意味著報紙會有更多的利潤，而這些都會有利於出版社。因此，正是出版社的利益，使得報紙必須把他們的書當作新聞來報導。

因此，不因大眾喜好而影響評論品質的報刊為何如此之少，就不足為奇了。其中最重要的刊物，就是《紐約書評》。它把自己樹立成一個極富見解和影響力的權威，這段任何時候都頗具性格的著名自白，就是其具體表現：「我不曾讀過我必須反覆閱讀的書，這會讓你抱有偏見。」它的發行量只有十二萬五千冊。還有季刊《饑渴心靈書評》（*Hungry Mind Review*）和《鄉村之聲文學增刊》（*Village Voice Literary Supplement*），它們連這個發行量都沒有。而週刊類《鄉村之聲》只有三萬六千個訂戶，《饑渴心靈》則是四萬個。

還有幾種固執己見的出版物提供有力的書評，但只能在副刊出現。《紐約客》在每期的封底有一些評論，有時候也設有專門的文學版面。《民族》雜誌也是如此，這本雜誌擁有美國最顯赫的書評，它在早期主要致力於研究文學方面，固定的書評人包括亨利．詹姆士（Henry James）。曾經有一段時間，《民族》以《紐約晚報》（*New York Evening Post*）的每週文學增刊形式出版。儘管它今日的角色是進行左翼政治評論，但依然保持了對書籍的興趣，並且繼續對出版業進行大膽的批評。令人沮喪地是，它的發行量也很低，只有一萬人花錢訂閱。

那麼，學術出版社不受所謂思想上的安定的控制，應該可以提供上文所說具有見解的專門刊物了吧。但結果是，具有特色的學術出版物和那些有見解的刊物一樣，讀者群極小。孟肯很肯定地指出，教授們必須有理論，就像狗一定有蝨子一樣；更慘地是，還要加上一條，教授們還必須努力地把他們的理論推銷給別人。

當教授們不是在炫耀他們的理論時，他們就是在互相攻擊。四分之一個世紀以前，兩篇書評緊鄰著出現在《美國歷史學報》（*Journal of American History*）的同一期上，就說明了這種評論的荒謬性。艾布萊學院（Albright College）的大衛．昆汀．佛格特（David Quentin Voigt）把哈羅德．西摩（Harold Seymour）的《棒球：黃金時代》（*Baseball: The Golden Age*）一書形容成「浮誇的」，而且並非該書所自稱的權威著作。同時，麻薩諸塞州西紐伯里（West Newbury, Massachusetts）的西摩則把佛格特的《美國棒球》（*American Baseball*）稱為「一部草率的作品」。把這樣兩篇評論放在一起對讀者毫無幫助，純粹為了娛樂而已。任何一個人把那些學術評論快速瀏覽一遍，都會得出一個結論，在分辨書籍的重要與否方面，它們還不如那些大眾媒體上的評論。

那麼，更富普及性的新發明——電視——的情況又如何呢？水銀燈已經創造了不少文學亮點。美國有線衛星公共事務臺的「讀書筆記」節目，是個有思想性的文學論壇，主持人布萊恩．蘭姆讓作家有很多時間來談論他們的作品。還有歐普拉．溫芙瑞，電視上的主持人裡，也就只有她能跟蘭姆一樣說話簡潔，但她總是快不能呼吸，但還是在強力地呼吸著。她也同樣具有影響力，當她提到狂牛症的報導令她遠離漢堡時，驚恐的德州牧場主人們依據美國的《反歧視易腐食品法案》（*False Disparagement of Perishable Food Products Act*）對她提起告訴。如今她已經邀請過許多作家上了若干期節目，其節目在一百三十多個國家播放，她已經成為這個星球上引領文學風潮的最重要人物之一。

在歐普拉強力地宣傳了賈桂琳．米察（Jacquelyn Mitchard）的《大洋深處》（*The Deep End of the Ocean*，電影《失蹤時刻》）之後，這位第一次出書的作家就有了足夠的版稅，去買鱈魚角（Cape Cod）的度假別墅，還雇了一個私人馴馬師。一九九六年《出版人週刊》一篇圖書銷售綜合報導上說：「只要看一眼一週的圖書暢銷榜，就可以知道她在圖書界的巨大影響力：從十一月十一日開始，《出版人週刊》上四期圖書排行榜的榜首，全都經過歐普拉的推薦。」歐普拉通常都會事先告訴作者們，說她挑中了他們的一本書，這些作者的出版社就會立即加速印刷，以滿足必然會隨之而來的大量需求。

蘭姆和歐普拉都算得上是書籍的傳教士。蘭姆與作家關於寫作的談話，總是集中在一、兩本比較值得討論的卷冊上，歐普拉則敦促電視機前的觀眾捐書給遭受毀壞的圖書館，並且送書給國家監獄。不過，這兩者的書評都不是普遍定義上的評論。他們所評論過的許多書都是好的，但是他們並沒有告訴我們哪些書不好，或者他們在節目上所介紹的好書中有哪些不好之處。

儘管蘭姆會介入對話，但他仍然是一名採訪者。而歐普拉是一名書籍的啦啦隊長、一名興奮過度的典型女子，她在與作者的談話中一而再、再而三地喊著「哦耶」，然後問觀眾席中的人對那本書有什麼看法。觀眾們，一般而言見到歐普拉會比見到作家更興奮，也都會按照鏡頭外的提示鼓掌。在特寫鏡頭中，他們一個個怪誕滑稽的表情，都像是大衛教派（Branch Davidian）[173]的信眾。當牧場主人們控訴歐普拉對於牛肉的歧視性言論之時，牧場主人的太太們則邀請她出席她們的讀書俱樂部。

誰會因為歐普拉倒立行走而責備她呢？當你可以為自己建立一個家庭娛樂中心的時候，為什麼還要當一個獨立的評論家呢？歐普拉擁有她自己的讀書會和電影製片公司——哈潑製作公司（Harpo Production）。在宣傳了童妮．摩里森的《樂園》一書之後，又買下了它的電影版權。

收音機廣播中有一位嚴肅且具影響力的書評人，他就是說話不中聽的唐．艾莫斯（Don Imus）。艾莫斯在一百多個廣播電臺擁有一千多萬名聽眾，另外還有MSNBC-TV電視頻道。賽門舒斯特的總裁兼執行長傑克．羅曼諾斯（Jack Romanos），相信是艾莫斯使得霍華德．庫爾茨（Howard Kurtz）《操縱圈》（*Spin Cycle*）一書的訂單，從兩萬五千本上升到二十萬本。艾莫斯還

173 又譯「大衛支派」，由美國人維克多．胡太佛建立於一九三四年的邪教組織，最後一任教主大衛．考雷什於一九八七年上任。由於其種種反社會的異常舉止，受到美國政府的重視，一九九三年聯邦調查局出動軍警與之發生武裝對峙，教派所在的德州卡梅爾莊園被大火夷爲平地，大衛．考雷什也在大火中喪生。

使得珍·孟德蓀（Jane Mendelsohn）的《我是艾蜜莉亞，曾經》（*I Was Amelia Earhart*），成為最暢銷的書。為了增加自己的影響力，他在一九九八年創辦了艾莫斯—美國圖書獎（Imus- American Book Awards），每年頒發十萬美元給一位獲獎者，以及三位獲獎者每人五萬美元。相較之下，國家圖書獎（National Book Award）那一萬美元獎金，就顯得微不足道了。要艾莫斯保持中立是困難的，而他也可能是我們這個時代唯一與尖酸刻薄的拜倫最接近的人，他曾經把賽門舒斯特的羅曼諾斯稱做「目光如珠的小黃鼠狼」。他還指出歐普拉永遠不會把庫爾茨的書帶到節目中：「如果你問她：『看過《操縱圈》嗎？』她可能會把它當成是一本洗衣機使用手冊。」

要避開評論並不容易，媒體評論家尼爾·波斯特曼（Neil Postman）如此有力地表述，嚴肅的談話幾乎不可能在無線電波中出現，而且當它確實出現的時候，依然不佳，因為人們會獲得廣播員按照常規會做得更好的幻想。作為一個公共電臺「市場」節目的評論人，我一開始試圖像一個書面評論家那樣對待圖書，並使用相應的敍述方式。那種評論聽起來簡直就像一個三年級學生，在向他的同班同學進行口頭讀書報告一樣。（「如果你想知道這故事是怎麼結束的，去看書！」）解決辦法是與節目嘉賓進行對話。這一辦法實施得不錯，使得節目更具娛樂性，卻無法成為嚴肅的文學評論。總而言之，這種形式還是無疾而終，並代之以舊的圖書報告形式。製作人更喜歡後者，因為可以節省節目時間。

電視廣播版本的書評中，最重要的就是QVC電視購物頻道。在情人節，這個頻道催請言情小說作家珍娜·泰勒（Janelle Taylor）趕工寫出《我魯莽的心》（*My Reckless Heart*），這本由作家自助出版的書賣了十六萬冊。製作人不是依照作品的文學水準來選書的，為了努力吸引讀者保有購書情緒，製作人拒絕標題沒有套色的圖書。

溫芙瑞、蘭姆和艾莫斯，是你能夠在無線電波中找到的最佳主持人了，至少他們讀了他們在節目中所談論的書。一九八〇年代後期，美國全國書評界（National Book Critics Circle）所做的一項調查顯示，三分之一以上的書評人認為，偶爾為一本他們沒有讀完的書寫評論並不會不具職業道德。不過，媒體才是最為冒失莽撞，絕大多數情況如下：一個出現在廣播或者電視臺中的作家，被硬推至攝影棚內的觀眾面前，然後被迫逼問某本書的內容是什麼。

一九九八年，《波士頓環球報》（*Boston Globe*）的專欄作家麥可．巴尼克爾（Mike Barnicle）因為涉及喬治．卡林（George Carlin）的《腦滴水》（*Brain Droppings*）一書的一場危機，而找到了新工作。當時證據顯示巴尼克爾把這本書的部分內容，用在了他的報紙專欄中，而他的反應則是極力否認讀過這本書。隨後，有人在當地的WCVB-TV電視節目的一段剪輯中，發現他曾推薦這本書作為夏季讀物。於是他面臨了選擇，是承認他的文章的確剽竊了這本書呢？還是承認他在電視節目上說自己看過這本書，其實是撒謊？他毫不猶豫地選擇，說他撒了謊。不管怎麼樣，他被報社解雇了。幾個月之後，他仍然在WCVB電視臺出現，還有MSNBC臺，在那裡他還成為唐．艾莫斯節目的成員。

現在要來談談網際網路了。亞馬遜網站和邦諾網站提供機構內或者代理的書評。「行銷團隊沒有必須推銷一個特定專案的壓力，」邦諾的資訊部主管說，「但是，如果我必須負責維護一個網頁的話，我為什麼要展示一本我不喜歡的書呢？」一九九九年，《紐約時報》記者多琳．卡瓦加爾（Doreen Carvajal）揭露，出版社可以花錢買亞馬遜網站上，如「新書推介」和「注定成功」的排行榜。「去年夏天（一九九八年），這些迅速崛起的公司開始在一定限制內嘗試向出版社收取適度的費用，」卡瓦加爾報導說，「但是今年，亞馬遜提高了對出版社的收費，現在把一本新出版的電腦書放入推薦欄目的價格是一萬美元。」亞馬遜的管理層辯解說，他們拒絕為達不到他們標準的圖書做廣告。不過，這家網路書店很快又宣稱，出版社花錢為他們的產品買好評，是確有其事的。

同樣地，亞馬遜網站邀請消費者所做的「書評」也是不可信的。書的作者們可以隨便編個名字，為自己的書敲上一些好詞，點一下發送鍵，沒有人知道裡面的區別。網路上沒有任何判斷依據。還有更糟糕的，你可以不斷地去看讀者們所寫的那些真誠的評論，卻吸收不到任何具實質意義的事物。當辛辛那提的某個傢伙認為史蒂芬．安布羅斯（Stephen Ambrose）寫路易士和克拉克探險故事的《無畏的勇氣》（*Undaunted Courage*）：「整個故事有點意思，但沒有性和暴力看起來有點單調」，你會在乎他的觀點嗎？或者有對夫婦推薦說拜雅特（A.S. Byatt）的《迷情書蹤》（*Possession: A Romance*）：「完全精彩的……她的英語太棒了！」再或者葡萄牙的某個人認為《麥迪遜之橋》（*The Bridges of Madison County*）是他讀過的書中最好的一本？他或者她到底讀過幾本書？我們不知道，只要在你的電腦上敲下購買鍵就行了。

絕對的權力使人絕對的腐化

誰應該做出評論？像哈德威克所建議的，由「有著與眾不同的頭腦，能夠以鮮明、獨創，以及有趣的方式提出創新見解」的人嗎？或者是圖書主題內容方面的專家，他們最有資格對其原創性和重要性進行評估？喬治．歐威爾（George Orwell）有他自己的原則：「涉及專門領域的圖書，應該由該領域的專家來處理。不過，在另一方面，還有大量的評論工作，尤其是小說，應該由業餘愛好者來進行。」

任何受約束方式都會導致錯誤。通才者對於某個專門領域知之甚少；而專家又知道得太多，所以更像是準備好要跟人家辯論似的。評論編輯發現很難有任何規則，可以適用於小說。稍微有點背景閱讀，編輯就可以準確地猜出某個挑剔的史學家的作品，可能是針對哪種觀點或者另外的某位史學家。但是，怎樣才能猜出一個虛構小說的書評人會喜歡哪種情節或者文學風格呢？《書籍：出版的文化與商業》（*Book: The Culture and Commerce of Publishing*）一書的作者，本身也是個評論編輯，他評述說：「當拿到一本書的時候，書評人需要做出正面或者負面的分析，這最終的選擇其實是個政治性的行為。」

不過，這些瑕疵並不是負面的，反倒可以說是正面的，反而是在另一方面存在著更大的問題：書評的數量太少。艾克頓爵士（Lord Acton）那句經常被引用，關於權力使人腐化，絕對的權力使人絕對的腐化的名言，同樣也適用於書評人。雖然感覺上似乎是兩件事，但是書評人總體數量的匱乏，個體的書評人就會擁有更大的權力，並且為了顯示其公正，也會故意留些情面。

圖書出版的數量與書評的數量之間具有驚人的不平衡，是一個存在的事實。《紐約時報》、《芝加哥論壇報》、《華盛頓郵報》、《洛杉磯時報》以及《舊金山紀事報》（*San Francisco Chronicle*），都有真正獨立的週日版。少數日報有極小的、不穩定的書評版面。丹佛的《洛磯山新聞報》（*Rocky Mountain News*）和《聖地牙哥聯合論壇報》（*San Diego Union-Tribune*），都在一九九七年開闢了小小的書評版面，每期發表六篇完整的書評和一些摘要。《波士頓環球報》有所謂的圖書專刊，但實際上只有三到四頁的篇幅；專刊中的其他部分，都被用來報導其他新聞。

當書評被淹沒在藝文、娛樂版面中的時候，其準則在很大程度上已不再具有可信度。一九八七年的一份研究顯示，有週日版的報紙中設有書評的占百分之五十二，比之二十年前的百分之六十一降低了。這些評論的字數也都傾向於更加精簡，並且迎合作家或者地方利益的要求。一九八七年的研究還顯示，在一週中平常日子裡有書評或者圖書專欄的報紙有百分之三，與之形成對比的是，百分之二十九的報紙每天都有電視節目評論。

雜誌的情況也不會更好。媒體分析家利奧．博加特（Leo Bogart）指出：「在發行量前一百名的雜誌中（一九九三年資料，發行量最小的也有八十萬份），只有不超過六份定期刊登書評，而其中大多數每期所評的書不會超過一本。」

由於評定書籍的人如此之少，相對地每篇評論所應負的責任也就變得更重。這對於書評人是一種急劇冷卻效應；即使情況並非如此，也必須是如此作為。一九三〇年代《時報》的書評人都很清楚他們對一本書的批評意見（在七十萬讀者中流通），會被《先驅論壇報》（*Herald Tribune*；近五十萬發行量）發表的讚許評論所抵銷。如今《先驅論壇報》已停刊，這個地區所剩的一種報紙將成為言論的唯一標準。書評人應該明白其判斷力與權力一樣並不充足，因而負責任的書評人有充分理由必須保持公正、客觀，而非嚴厲、苛責的態度。他們不應該像潘丘·維拉（Pancho Villa）那樣，當別人詢問他如何處置囚犯的時候，他說：「先槍斃了吧。」

並非每個人都認同書評人所擁有的影響力。伊莉莎白·哈德威克即爭論說《時報》的評論，「無論如何都無法影響圖書的銷售」，而《紐約書評》的編輯們和哈德威克站同一陣線。儘管這很讓人質疑，但是他們的確相信這一點。而這似乎更能說明他們知道他們的權力，並且為自己能夠任意使用而有罪惡感。

儘管無法確切說出一篇具支配性的書評能夠有多大影響，但是基本上每個人都承認《紐約時報》上的一篇惡評可以毀掉一本書，尤其當那位被評論的作家並沒有廣泛的支持者時。對於一本在《時報》上遭貶的書，出版社們有時會因而取消原來的行銷計畫，也已經不是祕密。誰會否認一本在《時報》或者其他主流報紙上，獲得好評的圖書的市場價值呢？畢竟，如果出版社和書店認為把一本書免費送給書評人是值得的，那麼書評人不是應該要臆測他們對於一本書的青睞，也會產生任何作用？

當然，一位著名作家必須能承受得起惡評。如果一篇評論能激起足夠的爭論，甚至能讓書銷售得更多，因為讀者們總是想知道到底是在大驚小怪些什麼。還有些情況是，著名作家有時會逼著報社給他們公平機會，例如諾曼．梅勒的情況，當時約翰．賽門（John Simon）在《紐約時報》上，抨擊梅勒的《哈洛特的鬼魂》（*Harlot's Ghost*）。梅勒迫使《時報》給他一整頁的版面，來批評賽門的智力：「約翰．賽門總是一成不變……約翰，他知道自己評論的能力在陸地上不亞於任何人，但是到了海上情況就不一樣了。」

沒有人像可憐的丹．莫迪亞（Dan Moldea）和他的書《干預：有組織犯罪如何影響職業橄欖球》（*Interference: How Organized Crime Influences Professional Football*）那麼幸運了。《時報》書評人對其說了一些正面評論，同時又指出：「引用太多輕率的新聞資料，使人無法相信該書五一二頁所論述的大量內容。」由於無法要求其撤回評論，莫迪亞控訴《時報》誹謗罪，並索賠一千萬美元。他說那篇書評不公正地損害了他的名譽，並且毀了書的銷售。他勝訴的機會，跟那個以《美國殘障人士法案》（*Americans with Disabilities Act*）控訴《華盛頓郵報》的殘障作家應該是相同的。這位殘障原告申訴《郵報》發表了由非殘障人士寫作的類似圖書的評論，因此也必須為他提供所謂的「公共通融」（public accommodation）。莫迪亞所造成的公共影響，讓出版社和書評人對他都不會有好印象，而且為了避免對他的下一本書有任何惡評，報紙應該會考慮不再評論他的任何書籍。

《時報》的書評編輯蕾貝嘉．辛克勒（Rebecca Sinkler）為賽門的評論，對大眾做出的解釋（或說是半道歉），揭示出來自文字力量的腐敗。「『通常，』她說，『《書評》不會讓曾經多次貶損同一作者的書評人，來評論此作者的書。』辛克勒還坦承，她會讓編輯們去詢問他們邀請寫文章的書評人，「這位作者是否有任何可能會出來反駁你？」也就是《時報》會指派喜歡某位作家或是對其不甚關注的人，來撰寫評論。

而如果書評不是毀掉只是傷害了一本書，是不是會好一些呢？某些人萬一一再地判斷錯誤，那又怎樣呢？其他書評家會對之糾正的。國王亨利八世（Henry Ⅷ），還有華特．寇爾（Walter Kerr），曾經是戲劇評論之王，他們就有很好的主意。當亨利沒有時間看一本新書的時候，他就會給兩個意見不同的人一人一本閱讀，聽取他們的意見，然後得出自己的結論。同樣地，寇爾不想為一部戲劇寫兩次評論，一次給日報，一次給週報。所以，他選擇把日報評論留給其他人，而他自己只替週報寫評論。「我願意這種評判的權力被分開。」他說。

好的批評應該像法律系統的原則一樣運行，律師們為己方盡全力辯護，而由讀者們來審判。即使這樣不是最完美的，也比只有一種選擇要好。

書評人盤中的美味佳餚

公正不是文學法庭中自我審查的唯一前提。如今現成的那些數量微不足道的書評，令作家們意識到當一名文學評論家是沒有前途的，這也讓他們本能地在所有競爭者中保存自我能量。

基本上，沒有作家會認真地把全職書評人作為自己的職業目標。強納森．葉爾德里（Jonathan

Yardley）是少數幾個夠資格冠上評論家稱號的書評人之一，他是《華盛頓郵報》的內部職員。《時報》則比較特殊，他們擁有一小組專職撰寫每日評論的內部員工，但這只是特例。《郵報》和《時報》週日書評版上的所有特約作家，實際上都有另外的工作。

《華爾街日報》週一到週四有每日評論，在星期五的週末版也有部分評論，包括建議你如何買葡萄酒，以及每週展示一所房子的室內設計，這些也都不是全職評論家。只有在極少的情況下，書評編輯會獨立集中精力撰寫評論。

《艾達荷政治家報》（*Idaho Statesman*）的麥可．迪茲（Michael Deeds）則是比較典型，他負責的內容包括圖書、食品／居家、旅行、娛樂／休閒、科學／技術、女性，以及時尚／特色。《聖地牙哥聯合論壇報》的圖書編輯亞瑟．薩爾姆（Arthur Salm）負責所有書評版面的編輯，以及圖書專欄的文字撰寫、為報紙準備電影評論，偶爾還要寫特稿。

自由撰稿人純粹依賴撰寫評論的稿費是無法生存的。《芝加哥論壇報》付給週日版特約作家的書評稿費是二五〇至四五〇美元一篇；《洛磯山新聞報》的稿酬是二十美元。「我們正在考慮提高到三十美元呢。」編輯派蒂．索恩（Patti Thorn）笑著說。《科克斯書評》（*Kirkus*）和《出版人週刊》，是針對書商和圖書館的重要出版品，一篇書評所支付的稿酬是四十美元。這些報刊書評人的來源，從正在努力向上的作家，到想賺點小外快貼補家用的大學老師都有。書評編輯發出去的免費樣書，都是由出版社所提供。*在這種情況下，編輯們發現很難把一位有才華的作家，發展成他們值得信賴的穩定作者。索恩在她的評論中說：「一旦他們有了其他事情可以做，就會暫時離開。」

這種稿酬同樣無法激勵書評人深入挖掘一本書的缺點。相較於作一個職業書評人，他們會更願意把自己當成作家。評論家們明白，就像約翰．厄普戴克所指出的，這樣的酬勞只是讓人沿著海岸平穩航行，而不是乘風破浪去冒險。

從出版社的角度來看，他們當然期待正面讚揚的評論，也會在書籍再版的封面上引述書評中的話——如果措辭很好的話——作為對友好的書評人的酬勞。（如果措辭並非全部友善，出版社會用省略號把觀感不佳的評論略過。）這使得書評人的行為，就像大學校園裡分數的通貨膨脹一樣。「書評人具有一種很壞的毛病，」法蘭克．史溫納頓（Frank Swinnerton）——著名的英國書評人——一九三九年在一次演講中說，「他想看到自己的話被引用——但若他不使用那些能超越其他書評人閃閃發光的辭彙，他就永遠不會被引用。」一個精明的書評人會拋出種種詞語，例如「長久以來被期待的」，「明察秋毫並富有洞見的」，「才華橫溢的」，「扣人心弦的」。史溫納頓又補充道：「書評人也經常被認為是拿著刻有『傑作』二字的橡皮圖章，到處蓋戳。而『極端的』、『壯麗的』、『驚人的』這些大聲喧譁的詞語，掩蓋了那些輕聲細語的稱讚。」

艾德蒙．威爾森對於為一本書寫一篇冗長的評論很有自信，他將其稱為「就像替一部電影寫一個橋段那樣，矯揉造作、任意武斷、冷漠呆板就行了」。但是，大部分抱定決心要在《時報》的書評週刊上，署上自己名字的作家們認為編輯並不像瑪格麗特．富勒所說的，「就是互相奉承以及

＊「一個人開始寫書評是因爲年輕無聊，並且看到自己的名字出現在文章上，」傑佛瑞．葛立格森（Geoffrey Grigson）寫道，「而一個人繼續寫書評是因爲錢，因爲他想維持一條獲得那些昂貴得買不起的書籍的途徑。」

有組織的拍馬屁系統」那樣不堪。從編輯們的角度而言，他們並不想把寶貴的空間讓劣等書籍給浪費了。那麼，需要對一本書說一些糟糕的話，卻沒有人去說時，又該如何呢？無疑地，編輯們不會把這樣的要求告訴書評人的——他們會把這樣一篇書評分派給報社內部的記者。某一天，在一頓愉快的午飯之後，蕾貝嘉・辛克勒告訴我《時報》的工作人員選擇書評人寫作的方式：「我們希望他們能夠理解。」＊

用拜倫的話說，書評人「對於放在他們盤中的美味佳餚，是心懷感激的」。

校樣苦工：為出版社賣力

每週，通常是在週四，日報都會有一個美食評論版面，到了週日他們就評論書籍。這兩者都是在相同的邏輯下運作。在美食版，編輯們在文案上完成一次烹飪，並發表美食配方，而緊接著的就是牛里脊肉的廣告。在書評版，他們發表書評和作者介紹，而緊接著的是暢銷書的廣告。報紙上關於食物的故事，比關於書的評論要多，這是因為小豬店（Piggly Wiggly）比你們當地的邦諾書店做更多廣告的緣故。《先驅論壇報》在一九二〇年代開闢書評專欄，並不純粹只是為了促進文化發展，它只是想抓住一些廣告客戶，不要讓它們只有肥了《紐約時報》的週日版。

這種隱性的合作關係，是掌握一本書出版時機的出發點，出版社想在書評出現的同時，讓書在書店上市。此種情況下，圖書不應該在庫房裡等待，因為那要花出版社的錢，也不應該在書店的架子上等待，因為那同時在花出版社和銷售商的錢。為了有助於控制這一程序，出版社就必須為新書規劃出版日期，也就是說，一本書正式上市的日子。

編輯們則總是在尋找一個明確的刊出時機，愉快地玩著這樣的日期遊戲。他們從出版社那裡接受裝訂甚至未裝訂好的校樣，而不是等待全部完成的一本書。校樣經常都只有一個簡單的紙質封面，而且用的也都是廉價紙。一般在最後完成的書籍上會出現的照片、索引、頁碼之類的內容，在校樣中是沒有的。出版社等著書評人看完校樣，並寫完書評後，再發行最終的定本。

因此，書評人評論的其實並不是那本書，而是那本書的架構。比如，他們沒有辦法評價書籍的印刷品質。如果說，對於大多數讀者而言這只是微不足道的細節，那可能只是因為書評人沒有鼓勵他們去考慮這一因素。一本設計得當的書會更容易閱讀，一本製作精良的書則值得保存。（誰會不願意保存一本二十五美元投資買來的書，而去讀已經被人翻爛的二手書呢？）而且知道索引是否有用、照片到底好不好，也都是很有幫助的。一本藝術圖書的書評人，應該對著實際內容進行評論，但是即使如此也無法保證任何事。我曾經拿著一位畫家傳記的校樣寫書評，校樣上就有

＊與之相似的，哈考特．布雷斯．喬瓦納威科公司（Harcourt Brace Jovanovich）就撤回了黛博拉．戴慧思（Deborah Davis）爲凱薩琳．葛蘭姆（Katherine Graham）寫的那本不討好的傳記《偉大的凱薩琳》（*Katherine the Great*），原本是打算提名競爭美國圖書獎。部分人認爲一封來自《郵報》編輯班．布萊德利（Ben Bradlee）的信件，是原因之一。當葛蘭姆完成了她自己的回憶錄《個人歷史》（*Personal History*）的時候，《郵報》的星期日週刊爲其做了封面報導，發表了一篇讚美的評論，並在報紙的時尚版面摘引書中的內容，但是沒有在《郵報》下屬的《週末新聞》中出現相關內容。

若干巨大的空白頁，在最後定本時才會放上畫家作品的照片。如果書評人對於這類的細節評論得愈少，那麼出版社也就可以愈少地把心思花在像印刷品質這類事情上，如今也偶爾有CD和圖書一起發行，也都是不提供給書評人看的。

「我熱愛圖書的實體，」阿佛烈．克諾夫（Alfred Knopf）說，「所以，我要把它們製作得非常精美。」克諾夫在圖書業以高標準的印刷品質獲得美譽。孟肯經常誇讚：「他的書無論在形式上還是在內容上，都可獲得極高的評價。」

如今我認識的人裡面，還對這些方面做嚴肅認真評論的，就只有保羅．盧卡斯（Paul Lukas）了。他是個怪人，自助出版他的《啤酒設計：被忽略的消費雜誌》（*Beer Frame: The Journal of Inconspicuous Consumption*），盧卡斯在文中評論商品和它們的包裝。他對於「基於書籍的物質形式進行慧眼獨到的」評論，深感自豪。與克諾夫不同的是，他感興趣的文學類型是《世界各地的性愛體位》（*Erotic Sexual Positions from Around the World*），這是他的一位朋友在加州羅地歐（Rodeo, California）一間女廁的自動販賣機中發現的。

正如其他從事此種形態、被稱為「同人誌」（'zine work，對特定事物入迷的愛好者，不定期、小眾出版自己喜愛事物的自製刊物。內容多半以漫畫、科幻小說、音樂、影評等為主）的人們一樣，盧卡斯的職業是不穩定的。一位《紐約》新任編輯腰斬了盧卡斯的「被忽略的消費」專欄，現在他正在撰寫一個稱作「精神遊覽」的旅遊專欄，每週一次在網上發表一些他實際上沒去過的地方。盧卡斯亦沒有能力阻止圖書製作工藝的下降。＊

使用未修訂的校樣還有一個問題，就是書評人無法準確知道最後的文本上的定稿內容為何。校樣通常都會在封面上加有一條警告，比如：「非賣品。僅供推廣宣傳。這些都是未修訂的校樣。請檢查所有與裝訂本不同的引言和索引。我們為保護編輯的準確性，以及維護您與我們的法律權益，而進行上述警告。」

有一次我注意到一篇書評稿上寫著：「未修改且未發表的校樣。保密。」我很疑惑，一篇書評稿該如何保密呢？

書評編輯要核對最後的成書，檢查每一句被書評人所摘引的內容，以保證書評中沒有錯誤的引用。這本最後的成書大概要在該篇評論即將登上報紙的前幾分鐘，才會來到編輯的辦公室。當然，作為一種實用產品，書籍校樣與最後成品通常是很接近。儘管如此，書評人還是永遠無法相信他們所評價的那本滿是明顯錯誤和敗筆的書，居然就那麼定稿了。書評人往往要在書評已經發表之後，才能收到編輯送來的最終成書。**這樣一套讓書評人在書評發表之前，都拿不到成書的程序，無法阻止虛有其表的編輯工作，這個問題將在本書的附錄C中討論。

評論書籍的選擇過程也是有瑕疵，任何一個進了書評編輯室的人都會立即發現這一點。沒有人曾看過編輯從容不迫地凝神思索，該將哪些書投入我們這奔騰的文化洪流之中，編輯們在書潮

* 盧卡斯對他所獲書評的回應態度，是很健康的：「大多數人不是徹頭徹尾地喜歡我的作品，就是壓根不看。」

** 諷刺的是，出版社總是只送成書給電臺和電視臺。在前文已經提到，這些媒體的主持人在訪問一位作家之前，基本上是不看他的書。《出版人週刊》對自己的短篇書評中所提到的書，有高度的責任心，不管在這些書上面有沒有看到照片。

湧動的波峰浪尖上的選擇很不穩定。

《科克斯書評》和《出版人週刊》是針對書店和圖書館提供最新資訊的商業刊物，分別每年評論約五千本書籍。他們的書評對於主流大眾媒體決定要寫哪些書評，有著至關重要的作用，這些書涵蓋了主流出版社一個年度內全部出版量的百分之十，但是比起所有出版社全部的出版量百分比就小多了。《時報》自己每年只能評論大約兩千種書籍，其中還包括簡短的圖書報導。並沒有足夠的空間提供給所有具價值的書——而且到底什麼是有價值呢？是人們想讀的書呢？還是人們應該讀的書呢？在眾多作者和圖書推廣人員的威脅利誘之下，書評編輯們往往妥協，並試圖為每本書都做點事情。

既然他們無法在決定該為哪本書寫評論之前，把所有書都讀完，編輯們只好發明了殘酷的決策規則，就像戰地醫生決定誰可以被救治，誰被允許死亡所使用的方法一樣。《時報》喜歡選擇先前出過精裝版；此類型的唯一作者；由大出版社出版的書。《時報》不評論便利商店與量販店中所販售的言情小說。（「你總得畫上某條界線吧。」現任編輯查爾斯．麥格拉斯〔Charles McGrath〕如此表示。）不過，《今日美國》（*USA Today*）和商業雜誌《圖書館學報》（*Library Journal*）都願意評論言情小說。《紐約書評》有時會評論政府報告，這是上述這些報刊都不會做的事。

提摩斯．福特（Timothy Foot）還在《時報》當圖書編輯的時候，他發展出一種快速判斷一本書是否有賣相，進而決定是否為之寫評論的方式。他會先閱讀書的最後一章，如果吸引人再讀第一章，如果依然引人閱讀，他就繼續閱讀中間的一章。有一次我拜訪一間書評編輯室，那裡的編輯指著辦公桌上一堆最近送來的圖書，向我展示她的分等挑選策略。「我打算明天就把它們都分派給書評人們，」她對我說，「——或是乾脆都扔掉再找新的進來。」

最安全的選書策略，就是找大家所熟悉的。「我們是新聞從業人員，在報刊行業工作，而且希望人們來買我們的報刊。」一九八〇年代《新共和》（*New Republic*）的一位圖書編輯如此說道，他解釋為什麼他選擇的作家都是「有知名度、有讀者群的……我們偏愛的不僅是有才華的，還必須是知名人物」。

下列這套書評寫作的程序應該被概括為「假新聞」（或稱假事件），這是丹尼爾·布爾斯汀（**Daniel Boorstin**）用來描述當代此種刻意製造新聞趨向的術語。最終極的圖書假新聞，就是暢銷書排行榜，這些排行榜沒有任何工業化的標準。《華盛頓郵報·書香世界》（*Washington Post Book World*）調查當地書店，總結出虛構小說類和非小說類精裝本（每一類十本）及平裝本（同前）中，哪些屬熱賣書。《紐約時報》是在全國範圍內調查，整理出精裝書的虛構小說類和非小說類的暢銷排行榜（每類十五本），還有平裝書（也是每類十五本）和「顧問類及其他」（四本）。《今日美國》把所有種類的圖書——從自助書籍到嚴肅文學——混合一起列出一個五十本的排行榜。

有些排行榜使用一週內的資料，有些時間則會再長一些。有些只使用書店提供的資料，有些則會再加上網路書商的資料。《華爾街日報》上的排行榜，不包括讀書會、藥妝店和機場的銷售數量。《出版人週刊》排除了讀書會的資料，但是包括了藥妝店和機場的銷售。《鄉村之聲》的所謂全國性調查，包括了二十五家書店。而《今日美國》的全國性調查，則包括了大約三千家獨立的、連鎖的、折扣的，以及網路的書店。《時報》自稱他們的調查範圍，「包括近四千家書店和為其他六萬家零售書店服務的批發商，其統計反映了全國圖書」的銷售情況。

然而，事實上排行榜並不是按照每本書的銷量而來的，它主要目的是在告訴書店哪些書應該被當作有潛力的暢銷書來對待，所以這些排行榜各有不同結論，也就不足為奇。同樣一本書在《時報》的排行榜上排名第九，到了《今日美國》排名第一百五十，而在《出版人週刊》上根本就沒出現，也都不是什麼不尋常的事情。

《時報》宣稱他們不對外公開選定調查的書店，採祕密進行，但是大部分出版社還是會知道。一九九五年，《商業週刊》（*Business Week*）報導，兩個市場顧問有可能為了推動自己的書持續登上《時報》的暢銷書排行榜，而在該報紙在全國範圍內所選定的書店大量買書。那本在《時報》排行榜上待了十五週的書，很適切地稱作《市場領導學》（*The Discipline of Market Leaders*）。一開始，《時報》的圖書編輯查爾斯．麥格拉斯否認排行榜是被操縱的，後來他勉強承認說，那本書的實力其實是無法持續上榜那麼多週的。

用自己購書的方式登上暢銷榜，簡直可以說是文字行業的鹽鹼地，有個礦業買賣的騙術就是賣家在礦井中放上少量黃金，以向買家證明此礦物超所值。而在顧問行業，這種手法不僅增加了圖書的銷售量，還增加了講座的邀請。既然一個一年出席八十次演講的作家兼顧問，可以索取一次三萬美元的出場費，那麼作為《市場領導學》一書的作者之一，花大錢去購買自己的書，也不算是筆多大的開銷了。

一本在短期內大量銷售的書，比起長期、大量銷售的書，更有機會登上暢銷榜。在一年中的不同季節，也是有區別的。《華爾街日報》的記者瓊安．利普曼（Joanne Lipman）指出：「一本在炎夏時節一週銷量一千五百冊的小說就能登上暢銷榜，然而在耶誕節前的購買活躍期，一本一週賣到五千冊的小說，還是會面臨殘酷的競爭。」

這些排行榜如此普遍地存在著，而它們的來源又如此地不同，使得所謂的「暢銷書」變得毫無意義。這個名詞在二十世紀末以前都沒有被提出使用過，如今則四處氾濫，以至於當我們想要描述一本寫於十六世紀——那個尚未有此種概念——的時代中，最暢銷的書的時候，都想不出另外一個合適的詞。行銷人員把提姆．傑克森（Tim Jackson）的《英特爾三十年風雲》（*Inside Intel*），稱為「全國性暢銷書」。這本書出現在《芝加哥紀事》和《商業週刊》的暢銷榜上，前者的資料是以五十家當地書店的銷售為依據（那正好是一個對英特爾和其他高科技公司非常感興趣的地區）；後一種出版物則是以特定領域、較狹小的讀者群為主。山姆．沃爾頓的自傳《天下第一店》（*Sam Walton: Made in America*；中文版修訂本改名為《Wal-Mart 創始人山姆．沃爾頓自傳》）的廣告詞寫著：「美國第一商人成了美國第一暢銷書。」實際上，這本書是在山姆的俱樂部、這位沃爾瑪（Wal-Mart）創始人的折扣連鎖店中，銷量第一。哈潑柯林斯把保羅．強生（Paul Johnson）的《現代的誕生》（*The Birth of the Modern*）稱為全國暢銷，其實它只是出現在《華盛頓郵報》的當地排行榜上。

《紐約時報》於一九四二年開始出現暢銷書排行榜，至少有部分原因是「（評論）版在公司帳目上績效不佳」，因此希望透過排行榜來提高收入。不管這個排行榜是否有利於《時報》，反正它確實推動了暢銷書的銷量。暢銷書排行榜是一種自我實現的預言。人們購買暢銷書（儘管就像書評人一樣，他們通常不看這些書），是為了避免在雞尾酒會上的談話格格不入。龐大的連鎖書店會透過價格折扣，幫助圖書盡快成為暢銷書。亞馬遜網站在一九九九年年中時，展開了一場網上價格大戰，折扣打到百分之五十。亞馬遜還將歐普拉為其讀書會選擇的書籍，都打了很大的折扣。此種網際網路服務，使得人們可以如此容易地湧向最新出版的圖書，而書店的問題就是保持暢銷書的庫存量。《時報》網頁上的鏈結，是邦諾網路銷售公司，點擊《時報》上的書評或者暢銷書，邦諾會立即寄給你一本書。「因為邦諾與《紐約時報》的網頁鏈結，使得（有正面書評的）圖書會迅速銷售出去。」一位書店老闆對《出版人週刊》如此說道。作家們的合約中經常會有一些條款，是有關於在他們的作品登上《紐約時報》暢銷榜的情況下，他們所應該得到的分紅。

這也解釋了為什麼一本暢銷書會繼續成為一本暢銷書。一九九八年一月中旬《紐約時報》非小說類圖書暢銷榜上的十五本書中，只有兩本登上了短於兩個月的榜上位置，而有五本則持續上榜一年或更久。用布爾斯汀的話說：「一本暢銷書，就是一本暢銷的暢銷書。」

可以想像，透過這種現象所看到的圖書銷售情形，就像使用電子掃描器一樣更加清楚，也使得保持全國紀錄更加容易。亞馬遜網站每小時都會排出銷售量前一萬名的圖書，每天會更新前十萬名的暢銷書。依此看來，你每天可以打個電話給亞馬遜網站，詢問一下你與競爭對手的書在每個時刻的發展情況。亞馬遜網站的首席執行長傑夫．貝佐斯（Jeff Bezos）將其稱作「書香股市」（literary stock market）。作為《紐約客》一位有魄力的作家，傑米．馬拉諾斯基（Jamie Malanowsky）

發現，她購買一、兩本湯瑪斯．卡萊爾一八三七年版的《法國大革命》（*The French Revolution*），就能使之在亞馬遜網站排行榜上的位子上升幾千個。由此可以想像，如果一個人打算推進他或她自己的作品在排行榜上的位子會如何呢？

另一種提供出版社一個判斷標準的追蹤系統，就是美國全國廣播公司（NBC）的「今日新聞」（Today Show）。如果一本書在此新聞節目中出現之後熱銷，出版社就會勇於花大錢進行促銷。與此同時，用來提供書商資料的讀者購買行為分析軟體，搜集整理單一消費者的情況（喜歡的圖書類別、花多少錢買書等），並據此決定向你推薦相關的書。

如果你認為暢銷書與書本身或品質有任何關係，那麼請記得，《紐約時報》對於他們並未替所有登上其排行榜的圖書寫書評，而感到自豪。*《時報》編輯們比較在意的是諸如孟羅．謝爾登（Monroe Sheldon）的《跟隨祂的腳蹤行》（*In His Steps: What Would Jesus Do?*）這類圖書的命運。這本書可能是二十世紀末最暢銷的暢銷書，即使是將謝爾登牧師吹噓的全球銷量三千三百萬冊打個折扣，也依然是。據研究暢銷書的歷史學家法蘭克．路德．莫特（Frank Luther Mott）比較可信的推測大概是六百萬冊，即使是這個數字，在當時的標準下也相當驚人。不過，更有意義的是另一個事實，到今天已經沒有人記得這本書了，除非他們是專門收集圖書的愛好者。

* 透過一個隨機調查，《時報》暢銷榜非小說文學類的十五本書中有五本、小說虛構類的十五本中有七本，都沒有在週日書評版被評論，還有三本上了書評版的只有摘要。

向拜倫告別

評論提供了無限的創新機會。艾德加・胡佛（J.Edgar Hoover）[174]管理下的聯邦調查局有一個出版部門，後來更名為書評部門，作為調查反動書刊之用。路易士・波赫士（Luis Borges）[175]只評論自己想法中有的書，而不評論目前有的各種書籍。安伯托・艾可（Umberto Eco）[176]則評論過兩個簡短作品，一張五萬里拉和一張十萬里拉的銀行票據。

作家們與討厭的書評人作對時，同樣可以獲得創造靈感以及樂趣。詹姆士・羅素・羅威爾寫道：「大自然讓她所有的孩子都有事可做，他要是想寫作又不能寫作，那肯定可以寫評論。」有趣地是，查爾斯・狄更斯晚年時不讀針對他作品的評論，而哈洛・布洛基（Harold Brodkey）用另一種方式保護自己，他讓他太太讀那些評論。而發生在暢銷小說家梅西・戴文波特（Marcia Davenport）的故事，也令人感到興趣。她曾經和亞歷山大・伍卡特（Alexander Woollcott）一起上廣播電臺的節目，亞歷山大對戴文波特的作品一向沒有好評，而且在節目之前還對他們兩個人一起上節目自嘲了一番。而就在麥克風打開的那一剎那，他突然一個踉蹌跌倒，不久就去世了。達文波特隨後發表意見說：「我說話態度不夠好，是我殺了伍卡特。」

對於所有戲劇性惡評的產生，我們無法期待能恢復真正的評論。儘管有時候也會有點令人不愉快，但是書評和書評人不會改變他們的方式。如果有所變化，那就是書評人變得愈來愈像童子軍那樣叫喊著發誓：自己是值得信任的、忠誠的、有益的、友好的、謙恭的、和善的、恭順的、樂於效勞的、勤謹的、勇敢的、清白的，還有，虔誠的。

去除惡評的首要條件，就是大量增加書評。發展廣告的潛力，對於批判性探討的復興意義重大。現在圖書工業所花的廣告費只占報紙上所有廣告費用的百分之一．一六。正如書評人卡林．羅馬諾（Carlin Romano）所指出的那樣，像奈特里德（Knight-Ridder）和甘尼特（Gannett）這樣的大型報業集團，最適合吸引新的廣告費。他們可以在集團下屬的每一份週末報刊中，設立優質的書評專刊。（一九九七年甘尼特集團擁有七十四份日報；奈特里德擁有三十一份。）另外，可以說服大型報業公司開設更多的書評版面，即使它們吸引不了多少廣告，但就像他們之所以補貼國外那些新政府同樣的原因：都是為了顯示自己的優越性嘛。

不幸地是，圖書出版社們對於購買廣告沒有什麼興趣。一九八〇年代晚期，《紐約郵報》（*New York Post*）創辦了一份十六頁的書評專刊。為了經濟上的維持，這份刊物需要八頁的廣告。「但是，我們幾乎沒有賣出去過書籍的廣告。」一名常任編輯史蒂芬．庫索（Steven Cuozzo）如此說。《聖地牙哥聯合報》併購《論壇報》的時候，《聯合報》也結束了他們那份獨立經營的雙月刊書評。而在受到強大的大眾壓力，和出版社們「是的，我們買廣告」這樣的承諾之後，《聯合—論壇

174 一八九五—一九七二年，美國前聯邦調查局局長，擔任該職位時間長達四十九年（一九二四—一九七二年）。
175 一八九九—一九八六年，阿根廷詩人、小說家兼翻譯家。
176 一九三二年出生，身兼哲學家、歷史學家、文學評論家和美學家等多重身分，義大利波隆納大學符號學教授，在學術界以其符號學的研究著名，而一九八〇年的小說《玫瑰的名字》開始爲他贏得了普羅社會的關注。

報》在一九九七年二月開辦了週日專刊。出版社們在第一年總共發了六個廣告。那一年美國皇冠書店購買了每週全封面和封底頁的廣告，第二年他們只買了十四週的封底廣告。《芝加哥紀事報》的書評編輯派特・霍特（Pat Holt）說芝加哥灣區是全國人均擁有書店最多的地區，「也是獨立出版和獨立書店的中心」。儘管如此，他們的書評還是快要停刊了。我碰巧收藏了一期，上面有一份廣告，只有一吋高，一個專欄那麼寬的大小。

希望將書評的水準提升至作為一種公共服務，以求增強媒體聲譽的想法，跟希望增加國外新聞覆蓋度的想法是一樣的，就別指望了。國外新聞的覆蓋度正在降低。

與此同時，新聞報紙也正變得一天比一天乏味。隨著日報種類的減少，他們對爭論的願望也在減少。他們用評論家的方式自我審查，因為害怕濫用了權力。經濟原理在這裡是可行的，一份報紙存在愈少的競爭對手，就更必須迴避彼此的利益衝突。《聖保羅先鋒報》（*St. Paul Pioneer-Press*）與同區的競爭對手《明尼亞波里星壇報》（*Minneapolis Star-Tribune*），同時將社論停刊。

其他地區也是如此，《今日美國》代表了新聞業的趨勢。他們還有社論，但是已經不說任何值得說的話了，只有在出現不同意見談論不休時，在特稿專頁上發表一下觀點。重複發表觀點並沒什麼價值，編輯們只是列印出合理的文字組合而已。書評方面也是如此。在這個多少具代表性的週四——《今日美國》大部分都在這一天發表書評——他們發表一些關於詩人泰德・休斯（Ted Hughes）那本天花亂墜的《生日信札》（*Birthday Letters*）的小故事，並報導一些其他作家對休斯的觀點。他們開設了三個排行榜，都是不會引起爭議的報導方式：一個是與書籍相關的十個最差的總統，一個常規的五十本暢銷書排行榜，還有一個獨立的排行是在暢銷書以外隨機選出的圖書（有一本排名第二百一十三）。

有些作家和出版社可能會覺得這樣挺好的，但事實不是這樣，一場有趣的打架才會吸引群眾。這就是為什麼英國善於引起糾紛的《泰晤士報文學增刊》（*Times Literary Supplement*）為他們的文學專欄做廣告，說他們具有讓「受傷害的作家大叫發洩」的作用。另一方面，刺激性少的評論會令讀者感到索然無味，而且降低了閱讀和文學水準，還會使得文學世界變成沉悶、荒謬、缺少誠意的地方。畢竟，湯瑪斯．摩爾並沒有向中傷他的評論家發起另外一次死亡挑戰，他和法蘭西斯．傑佛瑞還成了朋友。

作品的運氣

對於作家而言，最好的天分就是運氣，
而有時候最壞的運氣，比如過世，
卻可以成為最大的幸運。

暢銷書，

如果不是由一個出現在新聞中的人物所寫，

也沒有可以使這個人成為新聞的內容，那就是個意外。

——羅伯．格雷夫斯

死亡是有很多事可以說的。

——艾德蒙．克禮修．班特利

作家們辛勤工作。他們創作、修改、增刪他們的詞句；他們案牘勞形只為了獲得封面上引用的好評；他們長途跋涉參加書展；回答著這個國家一千二百個脫口秀節目中，相同的愚蠢問題。但是，作家們無從得知也無法控制究竟是什麼因素，使得一本書能夠躋身出版社那些無聊的排行榜之中；還是慘一點的，從印刷機出來就進了碎紙機。這個因素就是運氣，各式各樣的運氣。那可以是狗屎運，也可以是楣運。因踩到香蕉皮而滑倒摔死，都能使一個作家登上暢銷書排行榜。

不過，我們不要太超前，把死亡的事情留到合適的時候再說，還是先從出生開始吧。

意外出生

對於立志進入上議院的人來講，出生在一個良好的家庭和天生是個作家一樣幸運。這並不是說作家必須擁有優秀的，或者除了養育子女之外還具備其他才能的父母，這裡指的是具有名氣的父母。他們愈是不討人喜歡，那就愈好。我們對於幸福家庭的書籍，只能忍受到《十二生笑》（*Cheaper by the Dozen*）這種書的限度了。而瓊．克勞馥（Joan Crawford）收養的女兒所寫的那本報復性的《親愛的媽咪》（*Mommie Dearest*），卻可以無限地娛樂我們這些讀者。

羅納德．雷根已經離開了總統職位，也離開他的孩子們去世了，但是留給了他們大量豐富的寫作素材，有些真的成了暢銷書。養子麥可．雷根（Michael Reagan）在《力不從心》（*On the Outside*

Looking In）一書中，清算了他孤寂的童年。女兒佩蒂．戴維斯（Patti Davis）的《我的看法：一本自傳》（*The Way I See: An Autobiography*）中，講述了十歲的她如何希望得到一個精神病醫生作為生日禮物。而莫倫．雷根（Maureen Reagan）在她的《第一父親，第一女兒：回憶錄》（*First Father, First Daughter: A Memoir*）一書中，記錄說十九歲的她，得知她同父異母的妹妹——七歲的佩蒂竟然不知道她們是一家人，而他的父親向她解釋說：「是的，我們還沒到那個程度。」

儘管這位老人令你感到不安，你還是可以透過讚美他在家庭之外的成就，為自己贏得一些受人矚目的榮耀，就像養子麥可在他的《山上的城市》（*The City on the Hill*）一書中所做的那樣。而且一旦你從自己營造的憤怒中走出來，也可以寫出一部充滿善意的作品，佩蒂在她父親被診斷出老年失智症之後，就是這麼做的。由於一直都想對事情有所彌補，羅納德和南西．雷根分別為佩蒂那本書《天使沒有死》（*Angels Don't Die*）寫了序言。

雷根家族還明白一件事情，你不必直接描寫你的父母，就能出賣他們的名譽，你可以假裝這些都是虛構的。佩蒂．戴維斯筆耕不輟地寫了三本小說，其中內容都涵括了：具有權勢、超然於家庭的父親，和罪惡的母親這類角色，這三本小說分別是：《祕密之屋》（*The House of Secret*）、《大後方》（*Home Front*）和《陷阱》（*Deadfall*）。而且一旦你成功經營了寫作這門生意，你就可以駛離家庭而衝向真正對你有利的主題。戴維斯的第四本小說稱作《性奴》（*Bondage*），《出版人週刊》稱之為「不負責任、無遮掩的性愛大雜燴」。

總有一天，會有個精明的企業家出版一套皮革封面、限量版的雷根後代作品集，總標題就是

《家庭的價值》（*Family Value*）。雷根唯一不會在這套書中出現的孩子，是他的小兒子羅恩・雷根（**Ron Reagan**），他曾經在一九九一年公然地說他不會採取寫書的方式。不過，這並不意味著他的自我約束，只是使用另外一種形式——電視——來販售其家庭名譽。在「週六夜現場」節目中，他穿著內褲跳舞，並且在一個喜劇節目「羅恩・雷根是總統的兒子」中，扮演他自己。羅恩知道自己長得酷似他父親，因此自稱為「準娛樂明星」。

當那些名人的子女試圖寫一些比老爸和老媽更多的題材時，也不是沒有遭受過拒絕。出版社一個個地拒絕了著名黑幫老大約翰・戈蒂（**John Gotti**）[177]的女兒——維多利亞・戈蒂（**Victoria Gotti**）第一本小說的投稿。也許他們擔心書中的措辭（比如「他對她的渴望在體內像個腫瘤一樣膨脹著」）會惹來麻煩，或者害怕如果書賣得不好，他們會被裝進麻袋扔到河裡去。不過，她的小說跟她父親的黑社會有著明顯關係，恐怕這才是最重要的問題。她一再堅稱她的小說《參議員的女兒》（*The Senator's Daughter*）不是源於現實的作品，而且再怎麼說，她的父親是做水電工程零件批發。雖說如此，這名三個孩子的母親確實寫了一部犯罪題材的小說，而且其中許多關於她家族的事實是無可辯駁的，例如小說裡提到她的父親在伊利諾州馬里恩（**Marion, Illinois**）的監獄中服刑。最後，一家小出版社佛吉（**Forge**）覺得這是一個誘人的提議，戈蒂這本處女作的封面上終於印上了她大大的名字，而書名則是小小的——這一向是名作家才能享受的待遇。

177 一九四〇—二〇〇二年，紐約黑幫卡洛・甘比諾（Carlo Gambino）家族的第三代教父，一九八五—二〇〇二年掌權。

當然，維多利亞也被大量宣傳，像那些晨間電視訪談之類的，她可以在節目上為她的父親澄清：第一，做的是水電工程零件批發；第二，他在監獄裡時讀過了這本書的初稿。可能由於意識到販售家族歷史的商業價值，她為她的下一本書命名為《我會看著你》（*I'll Be Watching You*），敏銳的書評人不會錯過這一點的。*

如果作家的父母沒有很高的知名度，那麼他可以指望自己的兄弟姊妹，布迪・福斯特（Buddy Foster）寫他的姊姊茱蒂・福斯特（Jodie Foster）。或者你也可以仔細追蹤一下家族歷史，找個有名的祖先出來。塞波特・德・薩德（Thibault de Sade）是某人的曾、曾、曾孫，這人我不說你也一定知道，他已經打定主意要為他的這位祖先寫一本傳記。雖然還沒說什麼時候會寫出來，但是他已經開始接受訪問了。與雷根那些孩子不一樣，他是打算為他這位著名的祖先改善形象。

如果你是一個與著名作家有親戚關係的作家，那麼顯示你們有共同的寫作天分是很睿智的。小說家喬安娜・特洛普（Joanna Trollope）在接受採訪的時候，說她與她著名的祖先安東尼・特洛普（Anthony Trollope）「共有一種同情和寬容的感覺，我們家族的所有人都在這一感覺之中」。既然她是這位著名作家的第十五代侄孫女，可說她的確是與成百上千個特洛普家族的親屬同在一種感覺之下。不過，她很聰明地主張了她的權利，並因而獲得了這樣一個大標題：「作家喬安娜・特洛普令她的伯父安東尼引以為傲」。

新聞價值

大眾無法抑制對某些主題書籍的渴望。在這個國家的建立初期，成為暢銷書最好的——基本上也是唯一的、真正的——途徑就是寫作宗教題材。法蘭克．路德．莫特在《重要的大多數》（*Golden Multitudes*）一書中，評述說：「在前二十名的暢銷書中，有十三本絕對是關於宗教教義，在另外四本書中，這一內容也占重要成分。」到今天，就像出版人麥可．貝西（Michael Bessie）曾經說的，「關於希特勒、林肯、拿破崙和南北戰爭的書，總是不嫌多。」

還有，與狗或者瑪麗蓮．夢露相關的也是。舉個例子，安德魯．麥克米爾（Andrews McMeel）一九九八年的全部出版目錄中，就有這些關於小狗的新書：《出色的牧羊犬》（*The Good Shepherd: A Special Dog's Gift of Healing*）、《狗做什麼夢》（*What Do Dogs Dream*）、《沙丘中的狗》（*Dog in the Dunes*）、《為什麼我們愛狗》（*Why We Love Dog: A Bark and Smile Book*），還有《三種狗食食譜》（*Three Dog Bakery Cookbook*）。亞馬遜網站上羅列了一百五十多種關於夢露的圖書，包括《瑪麗蓮》（*Marilyn*）、《我的瑪麗蓮：關於瑪麗蓮．夢露的詩選》（*My Marilyn: An Anthology of Poems about Marilyn Monroe*）和《非洲與華特．惠特曼的婚姻及瑪麗蓮．夢露》（*Africa and the Marriage of Walt Whitman and*

*《紐約時報》報導，一九八〇年，戈蒂的小兒子「騎著他的迷你自行車時，突然轉入一條小徑，被鄰居約翰．法瓦拉開的汽車撞死了。這是一次意外事故。四個月之後，有目擊者在長島的一個停車場，看到有三名男人持棍棒擊打法瓦拉先生頭部，並且把他塞進一輛貨車。從此之後他就不見了」。

Marilyn Monroe）。這還未加上網站上出售的關於夢露的影碟和月曆。

在作家們透過預測並趨向新潮話題之前，其實他們應該先思考過大眾潮流意想不到具感染力的事件的價值。*這種希望發一筆橫財的想法，具有優勢。拚命想著把書寫得更好是一件很辛苦的事情，但是寄希望於製造新的新聞價值，就不是那麼難了。而且，通常大新聞都是壞新聞，所以你可以為那些最糟糕的事情感到歡欣，比如戰爭。

戰爭為作家們帶來的益處，不亞於它為將軍們帶來榮耀。丹尼爾·尤金（Daniel Yergin）花了七年的時間撰寫《石油世紀》（*The Prize: The Epic Quest for Oil, Money, and Power*），一九九〇年八月，就在這本書完成後幾天，伊拉克入侵科威特。當這場戰爭席捲中東的時候，美國人一手拿著電視遙控器，一手拿著這本書。因為戰爭，它成了一本暢銷書。

波斯灣戰爭也為艾伯特·胡蘭尼（Albert Hourani）、東尼·霍維茲（Tony Horwitz）和薩米爾·艾卡利（Samir Al-Khalil）帶來了長遠規劃。胡蘭尼那本規劃多年的《阿拉伯人民史》（*A History of the Arab Peoples*）適時地在此時完成，他的出版社按原計畫提高了三倍的印量。《華爾街日報》報導東尼·霍維茲也剛好完成他的新書，原本命名為「我從未在沙漠中看見胖子」，雖然只有書中的第十七章寫了伊拉克，不過書名還是改成了《地圖之外的巴格達》（*Baghdad without a Map*）。藍燈書屋則再版了薩米爾·艾卡利（筆名）寫作的《恐怖共和國：薩達姆治下的伊拉克》（*Republic of Fear: The Inside Story of Saddam's Iraq*），這本書在一九八九年由加州大學出版。

還有大批的作家和出版社，嘗試在戰爭中依賴速成圖書發一筆財，例如《武裝入侵科威特》

（*The Rape of Kuwait*；電視廣告詞說：「看了這本書，你會知道為什麼我們在那裡。」）、《薩達姆・海珊與波灣危機》（*Saddam Hussein and the Crisis in the Gulf*；用了兩週半的時間寫成，向書店發了四十萬冊書）、《沙漠之盾辭典》（*Desert Shield Fact Book*；由一家生產戰爭遊戲的公司出版類似練習本的小冊子，丹・奎爾〔Dan Quayle〕還打了兩次電話給出版社索取這本書）、《波灣的勝利》（*Victory in the Gulf*）（由《美國新聞與世界報導》〔*U.S. News & World Report*〕的成員所寫）、《波灣戰爭讀本：歷史、文獻、觀點》（*The Gulf War Reader: History, Documents, Opinions*）、《美國有線新聞網：波灣戰爭》（*CNN Reports: War in the Gulf*；美國有線新聞網還出了錄影帶）、《如何打敗薩達姆・海珊》（*How to Defeat Saddam Hussein*），還有《操作沙漠之盾：開始的九十天》（*Operate Desert Shield: The First 90 Days*；一本攝影集）。不過，當這些圖書獲得商業上的成功時，事實上那些經過了長時間研究和深思而寫出作品的作者們，才是最大的贏家。

美國國會也為圖書提供了一些特別的中獎機率。阿通・辛克萊（Upton Sinclair）所寫的《屠場》（*The Jungle*）一書，揭露了城市貧民窟的生活狀況。當時立法者正在長時間討論清潔食物及藥品的法律，而大眾對於辛克萊作品中主角的關注，遠不及對其中所揭露的芝加哥不衛生的屠宰業的震驚。「我本來瞄準的是大眾的心臟，」後來辛克萊如此說道，「結果碰巧打中了胃。」儘管措辭和構

* 作家們可以透過高瞻遠矚爲自己製造運氣。例如與許多新聞事件或者突發事件、一些時間相隔很久的紀念日，或者其他事件聯繫在一起。詹姆士・米契納就很懂得把任何事情適時地與文學市場連結，他在夏威夷島併入美國版圖的時候，適時地出了《夏威夷》（*Hawaii*）一書，又適時地在一九七六年美國慶祝建國二百年的時候出版了《百年紀念》（*Centennial*）。

思並不講究，這本書在一九〇六年出版後六週內就銷售了兩萬五千冊。

與之類似，大衛 麥卡勒（David McCullough）的《海間通道：巴拿馬運河誕生記》（*The Path Between the Seas: The Creation of the Panama Canal*）一書，正好出現在國會重新考慮與巴拿馬進行關於此運河的談判之時。我當時正好在國會進行採訪，我還記得每位立法機關成員都收到了這本書。

其實在任何時間、任何地點，也是可以創造新聞價值。一九九七年，一年內出現了三種有關切．格瓦拉（Che Guevara）的傳記，當時並沒有人預見到這位革命者的屍體會在玻利維亞（Bolivia）找到，並運送到古巴（Cuba）的馬埃斯特拉（Sierra Maestra）被重新埋葬。而關於鐵達尼號的嚴肅讀物《永不沉沒》（*Unsinkable*），是一本花了很長時間才撰寫出來的書，適巧和那部電影同時面世，那本書在平時的條件下無論如何也不會成為暢銷書。同樣地，一部在一九五八年由華特．勞德（Walter Lord）所撰寫的相同題材的作品《鐵達尼號沉沒記》（*A Night to Remember*），也不會像現在這樣有機會再版七十次，如今已經賣到了二百七十萬冊。

即使是由一部電影所造成的小小的新聞效果，也會為一本書帶來好運。而布德．舒爾柏格（Budd Schulberg）的《薩米的追求》（*What Makes Sammy Run?*）一九四一年出版時就賣得不錯，一直到一九九〇年代早期還能保持每年一千冊左右的銷量。當有人在一九九八年開始散布這本書有可能會被改編成電影的訊息之後，就迅速變成了暢銷書，並且上了《洛杉磯時報》的平裝書暢銷榜。

這種類型的出版運氣，在現今這個 CNN 每天都為邦諾圖書網發送頭條新聞目錄的時代，會更加有控制力，這使得書商們能夠在網路上的流動廣告中，推銷更加有新聞價值的圖書。不過還是要記住，新聞價值也會產生反作用。有一位作家花費了多年時間研究當代俄羅斯，最後，這本嘔心瀝血完成的作品，在莫斯科政變的重擊之下成了庫存貨。這就是發生在不幸的前參議員蓋瑞．哈特（Gary Hart），和他那本《俄國震撼世界：俄國的第二次革命及其對西方世界的衝擊》（*Russia Shakes the World: The Second Russian Revolution and Its Impact on the West*）上的故事。他已經完成了第二次革命，大眾正在期待著第三次。

雋語金句與祝你好運

美國國家圖書獎提供給得獎人一萬美元和一個水晶獎盃，英國的國家圖書獎金更多一些，有兩萬英鎊。但是，圖書獎項所帶來的金錢遠不止這些。法國龔固爾文學獎（Prix Goncourt）獲得者的獎金只有五十法郎，在香榭麗舍（Champs-Elys's）吃頓像樣的飯都不夠。但是，真正的獎品在後頭。一旦獲得這個獎項的書籍，基本上一定會在銷售上有極大突破，而出版社們也會搶著向得獎作者請求下一本書的出版權。薩爾曼．魯西迪和安妮塔．布魯克納（Anita Brookner）分別憑藉《午夜之子》（*Midnight's Chidren*）和《杜蘭葛山莊》（*Hotel du Lac*）獲得該項圖書獎後，立即在他們的寫作生涯中飛黃騰達。

想到這些獎項與圖書的價值密切相關，是很有誘惑力的。不過，別被迷惑了。許多書都是有價值的，而所謂的最佳圖書只不過是某種感覺而已。評判過程是很詭異的，要找出下一個獲勝者其實就像賭輪盤一樣，除非其他參評者都太差了。總是有令人躊躇的懸念存在，不像那些被莊家雇來推薦候選圖書的專家，評委們是不會把所有被推薦來的書全部看完的。

一旦作者們知道了自己是那個幸運的贏家，就會鬆一口氣，然後平靜地等待不僅是來自正式文學評委會的青睞，更有其他碰巧看上他們作品的權威能夠為他們的作品，向大眾說一些好話。事實上，後者並不是首要作用。不同於圖書獎，「雋語金句」（bon mot）真正的意思被理解為是一種「祝你好運」（bonne chance）。

顯而易見，「雋語金句」通常來自於文學權威，著名的例子之一是詹姆士．希爾頓（James Hilton）一九三〇年代出版的《消失的地平線》（*Lost Horizon*）。這本書原本並未引起任何讀者關注，但是在亞歷山大．伍卡特在《紐約客》上進行推薦，並且在他的廣播節目中宣稱他對這本書「如癡如狂」之後，一週內就賣了六千冊。「香格里拉」（Shangri-la），這個詞原本是希爾頓小說中一個虛構的喇嘛廟，如今在我們的字典中成了一個詞條。

此種「雋語金句」是否源自文學權威，其實無關緊要，私人顧問專欄作家安．蘭德斯（Ann Landers）就能夠左右出版。將近五十家出版社不肯接受《保持乾爽：膀胱控制的實踐指南》（*Staying Dry: A Practical Guide to Bladder Control*）一書的投稿，直到最後約翰．霍普金斯大學出版社（John Hopkins Unversity Press）同意出版。當這本書出版之後，沒有主流書店的連鎖店願意販售。蘭德斯來了。當她在自己的專欄中，對這本書說了些好話之後，該書的三位作者——凱薩琳．布爾約

（Kathryn L. Burgio），萊內特．皮爾斯（K. Lynette Pearce）和安傑洛．魯克（Angelo J. Lucco）迅速轉運。約翰．霍普金斯出版社行銷部門經理說，那些如潮水般湧進來的信件讓他應付不暇，多到連夾信的迴紋針都不敷使用，《保持乾爽》在一年內就賣了超過十萬冊。這本書在一九九一年獲得了美國大學出版社協會（Association of American University Presses）頒發的金錨獎（Golden Fluke Award）。

來自總統慷慨的雋語金句，就是保證了銀行裡的錢。亞伯拉罕．林肯（Abraham Lincoln）喜歡《死亡》（*Mortality*）這首詩歌，顯然是他偶然在報紙上看到的一首詩。就他的學識而言，無法知道作者是誰。儘管如此，他背下了裡面的一些詩句，並且一次次地重複。如果不是他這樣做，現在恐怕沒有人會記得那個蘇格蘭詩人威廉．諾克斯（William Knox）。泰迪．羅斯福說他喜歡《維吉尼亞人》（*The Virginian*）這本書，這麼一句話幫了歐文．威斯特（Owen Wister）的大忙。艾森豪（Eisenhower）有力地推薦了贊恩．葛雷，儘管葛雷在艾克（Ike，艾森豪的暱稱）當政時已經是個名作家了。麥爾坎．麥格瑞吉（Malcolm Muggeridge）譴責伊恩．佛萊明（Ian Fleming）的〇〇七系列小說是「惡劣的刺激」，把大眾導向一種「傷風敗俗的品味，腳一踩向油門就是加速，碰一下手就想到性」。不過，這些大眾讀者之一——約翰．甘迺迪（John F. Kennedy）就自我披露說，他喜歡詹姆士．龐德（James Bond）系列驚悚小說，來支持佛萊明。（他也幫了伊芙琳．伍德〔Evelyn Wood〕一個大忙，送十二名白宮的工作人員參加她的速讀班。此後，人們就成群結隊地去參加伊芙琳．伍德閱讀動力學機構〔Evelyn Wood Reading Dynamics Institute〕了。）

雷根給了湯姆．克蘭西一個好評價，迅速提高了他的名聲。而在比爾．柯林頓（Bill Clinton）

說他讀了懸疑小說作家華特・莫斯里（Walter Mosley）的作品，並邀請作家到白宮做客，此後莫斯里小說的銷量就直線上升。（首相，或者前首相也可以達到和總統一樣的效果。阿斯奎斯爵士〔Lord Asquith〕在牛津的一次演講中，隆重推薦了利頓・斯特雷奇〔Lytton Strachey〕的《維多利亞時代名人傳》〔*Eminent Victorians*〕。斯特雷奇對他的母親說：「坦白講，那次演講實在是糟糕乏味，但是一個人不應在得到這麼高貴的一次廣告之後，還那麼苛刻。」）

一個糟糕的警句也可以發揮和雋語金句相同的效果。捷克總統瓦茨拉夫・哈維爾（Václav Havel）和他年輕的演員太太被《震撼城堡的七天》（*The Seven Days That Shook the Castle*）一書所散布的流言攻擊，於是他們起訴了該書的作者，迫使他把其中一些有爭議的章節撤掉。行銷人員為該書高調宣傳，現在這本書的封面上打著一個「審查」印章。伊朗前總統阿布哈桑・巴尼—薩德爾（Abolhassan Bani-Sadr）[178]想到美國來促銷他的《輪到我說話：伊朗，革命及與美國的祕密交易》（*My Turn to Speak: Iran, the Revolution & Secret Deals with the U.S.*）一書，美國國務院對他說不。後來政府官員們又改變了主意，二十多名記者在機場迎接他，他在美國的出版社則迅速加印了更多的書。

大都會棒球隊的一名球員注意到《能用錢收買的最差勁球隊：紐約大都會棒球隊的潰敗》（*The Worst Team Money Could Buy: The Collapse of the New York Mets*）這本書，憤怒地動手打了其中一位作者。該書編輯說：「這種宣傳效果你花錢都買不到。」

垃圾債券（junk bond；即債信評等差的企業所發行的公司債，具高風險、高報酬性質，但也容易陷入麻煩）大王麥可・米爾肯（Michael Milken）的代理律師在《紐約時報》上，刊登了相當於四萬美元的整版廣告，痛斥詹姆士．史都華（James Stewart）所寫的《賊窩：伊凡．波斯基、麥可．米爾肯、馬丁．西格爾和丹尼斯．利文如何引發華爾街大浩劫》（*Den of Thieves: How Ivan Boesky, Michael Miken, Martin Siegel, and Dennis Levine Plundered and Created Havoc on Wall Street*）。米爾肯當時那麼容易被激怒是可以理解的，那陣子他剛被判刑十年監禁，同時聯邦政府和他的老雇主德崇證券（Drexel Burnham Lambert）有意向他要求十億美元賠償。但是，米爾肯的醜聞沒有辦法影響到史都華，人家的書還上了《紐約時報》暢銷榜。

沒有比戲劇性地失去了圖書獎，卻因一則惡評而暢銷的運氣更好了。一位阿根廷作家費德里哥．安達吉（Federico Andahazi）寫了一本小說，是有關致力於研究性器官專業領域的科學家的故事。在這本稱作《解剖師與性感帶》（*The Anatomist*）的小說，在獲得佛塔巴特基金會（Fortabat Foundation）的青年文學獎之前，一直沒沒無聞不為人知。這個最佳小說獎項由一名阿根廷人所贊助。但是，當阿瑪麗亞．拉卡羅茲．德．佛塔巴特（Amalia Lacroze de Fortabat）得知是這部小說獲獎時，立即取消了頒獎儀式，並且在報紙上刊登廣告攻擊這本書。結果卻使得安達吉的書不但在其家鄉熱賣，而且還由於這件事情的廣告效應，吸引了美國一家出版社想為這本書出英文版。雖然拉卡羅茲．德．佛塔巴特女士沒有把獎項授予安達吉，但她還是很仁慈地把一萬五千美元的獎金給了他。

178 一九三三年出生，一九七九年上任爲伊朗革命後第一任總統，一九八一年流亡巴黎。

過度的好運

曾經有位作家對一家德國出版社說，拿破崙的眾多豐功偉業中，有一項就是他槍斃了一家出版社。十九世紀的作家小泉八雲（Lafcadio Hearn）[179]曾經說，他的出版社給他出的主意，「還不如一瓶子屁有價值」。歌德（Goethe）曾經說，他和其出版社之間的關係「只會變得更加美好」，然而因為惱怒出版社一封遲來的信件，隨即改口說他的出版社們「都是應該專門放到地獄裡的朋友」。

在高興地收到第一封合約信件的時候，作者們通常把他們的出版社看作聖徒。隨後，不滿就像白蟻一樣逐漸一點一點地蠶食著此種關係。隨著這個關係行將崩潰，作者們會努力思考他們到底忽視了哪些錯誤，使得他們把最壞的出版社當成了最好的恩賜。

在把香港移交給中國政府之後，這一英國長期殖民地的最後一任官員，與哈潑柯林斯簽了一個著書的合約。這一場移交受到了全球出版界的矚目，使得彭定康（Christopher Patten）成了大名人。「我還從未讀到過一本出自當代政治家之手的書，能寫得這麼淺顯有趣。」哈潑柯林斯的一位高層管理人員，在讀了《東方與西方——彭定康治港經驗》（*East and West: China, Power, and the Future of Asia*）一書的前面幾章之後，如此說道。為了增加書的價值，出版社特意在薩伏瓦（Savoy）舉辦晚宴。

在為他們的作者做了所有這些事情之後，哈潑柯林斯又做了一樁最好的事情，其老闆媒體大亨梅鐸（Rupert Murdoch），最後決定取消這本書的出版計畫。理由是：出於更多的考慮，這位媒體大亨不想得罪中國，因為他的出版帝國正與之有生意往來。（哈潑柯林斯當時已經出版了由鄧小平愛女寫作的英文版鄧小平傳，與此同時，梅鐸還在為播放衛星電視尋求中方的許可。）彭定康隨即收到了另外一份合約，這次是與倫敦的麥克米蘭出版公司（Macmillan）合作。除了保留他從哈潑柯林斯那裡收到的二十萬美元預付款之外，他和即將出版的圖書還受到了出版界更多的關注，比一整組廣告人員所付出的努力還要有效。當這本書的美國版面世的時候，封面上貼了張誇張的紅色標籤，上面寫著：「一本魯伯特．梅鐸拒絕出版的書」。這本書的新聞通告也充分利用了梅鐸的慷慨：「《東方與西方》……若是讓哈潑柯林斯來出版，爭議太大了。」如果說，這還算不上是甜蜜的報復，那麼還有，就如部分書評在第一段所指出的：梅鐸對這本書的交易食言而肥。

布萊特．伊斯坦．伊利斯（Bret Easton Ellis）也是相當幸運，雖然他還不夠資格有此好運。他所撰寫的《美國殺人魔》（*American Psycho*），是一部關於一個華爾街行政官員以駭人方式殺害婦女的小說。一九九〇年，原本簽下了這本變態驚悚書籍的賽門舒斯特後來也食言了，這件事情也同樣引起了花錢都買不到的出版界的關注，另一家出版社古董書屋（Vintage）出版了這本書，而它成了暢銷書。

179 一八五〇—一九〇四年，原名Lafcadio Hearn，生於希臘的英國人，亦曾在美國從事法國文學的翻譯工作。一八九〇年旅居日本，娶妻小泉節子，一八九六年入籍日本，從妻姓，取名小泉八雲。曾在東京帝國大學、早稻田大學講授英國文學。代表作有《日本魅影》、《奇異文學的落葉》等。

死亡的運氣

當高爾・維達（Gore Vidal）得知楚門・卡波提（Truman Capote）的死訊時，說了一句話：「這是事業上的前進。」

死亡會帶來一些麻煩，尤其是在一本書即將出版的時候。已過世的作家沒有八卦可以賣，沒有簽書會可以辦，也沒辦法在脫口秀節目中出現。對於某些作家而言，此種「作家猝死症候群」更是糟糕，像是：《跑步全書》（*The Complete Book of Running*）的作者吉姆・菲克斯（Jim Fixx），他是在慢跑的時候猝死；約瑟夫・麥克沃伊（Joseph E. McEvoy）則是在新書《游出你的健康：終生鍛鍊》（*Swim Your Way to Fitness: A Lifetime of Exercise Programs*）出版之前，死於心臟病突發；以及傑羅姆・羅德爾（Jerome Rodale），他是一位生機飲食書籍的出版人，曾經狂言：「只要不被粗心的計程車司機撞死，我可以活到一百歲」，結果在錄製「迪克・卡維脫口秀」節目的時候，倒地不起。

不過，若是受人愛戴的作家去世，也不盡然都是壞處。例如，安東尼・魯卡斯（J. Anthony Lukas）在寫完《大麻煩》（*Big Trouble*）一書之後不久就自殺了，他的文學友人們替他進行了巡迴書展以資紀念。一位作家的死訊也是則新聞，訃聞不僅可以促進新書的銷售，也能夠使已經被人們遺忘的舊書重新被提起。這些在你去世之前，是不可能被重新發現的。

幾年前，我看到了艾蓮諾・克拉克（Eleanor Clark）的訃聞，我對她並不熟悉，死訊上報導了她的《羅馬與莊園宅邸》（*Rome and a Villa*）是一部二流的經典傑作。基於興趣，我打電話給一家二手書店詢問這本書，店員告訴我，自從這則訃聞出來之後，已經有很多人打電話來轟炸他們詢問有無這本書。

一九九〇年，賽斯・摩根（Seth Morgan）出版《幫派分子》（*Homeboy*）一書後不久，即死於一次摩托車事故。摩根所居住的城市紐奧良（New Orlean）一家書店老闆說：「他活著的時候，我們大概一週賣掉兩本，但是他去世當天，附有親筆簽名的最後二十本也都賣掉了。很瘋狂。還有陌生人願意付八十美元購買呢。附有賽斯簽名的那些書，我們可是賣了很長時間啊！」

「當一位作者去世的時候，你不會讓他的書沒有庫存的。」路易斯安那州立大學出版社的經理萊斯・費拉鮑姆（Les Phillabaum）如是說。不過，出版社們在處理剛去世且不知名作家的作品時，還是很謹慎。因此而大賣的書籍畢竟是市場銷售中的反常現象，其長期利益仍然很有限。當然，出版社們還是願意與有天分的作家保持長期關係。也因此，他們總是試圖在合約的條款中，加入與作家下一本書相關的內容。站在出版社的立場來看，在第一本書上付出的廣告費，也會為接下來的書建立讀者群。

不過，有時作者不幸去世也會提升其作品的神祕感，尤其是這本書中也存有悲劇性的因素時，費拉鮑姆對此有親身體驗。紐奧良一位年輕作者，約翰・甘迺迪・涂爾（John Kennedy Toole），在撰寫《笨蛋同盟》（*A Confederacy of Dunces*）初稿時，沒有任何出版社願意出版，因而在小說完成後對於出書絕望而自殺。涂爾的母親鍥而不舍找到了華克・波西，並請求他閱讀她兒子那墨蹟斑斑的手稿，波西把手稿轉介至路易斯安那州立大學出版社的費拉鮑姆，於是他們決定冒個險。這本書後來獲得了普立茲獎，而且二十年後仍然保持每年超過十萬冊的銷售量。對於這部黑色幽默小說，波西說：「這本書的悲劇，就是作者的悲劇。」

許多已過世的作家，就像是我小時候在一家破敗的地方博物館所看過的木乃伊，依照博物館導覽手冊的說明，它的頭髮在身體死後多年還會繼續生長。多產作家維克多．雨果（Victor Hugo）在一八八五年去世，然而正如他的傳記作家所指出的，他身後還不斷地有新的出版物，都是所謂的「重要作品……全面改變了十九世紀的法國文學，並且在雨果《作品全集》增加了三分之一的數量……在其死後那些不為人知的未完成部分紛紛出現。在很長一段時間內，很難將其作品集冠上『全集』。」就像以撒．艾西莫夫所說的：「死亡這種小事怎會中止我的寫作呢。」

歐耐斯特．海明威在一九六一年自殺身亡之後，至今仍無法安息。如次頁所示，海明威身後的出版物，包括早先未發表的小說，和他的書信集、新聞稿件，以及短篇小說。這些資料中有許多都是他自己認為不值得出版的，所以他曾經很明白地指示有些是不允許出版的。然而，熱愛海明威的人們認為這已經不關他的事了，這是他們大家的事。海明威成了史奎伯納（Scribner）出版社的重量級作家之一。一九九九年出版的一本海明威的書，名為《曙光示真》（*True at First Light*），是一本未完成的自傳體小說，由他的孩子之一刪節整理出版。「就是這樣，」查爾斯．史奎伯納三世（Charles Scribner III）說，「不會再有書可出了。」不過，請不要相信。雖然編輯這本書的後代已經七十歲，而且手中也不再有爸爸的作品了，但是海明威的孩子還有孩子，他們可能還發現一些可以刪節並編輯的事物，即使只是老海明威的衣物送洗單。

當多產作家去世，卻沒有留下未出版的作品時，出版社還會借屍還魂。維吉尼亞・安德魯（V.C. Andrews）是以青少年市場為主的恐怖小說作家，在一九八六年去世。她生前一共七本著作，但是到一九九八年底，她名下已經有了二十四本新書。黑筆桿（ghost-writer，或稱捉刀者、影子作家）安德魯・尼德曼（Andrew Neiderman）創造了新的角色，而且作品賣得比安德魯原來的還要好。這勢必會引起與安德魯的繼承人之間的糾紛。尼德曼覺得他透過自己撰寫的第十五本書，所得到的一百七十五萬美元，相較於這本書為安德魯所帶來的四百五十萬美元的財產，實在是太少了。另一方面，尼德曼在寫書的時候，承認他覺得自己是「次要的存在」，而且所有當事人都認為為了銷售，保留安德魯的名字是有必要的。套用出版社的話說：「想要獲得財產，就要繼續出那些滲透了維吉尼亞精神的書。」

還有許多其他人也是到了陰間後才出書的。一九九八年，理查・萊特（Richard Wright）死後三十八年，他寫的最後一本書《俳句：另一個世界的詩歌》（*Haiku: This Other World*）終於面世了。儒勒・凡爾納生前被退稿的未來主義小說《二十世紀的巴黎》（*Paris in the 20th Century*），直到二十世紀真的來臨之後才獲得出版，雖然實在有些晚了，但還是成了暢銷書。路易士・拉莫一九八八年去世，班坦集團把他的舊作悉數印刷出版，但是新作卻隔了兩年才出，每本書上都有一張這位不朽的作家以前沒有用過的照片作封面。一位班坦集團的行政官員說：「對他的讀者而言，路易士仍然活著。我們依然可以透過他的作品與他對話，感覺到他的存在。」

死亡與出版

歐耐斯特·海明威身後的出版品

一九六四年

《流動的饗宴》（*A Moveable Feast*），非小說類紀實文學

一九六九年

《第五縱隊以及四篇關於西班牙內戰的未刊小說》（*The Fifth Column and Four Unpublished Stories of the Spanish Civil War*），短篇小說集

一九七〇年

《溪流中的島嶼》（*Islands in the Stream*），小說

一九七二年

《尼克傳奇故事》（*The Nick Adams Stories*），包括八篇短篇或未採用的故事片斷

一九八二年

《海明威書信選輯》（*Ernest Hemingway: Selected Letters*）

一九八五年

《與年輕人在一起：海明威的早年生活》（*Along with Youth: Hemingway, the Early Years*），彼得·葛里芬（Peter Griffin）所寫傳記，包括海明威所寫的五個片斷和未完成的短篇：〈蘸樹樹根的腱：一篇小說〉（*The Ash Heel's Tendon: A Story*）、〈十字路口：一篇論文〉（*Crossroads: An Anthology*）、〈現在：一篇小說〉（*The Current: A Story*）、〈雇傭兵〉（*The Mercenaries*）和〈一個戀愛中的理想主義者的描繪〉（*Portrait of the Idealist in Love*）。

《危險的夏天》（*The Dangerous Summer*），自傳體非虛構類作品《海明威：多倫多短評》（*Ernest Hemingway: Dateline Toronto*），為《多倫多星報》所寫的新聞稿件

一九八六年

《伊甸園》（*The Garden of Eden*），小說

一九八七年

《海明威短篇小說全集：瞭望莊園版本》（*The Complete Short Stories of Ernest Hemingway: The Finca Vigia Edition*），摘錄與手稿片斷，沒有一篇可以作為完整小說出版

一九九四年

《海明威：在多倫多的年代》（*Hemingway: The Toronto Years*），威廉·博瑞爾（William Burrill）所寫傳記，包括二十五篇海明威未發表的新聞稿件

一九九八年

《好獅子》（*The Good Lion*），兒童讀物

一九九九年

《歐耐斯特與瑪賽琳·海明威五十年通信》（*At the Hemingways: With Fifty Years of Correspondence between Ernest and Marcelline Hemingway*）

《曙光示真》（*True at First Light*），小說

（波妮·鮑曼〔Bonnie Bauman〕整理）

伊恩・佛萊明的詹姆士・龐德系列，由約翰・賈德諾（John Gardner）接著繼續撰寫，而羅伯・戈德伯勒（Robert Goldborough）則接著雷克斯・史陶特（Rex Stout）寫尼洛・伍爾夫（Nero Wolfe）偵探系列。亞歷珊卓・芮普莉（Alexandra Ripley）為瑪格麗特・米契爾的《飄》（*Gone with the Wind*）寫了續書，聖馬丁出版社（St. Martin's Press）為下一本續書的版權支付了四百五十萬美元。這續書的續書尚未實現是因為計畫延期，而且出版社與原定的作家派特・康洛伊（Pat Conroy）發生了毀約糾紛，不過它總會在適當的時候出版的。

安妮・法蘭克（Anne Frank）在她的日記中寫到，她想成為一個有名的作家，並且「在死後依然不朽」！現在她的名字已經註冊商標。來自《安妮的日記》（*The Diary of Anne Frank*）和「我是安妮」（I Am Anne Frank）唱片的版稅，都交給了安妮・法蘭克非營利組織。已經有人建議生產安妮・法蘭克牛仔裝了。

一部紀實作品中主角的死亡，也會為該書帶來「死而後生」的機會。黛安娜王妃（Princess Diana）死於車禍之後，那些舊版傳記都重新更名再版了。《黛安娜：生活攝影集》（*Diana: Her Life in Photographs*）變成了《黛安娜，威爾斯的王妃：紀念攝影集》（*Diana, Princess of Wales: A Tribute in Photographs*）；《黛安娜傳》（*Diana: Her True Story*）變成《皇室的傲慢與偏見——黛安娜的生與死》（*Diana, Her True Story—In Her Own Words*）。後面這一本書的作者安德魯・莫頓（Andrew Morton）首次承認他在籌備前面那本書的時候，曾經與她的皇親國戚們有過親密接觸。藍燈書屋出版了《黛安娜：紀念集》（*Diana: A Tribute*），這是曾經在英國出版的一個較早版本的修訂本。

卡波提的死亡不僅提高了他自己作品的價值，套用茱莉亞．蕾德（Julia Reed）的話說：「也為他的朋友們造福了，自從他死後的這十三年來，已經出版了三本關於他的書。」她當時正在為喬治．普林頓（George Plimpton）寫的《楚門．卡波提》一書寫書評。

接近死亡——也就是重病，或者已經非常、非常老了——有時也可以跟死亡本身一樣有利可圖。一九九八年，在史巴克（Spock）大夫去世前不久，他的太太說她需要經濟上的幫助，以維持她丈夫的生命。她準備了一系列募款活動，同時發布他第七次修訂版的育兒經。

那些總是能推遲死亡的人，令我們無法擺脫也無法拒絕。除了提供他們專門的停車位，對於他們撰寫的書，也會暫緩評判。麥芒鎮女士投資聯誼會（Beardstown Ladies）是公認精於投資的聯誼會，由一群老婦人們組成，她們的第一本書銷售了八十萬冊，並且又成功地出版了另一本書。後來芝加哥有個卑鄙、妄自尊大的小人報導說，她們的投資並不是真的那麼好，她們的算術也很糟糕，即使如此也並未改變任何情況。這些老婦人們不懂得用正確的方法計算年利率，而嚴格的計算顯示她們的利潤遠低於市場的年平均值。對此，她們感到很遺憾。貝蒂．辛諾克（Betty Sinnock）說：「看到有人指責我們有罪，而且還說我們這麼做是為了騙錢，這令人很難過。我覺得（那個記者）實在是不知道我們麥芒鎮女士投資聯誼會到底在做什麼。」大眾接受了她們的遺憾，並且繼續買她們的書，而出版社也並沒有費力地在書中加注更正。辛諾克繼續留在紐約股票交易市場（New York Stock Exchange）的個人投資委員會任職。

那名記者後來出席了一場辛諾克的演講，看到觀眾們為她起立鼓掌久久未停。其中一名聽眾對他說：「她們僥倖逃脫了處罰，而且更有說服力，你看看她們都賣了多少本書了。」

海倫・胡文・桑梅爾（Helen Hooven Santmyer）所寫的《仕女俱樂部》（*And Ladies of the Club*）獲得出版界極大的注目，如果這位小說作家不是已經八十多歲（事實上是八十八歲了），恐怕是達不到這個效果的。這本長達一千三百四十四頁的隨筆，描寫俄亥俄州一個小鎮上的日常生活，俄亥俄州立大學出版社冒險出版了這本冗長、不著邊際的作品，後來居然跟《保持乾爽》一書一樣，也獲得了金錨獎。這本書還上了暢銷榜。在這位年邁的桑梅爾女士去世之後，市面上又出現了她的另一本書：《早承諾，晚回報》（*Early Promise, Late Reward*），是從她的五百封家書中，整理出來的一本傳記。＊

類似的情況還有傑西・李・布朗・佛維澳克斯（Jessie Lee Brown Foveaux），當《華爾街日報》報導她在參加一個為年邁市民舉辦的寫作班上，撰寫了一本回憶錄的時候，她的運氣就來了。她已經將近九十八歲了，有人認為她的回憶錄與《麥迪遜之橋》有著異曲同工之妙，在當時非常流行。《日報》上那篇報導登出後的極短時間內，出版社、出版代理人、好萊塢製片商，紛紛打電話到她在堪薩斯曼哈頓的家中。不過，讀過她的書之後，幾家出版社就失去了興趣，因為覺得文字「乏味」，還因為她的出價太不合理。華納公司（Warner）後來用七倍的價錢，買下了《每一天：傑西・李・布朗・佛維澳克斯的一生》（*Any Given Day: The Life and Times of Jessie Lee Brown Foveaux*）

＊任何想仿效這種幸運模式的人，都應該注意這兩本獲得金錨獎關於膀胱控制和老人家的書。

這本書的版權。若說文字乏味無趣，至少跟桑梅爾的長篇巨著相比，這本書還算短小精悍（共二百八十七頁）了。一位熱心的競標者說：「這位女士的一生不僅跨越了整個世紀，還包含了人生所有的部分——結婚、離婚、酗酒、子女。這本書具有不可思議的商業價值。」

曾經有一次，佛瑞德．漢娜（Fred Hanna）巡視著他在都柏林（Dublin）一家書店中浩如煙海的二手書，並對一名來訪者說：「一旦這些人去世了，他們就成了時尚了。這是一件令人感到悲哀的事情。」華特．惠特曼也很明白，死亡會為作者們帶來真正的收益。他曾經在那首《自我之歌》（*Song of Myself*）中，吟唱道：「是否有人認為出生是幸運的？／我要趕緊告訴他或她，這正是我所知道的，那正如死亡一樣幸運。」

順帶一提，惠特曼也同樣從這個國家「第一讀者」的雋語金句中，獲得好運氣。肯尼斯．史達（Kenneth Starr）對前總統柯林頓咄咄逼人的調查報告中指出，總統曾經把一本《草葉集》送給莫妮卡．呂文斯基（Monica Lewinsky）。有幾家書商說，在那之後這本書的銷量突然提高了許多。

當然，惠特曼還可以更幸運一點兒，如果他不寫詩的話。呂文斯基送給總統的那本《他們說的話！猶太智慧書》（*OY VEY! The Things They Say! A Book of Jewish Wit*）在史達報告中出現後，銷量上升了百分之二百五十。

最容易被偷的書

本章內容在於闡述：

我們天生就有偷書的欲望。

永遠不要把書借出去，
因為沒有人會歸還。
我的所有藏書都是別人借給我的。

——安那托爾·法朗士

紐約公共圖書館（New York Public Library）確實是一個以傳播知識為宗旨的公共機構，總是不厭其煩地提供關於圖書館的所有事實。說到位於第五大道四十二街的中央研究圖書館，那裡的工作人員也會把諸如他們的藏書排成一排的長度（一百三十二哩），或者一九九七年度民眾打電話到圖書館詢問（十一萬八千二百三十六次）的這些統計資料，向你娓娓道來。他們甚至還會告訴你一些人們會詢問的典型問題：比如「數字十三恐懼症」這個詞怎麼拼（Triskaidekaphobia），或者盧旺達（Rwanda）這個國家是否待售中（沒有）之類。但是，圖書館的另外一個重要傳統，就是對任何問題的第一反應：噓——！

什麼問題？哪種書最經常不見——你知道，就是說從架子上消失了，或者再也見不到了？——或者，不那麼委婉地說：哪種書最經常被人偷走？

不單只有圖書館的管理人員為這個問題撓頭，所有守護圖書的人都會，比如：書店老闆、基督教科學派閱覽室的服務員，還有你，還有我，把我們最心愛的圖書借給了我們最好的朋友，明知道，但是實在不希望這些書從此一去不復返。*

不過，由於這個問題引發了所有焦慮，因此還是值得問一問，而這個問題的答案對於我們的文化生活所能提供的資訊，不會比阿佛烈．金賽（Alfred Kinsey）的性學研究，為我們的性生活所提

＊我們中的許多人對於我們獲得了什麼，失去了什麼，在腦子裡都有一筆帳。一位朋友寫信給我，探討他架子上少了的幾本書：「我的藏書中有一本《資本論》第一卷，我相信是從一家圖書館偷來的，還貼著洛杉磯公共圖書館的標籤「331.01M392」，但我是從我以前大學室友那裡得到的，或者是偷來的——不過，這也沒什麼，因爲他是個青年社會主義者同盟（Young People's Socialist League, YPSL）。」

供的還要少。

竊書賊簡史

暢銷書排行榜被認為是大眾讀書口味的指標。實際上，它們反映的，只是那些有能力花上二十五或者三十美元買一本減肥書的美國人的情況，他們往往並不是真的有興趣或者真的因為肥胖而買書，也沒打算抽出時間去閱讀這樣一本人人都在讀的書。相反地，最易遭竊書籍排行榜則告訴了我們，哪種書是人們真正想要得到的——想要的強烈程度高達借上一兩個禮拜是遠遠不夠的。為了這樣的書，人們甘願冒著損失名譽、甚至被拘捕的危險。

每一個人都會偷書。一九九二年，國會圖書館逮到了三個大膽的偷書賊——一個醫生、一個政府律師，還有一個書商，最後這個人是羅伯．李（Robert E. Lee）[180]的曾曾侄孫。也是在這一年，英國的治安官員判了偷書賊十八個月的監禁。在調查一個殺人犯的時候，發現他從受害者在東倫敦的公寓中偷了三本韋佛利（Waverly）小說、一套百科全書，還有一套宗教課本。

現在已經從維吉尼亞州亞歷山卓市的圖書館體系退休的艾倫．羅賓斯（Allan Robbins）曾經說：「偷書的人，是這個世界上最好的一些人。」當然，他們是最熱愛並且使用圖書的人——但是你可能會說，其他愛書的人到圖書館去尋找自己喜歡的書籍，卻發現它們都不見了的時候，一定會很憤怒。

在一班特別重要的嫌疑犯中，有一名同好是前格羅頓講師，一九三一年在他家發現兩千五百多冊來自哈佛圖書館的藏書，他解釋是在為一所大學的教授職位做準備。還有個最經常被提起的學院派偷書賊，是一個聲名狼藉的義大利伯爵古列爾摩・利布里—卡魯西（Guglielmo Libri-Carucci）。他在十九世紀中期的時候，開始在巴黎大學擔任一名科學教授，編輯了《學者雜誌》（*Journal des Savants*），一段時間後，被任命為負責為法國各大圖書館的重要歷史文獻進行編目的委員會祕書。他遊走於各大圖書館之間，用他的專業知識來識別最佳的圖書，而這些書中有許多被他塞在自己的斗篷裡帶走了。在出售這些文化贓物時被發現，於是逃到了英格蘭，並帶走了十八箱圖書。

最厚顏無恥的偷書賊當中，就是有那些顯然不應會偷竊的一類人。詹巴蒂斯塔・龐費利（Giambattista Pamfili）[181] 當中級主教的時候，曾經參加一個由紅衣主教巴貝里尼（Cardinal Barberini）組織的團體，赴巴黎一家私人捐贈的圖書館考察。儘管紅衣主教事先已經擔保過所有人的行為，然而龐費利還是在他的袍子裡藏了一本關於特利騰大公會議（Council of Trent，或譯特倫多大公會議）歷史的書。當圖書館主人發現這本書不見了的時候，巴貝里尼關上大門要求所有人接受檢查，龐費利斷然拒絕。在爭執中，那本書從他的袍子裡掉到了地板上。當了教宗無辜者十世之後，龐費利把巴貝里尼家族趕出了羅馬教廷，而且與法國的關係也日漸糟糕。不過，他犯過的罪行也有了報應，

180 一八〇七—一八七〇，美國南北戰爭時南方軍的著名將領李將軍。
181 一五七四—一六五五年，一六四四—一六五五年在位的天主教教宗，被命名爲「無辜者十世」。

人們到他的圖書室裡偷書。

紅衣主教多明尼哥．帕什內（Cardinal Domenico Passionei）擔任梵蒂岡的圖書管理員時，偷了本該由他來保護的圖書。而且即使他離開這個工作職位之後，也捨不得在他的竊書事業中稍做喘息。他拜訪一家修道院的時候，帕什內要求進入他們的圖書館，表面上是進行研究，實際上，他反鎖房門，把珍貴的圖書從窗戶扔出去，以便在他結束訪問這家修道院時，能夠更容易地把這些書打包帶走。

並非只有羅馬教廷獨占了竊書賊的位子，其他教派的領袖們也同樣熱衷於此。世紀之交的時候，波士頓的圖書經銷商告發當地的新教牧師偷竊傳道手冊。

也有政府使用了與伊莉莎白女王對待法蘭西斯．德瑞克（Francis Drake）[182]的海盜船隊一樣的態度，來看待圖書劫掠行為，並把他們視作民族英雄。亞歷山大圖書館（Alexandrian Library）[183]是它那個時代最偉大的圖書館，有一個部門就稱作「來自海上的圖書」。亞歷山大人會把停靠在他們港口的航海者的圖書，全都沒收抄下副本，再把正本或副本還給對方，保留其中一本收藏在他們的圖書館。

羅馬的將軍們認為圖書是戰爭的合法戰利品。例如，埃米琉斯．保祿（Emilius Paulus）就把整個馬其頓皇家圖書館（Royal Macedonian Library）當作他的戰利品，蘇拉（Sulla）也這樣占有提奧斯人亞貝里康（Apellicon of Teos）的收藏品，這些原本都是屬於亞里斯多德（Aristotle）的藏書。（西塞羅曾經抱怨自己忠實的奴隸狄奧尼休斯（Dionysius），從他的私人圖書館裡偷竊他珍貴的手抄本，他使用的就是蘇拉劫掠來的這些書。）維京人（Viking）在襲擊了英格蘭之後，把搶來的圖書放到他們的船上帶回去。「三十年戰爭」（Thirty Year's War）[184]期間，瑞典人從德意志、丹麥、波蘭、波希米亞和摩拉維亞斂集財富，以充實斯德哥爾摩的皇家圖書館。法國的革命者推翻路易十六（Louis XVI）時，就從第一和第二階層（貴族和神職人員）那裡偷走了許多書，並最終把這些書放到了為第三階層（普通百姓）開辦的公共圖書館。只不過這些書後來又被利布里爵士中飽私囊了。

第二次世界大戰之後，蘇聯紅軍把整個德國圖書館都運回莫斯科了。一部分留在莫斯科（列寧圖書館〔Lenin Library〕藏書七十六萬卷冊），其他的上百萬卷冊都流散到了各省的圖書館。德國人現在還在努力地把這些書要回來呢，這是個令人望而卻步的重任，因為並未留有這些書籍流向的明確記錄，而且即使找到了，又該被歸還到哪裡呢。一位德國圖書館的館長說：「我們其實並不在乎那些十八、十九世紀的書。我們最想要回的，主要是那些在十六、十七世紀早期收藏的圖書。」

182 一五四〇——一五九六年，伊莉莎白女王時代的英國航海家。原本是民間海盜，在西班牙控制整個大西洋海域而英國尚未成爲海上霸權的時代，多次成功襲擊西班牙商船，並成功地繼麥哲倫之後做了一次環球航海之旅，成爲第一位指揮環球航行全程的船長（麥哲倫在航行途中去世），發現了麥哲倫海峽以南的廣闊水域，該處水域至今仍以其名命名爲「德瑞克海峽」。德瑞克帶領他的海盜船隊動搖了當時西班牙人在海上的壟斷地位，在英國與西班牙的海上戰爭中，德瑞克私人的海盜船隊發揮了至關重要的作用。而德瑞克本人也被伊莉莎白女王封爲英格蘭勳爵，成爲海盜史上的傳奇。

183 古埃及的亞歷山大圖書館位於其港口城市亞歷山大港，西元前三世紀開始建立，亞歷山大大帝帶著「匯總世界知識」的雄心，在他南征北戰、攻城掠地的過程中，也從各地劫掠圖書來充實他的圖書館。亞歷山大圖書館因其豐富的藏書，被稱爲當時世界上最偉大的圖書館，繁榮了近千年，期間經歷過兩次火災，最終在西元七世紀初被徹底摧毀。

184 「三十年戰爭」（一六一八——一六四八年），導火線是一六一八年捷克反對哈布斯堡統治的起義，隨即烽火燃遍歐洲大陸，引發幾個王權國家的勢力爭奪。戰爭延續了三十年，最後結果是法國暫時取得歐洲霸權，瑞典取得波羅的海霸權，荷蘭和瑞士徹底獨立，德意志遭到嚴重破壞，神聖羅馬帝國名存實亡，西班牙進一步衰落，葡萄牙則獲得獨立。

十九世紀晚期，美國沒有簽署在伯恩（Bern）草擬的國際版權公約。其實，這也是一種竊賊的行為，因為美國的出版社不想放棄他們免費再版外國圖書的權力。東亞人在保持這一傳統方面尤其敢作敢為。有句中國老話說：「竊書是讀書人的事。」幾年前，我在臺北發現了幾本盜版的英語作品，臺灣的出版社居然還厚著臉皮把原書的版權聲明也印了出來。最近，一家中國出版社寫信給柯林頓總統的經濟顧問約瑟夫．史迪格里茲（Joseph Stiglitz），問他能不能為他們盜版的史迪格里茲的一本經濟學教材寫一篇序言。

竊書也是如今那些富人和名人生活方式中的一部分。曾因《金甲部隊》（*Full Metal Jacket*）獲奧斯卡（Academy Award）最佳編劇提名的古斯塔夫．哈斯福特（Gustav Hasford），就曾經被指控偷竊了幾千冊圖書，有許多來自海外圖書館。一九六〇年代的一項研究顯示，受過高中教育、生於富裕家庭的孩子，在圖書館竊書的行為機率，兩倍於僅受過義務教育的窮人。總統套房定價七千美元一夜的華道爾夫飯店（Waldorf-Astoria），每年必須購買至少兩百多本二手書，這是幾年前他們的一名經理告訴我的。酒店把這些書放在房間和走道的架子上，以供那些有錢的賓客來偷走它們。

順帶一提，價格比較沒那高昂的飯店，也把書籍當作香皂、毛巾，或者他們放在你枕頭上的薄荷糖同等物品，任人取用。羅馬那間舒適的奧林匹克飯店（Hotel Olympic）距離梵蒂岡只有幾步路，是我最喜歡的飯店。有一次在我的房間，我發現一本平裝書，封面上寫著酒店的名字，而書的內容則是保羅．馮．海澤（Paul von Heyse）、李奧．托爾斯泰（Leo Tolstoy）和勞倫斯（D. H. Lawrence）的短篇小說。書的扉頁上引了一句西塞羅的話：「一個沒有書的房間，就像一個沒有靈魂的身體。」他們的經營理念很清楚，就是客人可以自由地把飯店房間的靈魂，放進自己的行李箱帶回家。

更低價位的飯店是希爾頓（Hilton）。一九五七年，康拉德・希爾頓（Conrad Hilton）出版了他的自傳，《圖書館學報》評論說這本書「雖然被大力推薦，但是需求量有限」。他們大錯特錯了。飯店經理在他們連鎖店的十萬二千二百三十二個房間中，每個房間放上一本，各家分店還要每年總結一次告訴總部他們還需要多少冊。據飯店的資深公關經理肯拉・華克（Kenra Walker）宣稱，流通量基本上是每年百分之百地成長，這也說明了這本書的出版社賽門舒斯特能夠確保每年銷售十萬冊。如果你的藏書中擁有一本舊版的《希爾頓生平》，表示你一定在希爾頓飯店住過一夜。一九九四年賽門舒斯特又出了一個新版本，你會想要一本吧？

顯然，要想不讓人們偷書，唯一的辦法就是不要讓他們想到這一點。「我不得不告訴你，我不喜歡談論這個話題，」一個圖書館員用一種具代表性的口氣說，「我不想給人這種想法。」

偷書的念頭

一九九二年，日落大道（Sunset Boulevard）購物中心的搶劫犯闖進了環城百貨（Circuit City）和特拉克電器行（Trak Auto），卻對皇冠書店（Crown Books）秋毫未犯。這就證明了偷書的原動力，與偷一臺電視機的衝動來自大腦中的不同部位。圖書館員們在提到一本長久過期未還的圖書時，會盡量避免使用諸如「被盜」這樣的詞語，而是說「尚未歸還」。不過，他們對於刮傷他們汽車的人，顯然不會如此仁慈。

書籍與汽車的差異在於書籍關乎思想，而思想被認為是免費的，紐約市的法律就認同了此種差別。市參議員要求那些經常兜售贓物的街頭小販們必須申請許可證，但是書販除外。書販／賊透過紐約的言論自由法，獲得了保護言論的許可證。告發了圖書大盜史蒂芬．布倫伯格（Stephen Blumberg）[185]的人，在後來接受採訪時說：「我是一個壞傢伙。」

沒有人會認為要求理髮師為他免費理髮是合理的，卻總是有陌生人理直氣壯的向作者和出版社要求免費贈書。我有一個偶爾會寫點東西的同事，曾經很驕傲地告訴我，說她自稱是書評人，從出版社那裡免費要到了兩本我的書。（假冒書評人透過寫信索書，也是竊書賊常用的一種手段。如果一個人已經進了監獄，而無法到當地書店偷書，這確實不失為一個有效的方法。但是，我們知道做這些事的，卻都是些知識分子，他們捏造假的雜誌名稱，然後向出版社索取圖書來寫評論。）

法國作家泰雷曼．德侯（Tallemant de Réaux）曾經說過，在不為出售只想保留的情況下，偷書不算罪行。書店店員即整天在「顧客」中，看到這樣的態度。有個朋友曾經跟我說過此類情事，一名穿了三件外套的男人塞了兩本書沒付錢就走了，當店員將其追回來之後，他不但連句道歉的話都沒說，相反地還試圖討價還價。他說，如果那個店員可以讓他免費拿走一本書，他可以付另外那本書的錢。還有一些人把書店當圖書館，他們買了一本書，看完以後再退回去，如此不斷永無休止地進行下去。

有多少書丟失了呢？一九七八年，普林斯頓發現他們圖書館百分之四的藏書，以及分館百分之十的藏書都不見了。十年前，芝加哥公共圖書館系統採編部的主任推測，他們每年被偷書的數量大概跟購買新書的數量差不多。一九九〇年代，紐約公共圖書館清查他們那可以排成一百三十二哩長、不允許外借的圖書，大概有百分之一．五都不見了，芝加哥圖書館公關部的經理卡洛琳．歐亞瑪（Caroline Oyama）如此表示。

但是，誰能肯定呢？就像大海撈針一樣，很難知道一本書是不是真的丟了。對於竊書賊的想像，很多都是為了避免需要尋找。此外，在那成千上萬冊圖書中同時進行許多書的整理，圖書管理員們難免會不小心地將一些書放錯了位置，以至於羅恩．賀伯特（L. Ron Hubbard）[186]的部分作品，居然會緊鄰著但丁的《地獄篇》（*Inferno*）。究竟哪些書是逾期未還，還是放錯了位置，並不是很容易區分清楚，或者就如圖書館員們經常說的那樣，是被偷走了。而且，隨著在圖書和期刊上的開銷愈來愈大，圖書館用在編目上的錢也愈來愈少，而圖書館員們無論如何也不想再把那些不見了的圖書算進去了。這種經驗太痛苦了。

---

185 美國的「藏書家」史蒂芬．布倫伯格可以說是竊書者的極致了。他二十年的盜書生涯席捲了美國的四十五個州、哥倫比亞特區，以及加拿大的兩個省的二百六十八個圖書館和博物館，共盜得兩萬三千六百本珍貴書籍和手稿，重達十九噸，價值兩千多萬美元。美國聯邦調查局徹底清查了他在愛荷華州奧圖姆瓦附近的住所，用了八百七十九個紙箱才搬走所有的「藏書」。

186 一九一一—一九八六年，科幻小說作家，也是美國科學派教會的創始人，代表作科幻小說《地球殺場》、《航向星際》以及大眾科學讀物《現代心理健康科學》等。

「每一個人都在虛構數字。」凱薩琳．李伯（Katherine Leab）如是說。她是《美國最新圖書價目》（*American Book Prices Current*）的編輯，這是一本對珍藏書經銷商很有用的期刊，同時還為只想偷最值錢的書的罪犯提供了指南。

美國最易遭竊書籍排行榜

任何書籍都有可能被偷。不久之前，有人從紐約高級餐館巴斯克海岸餐廳（La Cote Basque）偷走了他們的預約本子，這種事應該不會再發生了。但是，有些書每天都會被偷。儘管統計資料並不完全，而且還有許多知情者保持沉默，但還是可以運用員警根據收集到的蛛絲馬跡而勾勒出罪犯肖像的方法，把那些最容易被偷竊的書籍大略整理出來。結果如下：

第一名：《聖經》

從市場銷售的角度看，《聖經》的確是本好書。在一次調查中，百分之八十的美國人把它列為歷史上最具影響力的書籍。（排名第二位的是《史波克育兒經》〔*Dr. Spock's Baby and Child Care*〕，但是只有百分之四．七的受訪者選擇該書。）書店的消費者每年在《聖經》上花掉了四億美元，如果那些虔誠的信徒沒錢買書，他們就會用偷的。

偷《聖經》可能看起來跟要得到它的首要目的——贖罪——是不相符合的。不過，我們可以把《聖經》永遠都是最易遭竊書籍的第一名，視為是個虔誠信條。對於大多數人而言，上帝所說的話表明了這位至高無上的神是仁慈的，所以那些忽視了十誡的人中，不會有人真的遭雷劈的。

在書店中偷《聖經》的一個計策，是把一本價格昂貴的《聖經》從它自己的包裝盒中拿出來，放到便宜《聖經》的包裝盒中，如此不但能買到價格更好的書，而且這種罪行也比較輕微，不會被視作不可饒恕的罪行寫進天上的審判書。不過，要獲得一本免費《聖經》的最佳辦法，還是住旅館。套用美國旅館飯店協會（American Hotel & Motel Association）發言人的話，《聖經》在旅館中被當作與香皂、毛巾一樣的客房消耗品。而《聖經》在國外旅館中的消耗速度，跟在美國的一樣。新加坡美麗殿飯店（Meridian Hotel）的一名清潔婦告訴我，他們房間中丟掉的《聖經》比《佛教教義》還要多，那本《佛教教義》可是用英、日雙語寫成，並且還明確地寫上歡迎人們把它偷走。

納許維爾（Nashville）的吉迪恩組織（Gideon Society）[187]，並不歡迎人們偷竊他們放在旅館房間裡的《聖經》，他們通常把書放在床頭櫃的抽屜裡。因為不願為他們所欲發展的信徒感到罪惡感，吉迪恩組織的人對這類問題都拒絕回答。你若是問問吉迪恩的執行理事傑瑞．博登（Jerry Burden），他知不知道一年有多少《聖經》被他們所欲發展的基督徒偷去了，他會回答：「這件事我們無可奉告。」另一個組織成員辯護說，他們把書的破損和丟失都算是一種消耗。吉迪恩組織只

187 由基督教徒自發組成的一種致力於將《聖經》分發到各個旅館的組織。

在必要的時候才替換原書，這是一筆龐大的花費。一九九七年，他們在一百七十二個國家，分發了七十七種語言的四千四百萬冊《聖經》。這個數字比十年前激增，主要是因為吉迪恩組織把他們的發展對象，擴展到了若干新向他們的救贖計畫開放的前共產主義國家。*

第二名：《性愛聖經》

性愛圖書在圖書盜竊行為中，占有特殊、高好發的機率，有如下幾個原因。首先，每個人都對自己的性能力、性吸引力之類的情況感到懷疑。於是會怎樣呢？各種廣告都與性主題相關，從汽車產品到浴室清潔劑都是如此。其次，就像大多數美國人對性的看法一樣，當他們在尋找一本這類圖書的時候，都會覺得自己好像做錯了事。加州聖馬力諾（San Marino, California）杭廷頓圖書館（Huntington Library）的主管，已故的威廉．莫菲特（William A. Moffett）博士是研究竊書賊方面的權威人士。他說：「人們在買這類書時總會有點不好意思，就像買保險套，『這本書不是我自己要買的，是幫一個朋友買的。』藥劑師才不信這一套呢。」所以，唯一方便的解決辦法，就是偷走這本書。

雖然所有的性愛圖書都具有吸引力，《性愛聖經》（*The Joy of Sex*）則高居榜首。據《圖書館學報》的一份調查顯示，七十四家公共圖書館報告說，這本書和它的續編是最容易遭竊的圖書。事實上，如果不是因為飯店把《聖經》放在房間裡的話，這本書就有望壓倒性地成為榜首。

另外一本有類似效果的書，就是當人們婚姻性愛變得無趣的時候，會轉而關注的書：自助離婚類書籍。這種書在每個州都有不同的版本，可以使得讀者在當地特有的法律條款下尋求他們性生活的解放。「我們把這些書當成日用品，」一個緬因州的圖書館館長如此說道，「我們買許多副本放在各個不同的地方，很快就沒了。」

第三名：《入伍考試題庫》

向來自猶他州奧格登市（Ogden, Utah）和馬里蘭州陶森市（Towson, Maryland）的圖書館員詢問，哪一種指南類圖書最為風靡，他們會立即想到一本從未登上過暢銷書排行榜的書：《入伍考試題庫》（*Practice for the Armed Services Test*）。

排在亞軍的，是針對協會考試的《公務員行政管理職務升等實務》（*Practice for Promotion to Supervisory and Administration Positions in the Civil Service*）。幾年前，《華盛頓郵報》報導國會圖書館

＊一個人是否眞的可以把《聖經》當作上帝的話偷走，而被上帝寬恕呢？這一問題在烏蘭替亞基金會控告瑪赫拉一案（Urantia Foundation v Maaherra）中解決了。在此案中，掌控著《烏蘭替亞文書》（*Urantia Paper*）出版權的烏蘭替亞基金會，指控克里斯坦．瑪赫拉（Kresten Maaherra）再版他們的圖書，並且免費發送給朋友。瑪赫拉辯稱基金會無權獨占那份《文書》，因爲正如這本書自己所指出的，它是由「飄蕩在天國的導師們」創造的。這些導師們包括神聖顧問、超宇宙人性集團的首領，還有內巴頓大天使團的首領，而所有這些導師的話，都是透過一個芝加哥精神病醫生的病人說出來的。基金會則論辯他們之所以擁有版權，是因爲他們的成員收集整理了這些神的教誨，而這也是一個創造過程。法庭是由一群不相信有超宇宙人性集團存在的人所組成，當然站在基金會一邊。聲稱那份《文書》「不屬於狹義種類的作品，那些作品不是完全缺乏創造的火花，就是因爲太過瑣碎而實際上等於沒有」。捎封信給上帝：如果祂打算確認祂的話對大家是免費的，那麼祂應該申請版權，或者冀望祂不會被美國第九巡迴上訴法院（U.S. Ninth Circuit Court of Appeal）駁回。

所收藏的汽車修理手冊有一半都不見了。圖書館館藏目錄顯示有二十六本《烹飪的樂趣》（*Joy of Cooking*），都是一次次地修訂再版，而圖書館的工作人員只能找到其中的五本。我推測《浴廁系統的建造與維護》（*Constructing and Maintaining Your Well and Septic System*）也會這樣不見了，這本書一九八四年出版，到一九九〇年還在《出版人週刊》的「家庭裝修類暢銷書排行榜」上。

而各區域對於書籍類別的口味有種微妙的差別。據新聞報導，洛杉磯市民明顯地比較喜歡竊取有關室內裝潢的圖書；史坦頓島（Staten Island），園藝類書籍和汽車修理手冊則比較受歡迎，這是紐約公共圖書館的官員說的；醫療保健、解壓，以及房地產類書籍在曼哈頓有大量需求；紐約人通常比較有興趣竊取《如何催眠你的朋友》（*How to Hypnotize Your Friends*）和《如何飼養和訓練信鴿》（*How to Raise and Train Pigeons*）。

隨著情況的改變，指南類圖書的價值也在變化中。有個例子可供參考，懷孕婦女會查閱關於嬰兒姓名的書籍，並把書保存到她們的後代長到可以把書還給她們的年紀。

第四名：咒語、魔法和巫術

電影《魔鬼剋星》（*Ghostbusters*）的開場，是在一間圖書館裡，這很合理。關於神祕主義、鬼神崇拜、招魂、魔法、黑巫術，還有其他關於黑暗與光明的力量的書籍，經常神祕地從圖書館和書店中不見。一份英國的調查顯示，在他們國家，神祕主義類圖書的需求量，遠大於性愛類圖書。書店也說，塔羅牌會經常不見。

第五名：《偷走這本書》

阿比．霍夫曼的《偷走這本書》可能是反主流圖書中最易遭竊的一本書，他簡直是在直截了當地招賊。「垮掉的一代」傑克．凱魯亞克（Jack Kerouac）、查爾斯．布考斯基（Charles Bukowski）、艾倫．金斯堡（Allen Ginsberg）和威廉．布洛斯，都是在不花錢的顧客中，頗有市場的作家。許多黑色文學也屬於這類容易被偷的反主流書籍。麥爾坎．X 和安琪拉．戴維斯（Angela Davis）[188] 的自傳，都是很難在圖書館的架子上找到的書。

霍夫曼的書所傳達的訊息令出版社深感困擾，以至於他不得不自助出版這本書。（他這本非法出版物的廣告圖示，是一個長髮青年正在為藍燈書屋的別墅吹氣。）這本書賣得不錯，按照《紐約時報》書評的說法，這本一九七一年四月面世的書，到七月就賣了將近十萬冊。「這是很令人尷尬的情況。你本來試圖顛覆政府，結果就上了暢銷書排行榜。」阿比．霍夫曼自己說。看來這本書被偷的行情也不錯，為了寫一篇以被竊書為主題的文章，我到處都找不到這本書，包括在紐約公共圖書館和國會圖書館。

如果你能找到的話，一本二手的平裝版《偷走這本書》現在可以賣到一百二十五美元。霍夫曼的書現在也沒有出新版，所以你花錢也買不到了。霍夫曼去世之前，曾經送給他的一個朋友一本，那個朋友把這本書放到了 http://tenant.net/Community/steal/index.html 這個位址，網路讀者都可以找到。

188 一九四四年出生，美國黑人，哲學教授，致力於黑人運動和女權運動的共產黨人。

第六名：《標準聯邦報稅手冊》

這本活頁書與其他法律書一樣，能夠在法學院圖書館倖存的機率，跟黑手黨審判中的國家證人存活的機率基本上相同。「學生來找的第一本指定參考書，就會是要這本書。」一名法律圖書館員表示。

「法學院圖書館的開放時間是很恐怖的，」圖書館與資訊資源（Library and Information Resources）理事會的主席迪安娜．瑪肯姆（Deanna B. Marcum）博士說，「我想可能是因為法學院學生的競爭太激烈吧。」對於那些未來的律師們而言，偷走一本書不僅意味著他可以想用多久就用多久，而且還能避免別人使用它。很明顯為了不觸犯法律，法學院的學生會避免在技術上犯規，他們往往把書藏到圖書館的其他地方。

醫學院和商學院的圖書館，也存在「偷和藏」的問題。這個問題會持續到畢業以後的職業生涯。一個國家投資的研究機構——維吉尼亞州喬治梅森大學（George Mason University）法學院的圖書館是對外開放的，「很多失竊的書都是那些執業律師偷的。」這個圖書館的前主管菲爾．貝里克（Phil Berwick）調到另一個犯罪溫床——華盛頓大學（Washington University）法學院之前，這樣對我說。

如果我們需要證據證明白領的犯罪行為比其他階層更為猖獗，那麼這就是了——研究顯示，功課好的學生比學業低落的學生更容易偷書。

第七名：《大英百科全書》

這套書的價格實在太高了，任何一個跟這套書的銷售團隊打過交道的人，都知道這一點。許多一般民眾——還有那些試圖推銷的可惡直銷人員——都會盡量避開這些人的干擾，而去偷這套百科全書，還有其他價格昂貴的工具書。《熱帶魚百科全書》（*The Encyclopedia of Tropical Fish*）在威爾斯卡地夫的圖書館剛剛上架半個小時，就不見了。一個竊取多卷本工具書的標準策略，就是到不同間的圖書館，一冊一冊地往家裡搬，直到把全套湊齊為止。

沒有哪本書或者哪套書，會因為太大部頭而沒法偷。一名女士曾經被紐約公共圖書館的警衛攔住而驚慌掙扎，像一點都不無辜的教宗無辜者十世一樣，她還是敗露了，從她的衣服裡掉出來一本十一磅重、超過六吋厚的《韋伯大辭典完整版》（*Webster's Unabridged Dictionary*）。她原本是打算夾在兩腿間地走出圖書館。

第八名：《春曉大地》

當教師要求學生去讀一本名著的時候，圖書館就得加強防護措施了。紐約公共圖書館的前身——里諾克斯圖書館（Lennox Library）逮到的第一個偷書賊，是個十六歲的男孩。據菲利斯·戴恩（**Phyllis Dain**）所撰寫的圖書館史記載，一八九七年，這名小男孩「為了有助於完成學校作業，偷了幾本書」。圖書館罰了這個孩子二十五美元，在那個年代肯定花盡了一個孩子的零用錢。如今的年輕人則是偷走《戰地鐘聲》（*For Whom the Bell Tolls*）、莎士比亞的作品，還有長期以來都是年輕人最愛的《麥田捕手》（*Catcher in the Rye*）。推測一百頁左右的《春曉大地》（*The Red Pony*）是這類作品中的榜首。我在馬米恩軍校（Marmion Military Academy）念高中的時候，這本書是我們所知道的文學作品中，最短的一本。

第九名：《美國鳥類》

這本由詹姆士．奧杜邦（James Audubon）所作的彩色圖鑑，激起了竊書賊的興趣。賓州大學（University of Pennsylvania）研究服務部主任丹尼爾．崔斯特（Daniel Traister）博士說：「那本書的重量可能超過了你的能力，它放在地上就有四到四呎半高。」儘管如此，它還是最常遭竊的珍本圖書之一。有個圖書大盜為了把這本《美國鳥類》（*The Birds of America*）丟出窗外，反倒把自己弄得遍體鱗傷。

收藏家的狂熱，使得雷諾瓦（Renoir）的《磨坊》（*Moulin*）和梵谷（van Gogh）的《嘉舍醫生的肖像》（*Portrait of Dr. Gachet*）每件拍賣到七千五百多萬美元的高價，同時也把珍藏書、地圖，以及其他相關藝術品的價格，都一併抬高。職業竊賊有時候並不盜走整卷書，而是撕下其中有價值的藝術品。一九九六年，一群盜賊闖進西班牙北部小鎮一家教會博物館，壓制了一名服務人員，打破一個巨大的玻璃容器，把最重要的一個碎片帶走了，被盜的還有一本從十世紀開始紀日的修道書。一位管理這家博物館的教士說：「最糟糕的，就是怕他們為了散頁出售而毀了這本書。」據崔斯特說，奧杜邦的書「價值百萬美元，要是圖版一張、一張地販售，會更值錢。」國會圖書館的副館長溫斯頓．泰伯（Winston Tabb）說暴漲的價格是：「發生過的最恐怖的事情之一……你手中的藏品一夜之間就會漲三倍。」

不過崔斯特說了，動機不完全是為了金錢。有些人偷竊完全不值錢的書，是因為「他們想要珍愛它；他們認為他們會比你更好地照顧這些書。」一八三〇年代，西班牙修道士唐．文森（Don Vicente）在他偷竊珍藏書時，殺死了八個人。被逮捕之後，他毫無悔意。「每個人早晚都會死，但是優良的書籍必須被妥善保存。」*

第十名：《美國政治中的中國遊說團》

有些書是被政府公務員偷走的。蔣介石的右翼支持者們，不惜一切地要把羅斯．凱恩（Ross Koen）在一九六〇年代所寫的這本《美國政治中的中國遊說團》（*The China Lobby in American Politics*），排除在精神污染之外。他們不僅從圖書館偷走這本書，更以另外一本他們認為更適合的《中國遊說團》（*The China Lobby*）*來代替。同樣地，經常會有挑剔的市民把圖書館中，挑戰「家庭

* 還有一個把偷書當成義舉的例子。位於費爾班克斯（Fairbanks）的國家氣象服務局（National Weather Service）的負責人，承認他偷走了原本收藏在安克拉治（Anchorage），從十九世紀晚期到二十世紀的天氣資料手冊。這名圖書界的羅賓漢說他計畫先把這些資料放在家裡「冷卻一陣子」，然後他會把它們捐給費爾班克斯大學，因爲在那裡會獲得更好的利用。

* 在銷毀《美國政治中的中國遊說團》的時候，出版社顯然忽略了還有一個裝滿了凱恩的書的紙箱。我的一個朋友，現在已經從出版業退休了，他曾經發現這個紙箱，並且不失時機地偷了一本。

價值」的圖書拿走，留下宗教小冊子。

一個能有效識別竊書行為的辦法：有些書被偷是因為有人想要它們，還有一些書被偷，是因為有人不想讓別人看到它們。圖書清教徒們就經常溜進圖書館拿走那些人們會試圖去偷竊的書：例如，性愛和巫術，還有那些經典名著，雖然這些書沒有人真的打算去看，但是卻必須偷來應付課堂作業。美國圖書館協會知識自由辦公室（American Library Association's Office for Intellectual Freedom）的主任茱蒂絲．克魯格（Judith Krug）說：「每年檢查這些被偷書目的時候都會想：上帝呀，這簡直就是二十世紀《名人錄》（*Who's Who*）和《大事記》（*What's What*）的素材。」

要定出最不容易遭竊的書，似乎是不可能的。但還是有一種相當不受歡迎的書，就是詩集。已故的美國桂冠詩人約瑟夫．布洛茨基（Joseph Brodsky），就曾經主張為了提高民眾素質，應該把詩集放到汽車旅館的房間中，這樣就可以和《聖經》與希爾頓的自傳一起被偷走了。布洛茨基的門徒之一——安德魯．卡洛爾（Andrew Carroll）的確曾經把這一觀念付諸實踐。卡洛爾在做美國詩歌與寫作計畫（American Poetry and Literacy）的執行主任時，宣稱此一實踐小有成就。但這所謂的成就，就是飯店的經理問他說：「你一再替他做事的這個羅伯．佛羅斯特（Robert Frost）[189]，是什麼人呀？」卡洛爾應該從羅馬皇帝尼祿（Nero）[190]那裡明白，這個暴君最痛恨的一項市民活動，就是公共詩歌競賽。

罪行與責罰

曾經在紐約公共圖書館從事警衛工作多年的保羅・華盛頓（Paul Washington），講述了調查員追蹤「竊書賊」的事情。有一次，調查員到一名女士家去索書，這名女士正赤身裸體地在家粉刷牆壁。她邀請他進門，並且把逾期未還的書給了他。不過大多數時候，追蹤贓物的努力並不那麼好玩，而且還是徒勞的。圖書館員經常面臨做也不是、不做也不是的惱人選擇。

盡忠職守的圖書館員最大的恐懼，可以從尚恩・歐非農（Sean O'Faolain）所述的一個小故事中看出。這位愛爾蘭作家曾經在一個小鎮，看到過一家擁有不錯藏書的圖書館，當他再次回到這個小鎮的時候，發現圖書館已經關閉了。他向附近居民詢問，一個當地人告訴他說：「對呀，就是你看到的這樣，人們不斷地來借書、借書，直到最後只好關門了。」

要保住書籍的最好辦法，就是根本不要外借。不幸地是，這種行為有悖於圖書館要讓人們更便於閱讀書籍的宗旨。相對地，最好的安全措施，會潛在地讓人覺得這是家不友善的圖書館。圖書館的管理員們必須認清一個事實，為了提供閱讀便利，就必須冒著丟書的風險，這是經營的成本。

作為一種警告行為，可以起訴那些偷了幾本書或者逾期不還的人。但是，從另一方面來看，律

189 一八七四—一九六三年，美國現代著名詩人。

190 三七—六八年，古羅馬皇帝，五四—六八年在位。

師和法庭的費用均非常昂貴，還是為被盜的書買一本新的，會便宜得多。

同樣地，對逾期幾週的讀者罰款，也是一種弄巧成拙的行為。在根本過期不了多長時間的情況下，逾期罰金就會超過書本身的價格。一七六四年，有人從哈佛圖書館借出《英格蘭國王與女皇全史》（*The Complete History of England with the Lives of All the Kings and Queens Thereof*）第三卷。這本書直到一九九七年才歸還。按照一週兩美元的罰金算，這筆逾期罰金已經達到二萬四千二百三十二美元了。許多借書人都是寧肯放棄閱讀，也不肯付二十四美元的。

對那些長期借書不還的讀者發布免責的特赦令，會有助於追回圖書。但是，這也傳達了一個訊息：只要你拖過到期日不還，是可以不用受懲罰的。

為了喚起對竊書行為的關注，圖書館員可以把這個問題升級到職業打擊犯罪的日程中。不幸地是，關於這種打擊犯罪行為的消息，會讓人聯想到圖書不斷地失竊，這是個很糟糕的廣告宣傳。廣大的納稅人會對公共圖書館的管理者感到憤怒，而大學和私人圖書館的捐贈人，也有可能為此停止他們慷慨的行為。（基於同樣的理由，圖書館也不會告訴大眾，每年他們會丟棄許多一直無人借閱的圖書，來挪出空間放置人們想偷的書。）

由於珍藏書行情看漲，圖書館館員對於盜書行為變得比較願意坦然以對。已故的威廉．莫菲特博士就是在奧柏林（Oberlin）當圖書館員時，逮到一個偷書慣竊以後，進而成為一名研究竊書行為的權威人物。那個竊賊是個珍藏書經銷商，他冒用總統顧問的名字在全國各地的圖書館巡迴偷竊。此種大規模竊書賊的行為激起了莫菲特的研究興趣，他還就此主題舉辦了一個全國性的研討會。

判處監禁已經變得比較常見了。不久前，阿肯色州一個對圖書有不法行為的竊賊被判了十五年監禁。麻薩諸塞州通過了一項法律，對在圖書館偷書的行為，處以兩萬五千美元的罰款和五年監禁的處罰。

事實上，每家圖書館似乎都已在尋求提高對圖書的保全措施。國會圖書館聘用了一名曾經支持美國太空總署（NASA）空間站保全系統的前軍隊行政官員，擔任他們的保全主管。圖書館在特別珍貴的圖書上裝設防盜磁條，並安裝了攝影機和使用須先將圖書消磁才能攜出通行的電子門，還有巡邏保全，並限定研究者入庫查書的人數。紐約公共圖書館的警衛甚至學習語言柔術，以便讓竊盜者繳回竊書。「關卡」（Checkpoint），一家為量販店裝設防盜設備的公司，其公司圖書館團隊的執行長艾米特．亞文（Emmett Erwin）說道，他們增加了全國大約三萬家圖書館的生意。一名前校園警衛說道，「圖書館管理者將減少對民眾的友善態度，而增強安全意識。」他曾經協助抓獲一個圖書館竊賊，並決定成為一名圖書館安全顧問。

俄國幽默作家伊里夫（Ilya Ilf）和彼得羅夫（Evgeny Petrov）夫婦，曾經譏笑他們國家圖書的匱乏：「告訴我你在看什麼書，我就能告訴你這是從哪裡偷來的。」如今的技術就能做到這點，圖書館可以把失竊的圖書報到網上，珍藏書經銷商可以由此檢驗自己是不是收購了一本贓物。

儘管不會有人譴責圖書館管理者們保護他們的圖書，但是也不會有人指望他們這麼做，能有多大的成效。歷史上使用了各種防止竊書賊偷書的方式：用鏈子把書鎖在架子上或者桌子上；一條教宗訓令，以逐出教會來威脅竊書賊；文藝復興時期的波蘭公民把逾期不還書的人告上法庭；

一八九一年，從聖彼德堡（St. Petersburg）的帝國公共圖書館（Imperial Public Library）偷走了四千本書的阿洛伊斯．匹齊樂（Alois Pichler），被流放到西伯利亞；甚至在書籍裡插入詛咒頁面，比如：「任何偷竊這本祈禱書的人／都會被野豬撕成碎片，／他的心臟會支離破碎，我在這裡發誓／而他的身體就棄置在萊茵河畔。」

全都沒用，降低文化水準也沒用。即使是文盲也喜歡裝幀漂亮的書籍，僅次於有文化的事情，就是讓自己顯得有文化。紐約公共圖書館的保羅．華盛頓提到有個竊賊有兩間公寓，一間自己住，另一間就用來放他偷來的書，在這間公寓裡連浴室中放的書都頂到天花板了。他對書並沒有任何癖好，「他根本不看這些書，他只是喜歡待在書堆裡的感覺。」

儘管國會圖書館已裝設了如此新穎的保全措施，居然有一名內部職員被控犯了二十二次盜竊行為。（而且不要忘了眾議院和參議院的那些議員和工作人員，他們是可以把書借出圖書館的。怎樣才能催促他們還書呢？彈劾嗎？）道高一尺，魔高一丈。據《美國最新圖書價目》的凱薩琳．李伯說，精明的竊書賊比精明的圖書館進步得更快。

法庭已經逐漸意識到圖書盜竊行為即使不合法，也是一種正常行為。一九九一年，迪摩因市（Des Moines）聯邦法庭審判史蒂芬．布倫伯格竊書案，證實他在美國的四十五個州、哥倫比亞特區，以及加拿大的兩個省（說不定還有歐洲）的二百六十八家圖書館和博物館，偷了兩萬多本價值兩千萬美元的珍藏書。（用「說不定」這個詞，是因為——找到這些書的主人，是一項艱巨的任務。美國國際圖書館電腦中心〔Online Computer Library Center〕在四十名志願者的幫助下，用了五週的時間整理這些圖書，仍然無法為所有的圖書確認歸屬。）「我這個兒子，是個你從來沒見過的怪人。」布倫伯格富有的父親說。除了整年穿著長內褲和羊毛大衣之外，他還有收集銅製門把手的癖好。他在高中惹出麻煩的時候，曾經被專家診斷為精神分裂症，還被送進了專門醫療機構。他的律師在這場圖書犯罪官司中，毫無任何猶豫就決定使用精神異常做辯護，但是陪審團全體反對，從此建立了一條法律原則：任何一個有偷書欲望的人，一定都是心智健全的人；只有精神病患才會不想去偷一本不屬於他們的書。

8

親愛的政客先生，請不要寫了

本章內容是要勸告那些有可能成為美國總統的人，
不要錯誤地以為政治水準取決於文字水準，
也不要以為成為一本好書的作者，
就能夠被鑿刻在羅斯摩爾山上。

我想不起有哪本書選舉出了任何人。

——肯・麥考米克，出版人兼總統文學催生者

願我們的祖國繼續成為全世界希望的登（原文如此）塔。

——丹・奎爾一九八九年所寫的聖誕卡

我們花錢聘雇總統可不是為了他們的寫作才能。

——雷・普萊斯，為「作家」理查・尼克森寫演講稿的撰稿人

敬愛的政界友人：

我很遺憾地聽說您正在考慮撰寫「一本極富思想、總統級，關於國際事務方面的書」。我深切知道為何您會把這當作您通往白宮之路的一個重要臺階，但是作為您的朋友和政治上的知己，我要用最強烈的措辭來勸告您，以打消您在這方面的念頭。這是一條繞遠道的路，回顧歷史時，對您而言恐怕會感到不堪；對於共和國而言，沒有任何好處是來自政客們寫作的書籍。

如果您已經舉出了許多寫作的理由，那麼請仔細閱讀，我會將它們一一駁回。

您說，對於起步者，「寫作一本清晰、精闢的書籍，是一種能夠與我們心底最深切的渴望相協調的愛國行爲。」

我同意在我們的部分歷史中，修辭學支持了如此觀點，即所有的美國人都在努力嘗試著要把文字組織一起。就像西奧多・德雷珀（Theodore Draper）所說的那樣，我們的開國者「盡力搜羅了往聖先哲的歷史和文獻」，然後他們就開始寫作了。最早出現的是煽動民心對抗國王的小冊子，還有通訊委員會（Committees of Correspondence）四處激發民眾的不滿情緒。然後，《獨立宣言》（*Declaration of Independence*）、《憲法》（*Constitution*）、《權力法案》（*Bill of Rights*）接踵而至，宣布了

191 原文是「May our nation continue to be a beacon(sic) of hope to the world」，作者在這裡嘲笑美國前副總統丹・奎爾把「beacon（燈塔）」錯拼成了「beakon」。

言論自由的神聖不可侵犯。《憲法》是最早被印刷出來的，也是最早被當作書籍廣泛分發。於是，我們會把國家看作是建立在語言和寫作的基礎之上。我們不是在大街上舉手投票，我們在選票上圈選投進票箱。我們的生存依賴的是成文法，而不是一時興起；當我們憤怒的時候，就寫信給我們的立法者。也就是說——實際上，是歷史學家亨利・史蒂爾・康馬傑（Henry Steele Commager）說的——「想到合眾國而沒有想到書籍，是不可思議的」。

但是，我們不應該被這些歷史觀點所迷惑。其他方面的客觀判斷，會提供更多關於我們與寫作的關係。

我們並沒有壟斷寫作革命。作家在現存體制中，幾乎總是站在所有攻擊隊伍的最前端。＊艾瑞克・賀佛爾（Eric Hoffer）曾經說：「善於言詞的人，做的是顛覆現有體制的基礎工作。」弗拉基米爾・列寧（Vladimir Lenin）一八九七年被流放西伯利亞時隨身帶了幾箱書，並寫出了《怎麼辦》（*What Is to Be Done?*），這本書是他所引入的政治體系的基礎。約瑟夫・史達林（Josef Stalin）、毛澤東、胡志明，還有菲德爾・卡斯楚（Fidel Castro）都涉獵詩詞。

這些共產主義者所寫的，反共產主義人士隨後重寫。東歐和中歐那些抹去錘子和鐮刀（前蘇聯國旗，代表工人農民，用以象徵共產主義）的新政治領導人沿續了這種寫作風氣。哈維爾，一位持不同政見的劇作家，後來成了捷克共和國（Czech Republic）的總統，曾經在一九九二年描述這種現象說：「詩人、哲學家、歌手，成為國會議員、政府部長，甚至總統。保加利亞的總統是一位哲學家，而副總統則是一位詩人。在匈牙利，總統是作家，而首相則是歷史學家。」

近來，這樣的一些政治作家像史達林一樣地受愛戴。我們曾經報導過的因兩項種族滅絕罪被通緝的波士尼亞塞爾維亞將軍拉科特．姆拉吉奇（Ratko Mladic）正在貝爾格勒（Belgrade）寫作他的回憶錄。波士尼亞塞爾維亞領導人拉多凡．卡拉迪契（Radovan Karadzic）也因為戰爭罪行被通緝，他也是個業餘詩人。柬埔寨的洪森（Hun Sen）寫作題目像「克朗河畔發展中心的棕櫚樹影下」（**In the Shade of the Palm Trees of Krang Yoev Development Center**）這樣的歌曲。正如亨利．史蒂爾．康馬傑所說的：「想到合眾國而沒有想到書籍，是不可思議的」一樣，想到如今的柬埔寨而不想到洪森的歌曲，也是不可思議的。因為那些樂曲，就在他們國家那些被洪森黨派掌控的調頻身歷聲廣播電臺中，整天播放。

您可能會爭辯說，我們美國的體制就是因為在革命結束後，還繼續遵循那些已書寫出來的文獻，才能保持優越性。這也是一種誤導。為政府建立基本言論，與為政府建立基本資料寫作是兩回事。成為經典文獻的文字是靜止的，然而新的語言是動態的。他們刺激了現狀。約翰．亞當斯（**John Adams**）說：「讓我們勇於閱讀、思考、說話，並且寫作。」但那是在合眾國的地位穩固之前。當我們美國人說信奉建國者的言論，意思是說，我們要遵循《憲法》，而不是要重新寫一部。我們並不希望任何人與之匹敵。請記住，國家檔案館（National Archives）是把《獨立宣言》、《憲

＊我不是指那些從不用哲學論證來掩飾其野心的無政府主義者。我最欣賞的那些出身卑微、來自玻利維亞（Bolivia）的革命者，他們更換政府的方式，就像許多人換內褲一樣。在一次政變中，一個來自貧苦農民家庭的將軍迅速成爲總統。當他的母親接受訪問時，她歎息說：「我要是知道他會當總統，我一定會教他讀書、寫字呀。」

法》和《權力法案》放在真空箱裡，而不是拿出來讓大家隨便編輯修改的。

亞雷克西．德．托克維爾（Alexis de Tocqueville）把他長期研究法國革命的觀點，引入他的美國研究中，他認為法國比其他任何國家，把文學和革命的許多因素都混雜一起。「從那些研究流行歌曲的厚重論文中，找不到一點關於政治的內容。」他認為美國革命「看起來不過就是迎合了作家的想法」。他把法國的這種傾向視作一種缺陷。「一位作家的優點，往往就是一名政治家的缺點；而使一本書成功的特點，可能就是使一場革命失敗的致命傷。」

當建國者在辦公室中面對執政的實際面時，總是對言論自由持保留態度。憲法研究的史學家李奧納德．李維（Leonard Levy）觀察到：「許多傑佛遜的支持者，值得注意的是傑佛遜本人，在擁有權力的時候，總是在行為上掩飾其自由主義的觀點。」李維的研究得出結論，憲法的制定者中只有詹姆士．麥迪遜（James Madison）支持《第一修正案》。一八八七年費城制憲會議（Constitutional Convention）成員們，聘請印刷廠為他們提供各項草案的副本，但是這些副本內容不能外流。印刷廠們為此發誓保密，而政府對這些印刷廠表達感激的方式，就是印刷費拖了五年才付清。

如今，我們美國人向世界各地鼓吹我們所秉持的表達自由權，偶爾也有一兩個大案子讓我們有機會重新肯定《第一修正案》。但是，請一名家長在學校圖書館找一本《查泰萊夫人的情人》（*Lady Chatterley's Lover*）或者《哈克歷險記》（*Adventures of Huckleberry Finn*），恐怕沒有多少人正經閱讀過，卻會對之惡語中傷。或是，當一名國外激進作家欲訪問美國時，政府官員也多半會拒絕發給他簽證。我們也嘗試為孩子們講解建立在憲法基礎上的政府體制的優越性，但是《紐約時報》報導，說得出《三個臭皮匠》（*Three Stooges*）的孩子，比說得出聯邦政府三權分立制度的孩子要多上許多。

大眾在理論上絕對相信言論自由，但是在特定的事情上卻強烈反對，尤其當這件特定事情與他們自己的恐懼之源相關的時候。一九八〇年代一次調查顯示，百分之八十九的人相信，「言論自由是對所有人而言的，不論他們秉持何種觀點」。百分之八十的人同意，「即使痛恨我們生活方式的人，也應該被賦予傾訴與被傾聽的機會」。但是，當問到他們是否同意允許美國納粹黨（American Nazi Party）使用當地市政大廳舉行集會的時候，不到五分之一的人同意；在問及是否允許無神論者在本市劇院進行宣講的時候，情況同上；一半的人同意「如果在公民投票中，有大多數人主張禁止公共傳達某種觀點時，這種意願就應該被服從」。

商業巨頭們——您競選經費最大的來源——談到了文字作品力量的重要性；他們說觀念的自由表達是經濟民主的關鍵。您應該隨聲附和。但是，請記住實際上他們只是從特定觀點來看受過較好教育的工人。事實上，雇員具有思想、個人化的表現，會令雇主擔憂，而且許多人並不鼓勵這些。我想起若干年前在《華盛頓郵報》上看到的一篇小品文，上面說加州拉古納山市（Laguna Hills）一家調查公司——斯巴達公司（Sparta Corporation）對任何接受記者採訪的職員，罰款五千美元。*很難相信，即使是以思想和文詞為業的組織，也在試圖限制表達。幾年前，我就有關國外捐贈的工作在福特基金會進行採訪。

「那麼，你們會資助哪種計畫呢？」我問受訪者。

「我們希望提高人民自由，人權是我們的主攻項目。」

關於員工在這類專案方面從事少量寫作的情況，我問：「會鼓勵此種行為嗎？」「不，我不希望員工把時間花在寫作上，即使是他們自己的時間。優秀的員工應該將自己全心投入機構中，並且對外的談話必須經過同意。」

因此，在一九九〇年對雇員意見的一項調查中所發現的事實，就一點兒都不令人感到驚訝了，調查顯示：「在我們的社會中，工作場所是大多數美國人感到限制最多的地方——而且是最少受到《憲法》保護的地方。」

讓我們回到當代政治家，他們是您想要背書的人。在一九八九年通過的一項道德法律中，國會禁止任何級別的聯邦雇員們透過撰寫文章和演講賺錢。在這項法律中，美國國稅局（IRS）的稅務官員寫作如何規避最新稅務法規，和聯邦調查局探員寫作園藝內容都是一樣都不被允許的。雖然最高法院推翻了這項立法，但國會並沒有放棄。眾議院的道德委員會全體投票通過了限制立法者在外寫作的版稅年收入，不得超過二萬零四百美元，並禁收寫書的預付款。在對議案的辯論結束後，眾議院投票通過不設收入最高限制，但是禁止收預付款。還有，所有的寫書合約，都必須經過眾議院的道德委員批准方可生效。

而有哪些議員不認同這些規定呢？眾議院議員吉拉德．索羅門（Gerald Solomon）說了一段反對設限的精彩辯論：「議員們出的圖書已經多到爆了，但是他們一分錢都沒撈到。而且，當前國會的多數贊成率並不太令人感到驚訝，真的。不是嗎？不是嗎？我們並沒有被當作這個社會的思想領導，讓我們放下自我吧，不要去管那些文學天才了。我在這個房間裡，沒看見有任何的文學天才。」

與此同時，政府資助長期的學術計畫，來收集和整理華盛頓、傑佛遜、亞當斯、麥迪遜，還有富蘭克林等，其實沒有什麼實際內容的全部作品。支持自由表達意見的整理者們，只是在一九九七年勉強地避開了主要的刪節。必須承認，吹捧這些開國者比保存他們的作品要更為容易。

馬克．吐溫很清楚地意識到：「這是上帝的仁慈，在我們的國家，我們有三種無法用言語形容的寶貴物品：言論的自由，良心的自由，還有，明智謹慎地不去嘗試實踐前述的二種自由。」

🖎您會從書架上拿下一本書《有關總統們的事實：傳記及歷史資料彙編》（*Facts about the Presidents: A Compilation of Biographic and Historical Information*），並引述其中的話：「實際上所有的總統都是作爲作家而出名的。」

無疑地，即使是這個胡言亂語的作者，也相信前總統羅納德．雷根在內閣會議上假裝睡覺，並偷偷瞇著眼睛觀察有無他委派的人在他背後說壞話。

這裡有一個事實：歷史上總統著書的情況並不總是規律的，甚至可以說有規則的下滑。其下滑

＊在對寶僑公司（Procter & Gamble）的調查中，艾麗西亞．史華希（Alecia Swasy）報導說，這家公司曾經偷拍他們的職員，以觀察他們通過自助餐廳沙拉吧時的動線。沒有人對此產生異議，因爲這類監視是很典型的。史華希還講述了工作人員如何「因爲走得不夠快，而受到申斥。員工雜誌上提供各種在工作場所促進幽默感的方式，在眾多方式中，有一條這樣建議：「假裝有些東西是有趣的，即使你完全感覺不到。」

的歷史可分為四個時期：

開國作家（一七八七—一八二九年）

偉大文學的匱乏期（一八二九—一八六九年）

文藝復興（一八六九—一九三三年）

弄虛作假的時代（一九三三—現在）

正如我在前文提到過的，文字與書籍成就了建國者，那些「建國作家」都成了早期的總統。自稱「沒有書就活不下去」的傑佛遜，曾經被稱為「他那個時代最成功的修辭學家」。他要求鐫刻在他墓碑上的三項功績中，有兩項都與他的寫作有關：《獨立宣言》和《維吉尼亞宗教自由法令》（*Virginia Statute of Religious Liberty*）。詹姆士·麥迪遜也在文字方面獲得相同的尊重。因為急切地想推動大眾支持《憲法》通過，麥迪遜與亞歷山大·漢彌爾頓（Alexander Hamilton）和約翰·傑伊（John Jay）一起以「眾生」（Publius）為筆名，寫了一系列報紙雜文。麥迪遜作為總統，卻為其國務卿羅伯·史密斯（Robert Smith）代筆，這與正常情況剛好相反。而較為年輕的約翰·亞當斯抱怨他的財務問題，部分是因為「把財產花在了書籍上」。他從很年輕時起就開始寫日記，這是由於他對寫作的熱愛，這些簡短的筆記在亞當斯家代代相傳，直到進入了二十世紀的亨利·亞當斯（Henry Adams）。

但是，儘管這些人都熱愛書籍，他們並沒有寫下許多文字作品，而且他們寫的那些文字作品也不值得紀念。

很幸運地，華盛頓在這方面毫無值得驕傲之處，他是個糟糕的寫作者。美國圖書館所收藏的華盛頓的文字作品，包括一封寫給某個叫羅賓（Robin）的人的信，有兩百多字，只有一個句號。約翰．亞當斯曾經說：「華盛頓不是個有學問的人，這個事實不容置疑。相對於他的職位而言，他實在是太沒文化、太沒教養、太沒學識了。當然，他那崇高的名望也是不容置疑的。」*

亞當斯有可能把他的日記和其私人通信，都寫得很具熱情也很有趣。（一名作家把第二任總統藏書中，所有活潑的、有洞見的眉批都搜集整理成一本書。）但是，他的公文寫作句句充滿了催眠之力，比較正規一點的說法，就是缺乏創意。他寫的三卷本《為美國政府憲法的辯護》（*Defence of the Constitutions of Government of the United States of America*），曾經被形容為是「對一百個已無生命的共和國的病理解剖學」。如果亞當斯的《與戴維拉對話集》（*Discourses on Davila*）出現在今日，他就會像總統候選人喬．拜登（Joe Biden）被自己的書所毀掉那樣，被這本書所摧毀。拜登的書出版後，被發現有很大一部分是從英國工黨（British Labor Party）黨魁尼爾．金諾克（Neil Kinnock）的一次演講中剽竊來的，甚至還包括金諾克提及他自己家族歷史的內容。而亞當斯這本書，則像一位學

＊我必須承認，作爲五星上將的華盛頓在補寫報銷單的時候，還是更有創造性一些。他不拿薪水但要求申領他的實際支出。馬文．吉德曼（Marvin Kitman）編輯的《喬治．華盛頓的報銷單》一書中指出，我們國家的這位建造者列舉這些費用如下：「打掃那間原本供我居住，卻被那個榆木腦袋的雷格姆霸占了的房間，花了現金六十五美元……」還有華盛頓夫人到他的冬季軍營探視，一趟旅程花了納稅人二萬七千六百六十五美元。

者所指出的「該書的三十二章中，有十八章是直接從戴維拉（E.C. Davila）法文版的《法國內戰史》（*Historia delle guerre civili de Francia*）中翻譯而來，剩下的十四章則基本上可以說是亞當・史密斯的《道德情感論》（*Theory of Moral Sentiments*）其中一章，貪婪、好勝、野心和名利的『出色反映』。」多年以後，亞當斯的子孫之一在其祖父的作品中，重新把引文處的引號都加上去了。

傑佛遜不寫日記，但是留下了大約兩萬八千多封信件，還有一本因為太薄而名不副實的自傳，還寫過一本文字長度勉強算上一本書的《維吉尼亞散記》（*Notes on Virginia*）。最後他在巴黎自助出版這本書（兩百冊），在當時具有很重要的科學價值，並且成為一本值得被人記住的書。不過，他在寫作之時並未打算出版，而他也並不是《獨立宣言》的真正作者。他公開借用了喬治・梅森（George Mason）所寫《維吉尼亞人權宣言》（*Virginia's Declaration of Human Rights*）的初稿，包括那句不朽的「人生而平等」。當時其他在費城的人協助刪改這篇文稿，至大陸會議（Continental Congress）召開的時候，文本的四分之一被刪掉了。傑佛遜並沒有對整個團隊成功的努力表達感激之情，相反地，他的餘生都在為那些「破壞」生悶氣。

儘管有那樣的寫作能力，麥迪遜並沒有野心要寫作一本書。他的退休生活致力於農務和寫信，他在彌留之際倉卒口述了「只有提綱」的自傳，當時風濕病已經使他的手腕和手部功能喪失。「眾生」筆名的報紙文章也在多年之後集結成書，名為《聯邦論》（*Federalist Papers*）。

約翰・昆西・亞當斯（John Quincy Adams）或許可以被稱為建國之子，在這一總統寫作的歷史中，可以算一個轉折性人物。他在還未擔任總統之前許久，就已立誓說要：「投入我的餘生（和文學）為祖國效勞。」他留下了大量作品：傳記、詩集、德語詩歌翻譯、遊記、指導他兒子信仰宗教的書信集，還有他的演說和講座集。其兒子說：「他很早就有寫日記的習慣，而且寫得很差。」不過，還是有人懷疑他是不是真的覺得他爸爸是個枯燥無味的作家。亞當斯對寫作的熱忱和他廣泛的涉獵，都值得令人尊敬。但是，只有少數幾位學者能夠記得住他的作品，或者有興趣找來看。如果你想知道為什麼，那麼看看他在國會的要求下，為詹姆士・麥迪遜所寫的這俏皮的文句吧：「當波斯的專制暴君視察了他成千上萬的諸侯臣屬，那都是他為侵略並征服希臘而召集來的，史學之父（希羅多德〔**Herodotus**〕）告知我們，這位君主的內心先是膨脹著驕傲，但是隨後立即淚盈於睫，並陷入了悲哀的沉思，因為想到了百年之後，他的這些客人中不會有人還在世上存活。」

在那些建國作家之後，緊接著「偉大的文學匱乏之期」，這是從安德魯・傑克遜（**Andrew Jackson**）這位「木屋總統」（**log-cabin president**）當選開始的。傑克遜的評論者指責，他把傑克遜式的民主帶進了他的文章——平等地對待副詞和動詞。約翰・昆西・亞當斯拒絕出席他的母校哈佛，為這個「寫不出一個整句的野蠻人，甚至連自己名字都拼不出來的」傑克遜授予榮譽學位的儀式。傑克遜留下了一些零碎的文章片斷給他的後代子孫，約翰・泰勒（**John Tyler**）、札查理・泰勒、富蘭克林・皮爾斯，還有安德魯・強生（**Andrew Johnson**）也是這樣。稍稍好一點的是馬丁・范布倫（**Martin Van Buren**）、威廉・亨利・哈里遜（**William Henry Harrison**）、詹姆士・波爾克（**James Polk**）、米勒德・菲爾莫爾（**Millard Fillmore**），還有詹姆士・布坎南（**James Buchanan**）[192]。布坎南在晚年的時候，曾經為了保護自己，撰寫了《布坎南先生在內戰前夕的經營》（*Mr. Buchanan's Administration* *on the Eve of the Rebellion*）。這本書聲稱他「在所有合適的必要時刻，都從未放棄過警告他的人民遠離（內戰的）危機，並且試圖告誡他們以適當的方式避免。」范布倫在他退休十二年之後，很隨意地開始寫作，不過他並沒有讓這種漫不經心的寫作，影響到他其他的營生。他也從未完成過他的回憶錄。他對政治黨派那些華而不實的研究，是由別人編輯並在他去世以後出版。米勒德・菲爾莫爾僅有的一本「書」《光榮的米勒德・菲爾莫爾的早期生活：個人回憶》（*Early Life of Honorable Millard Fillmore: A Personal Reminiscense*）只有十五頁。

亞伯拉罕・林肯是這一時期的唯一例外，他一本書都沒寫過。他親自所寫的最長一篇文字一九九一年在伊利諾州法院的檔案中發現，是一篇關於鐵路交易的四十三頁長的法律文稿。如果林肯能活到退休，或許他會寫出我們這個國家最好的總統回憶錄。高爾・維達曾經評述說：「無可爭辯的，林肯是用我們的語言寫作的大師之一。」他的第二次就職演說，被阿佛烈・卡津（Alfred Kazin）稱為「是唯一反映出文學天賦的就職演說」。他早期的詩歌中，有一首是其少年時代在南印第安那州寫的調侃當地人的打油詩，用一位殖民者的話說，已經「比《聖經》還有名」了。但是，無論他能夠在寫書方面有什麼作為，他都忍住不去進行。他真正的文學天賦，可能就體現在這種自我克制之中，以及在他以匿名投稿給報紙攻擊其反對者的惡毒文章中。

「文藝復興時期」的總統寫作，從林肯的將軍格尤利塞斯・格蘭特（U.S. Grant）開始。格蘭特在因癌症而緩慢、痛苦地走向死亡的過程中，寫作了一部兩卷本的內戰回憶錄。（他在一八八五年七月十四日審完校樣，並在九天之後去世。）那本書被艾德蒙・威爾森（Edmund Wilson）稱為，「自從尤利烏斯・凱撒（Julius Caesar）的《內戰記》（*Commentaries*）之後，同類作品中最為出色的。」這本書的出版者馬克・吐溫付給了格蘭特太太四十五萬美元的版稅。

「當我住在牧牛營地的時候，我通常會帶上一卷史文朋（Swinburne）的詩集，用以抵禦鹽鹼地的灰塵、溫熱渾濁的水、平底鍋煎的麵包、老母豬肚子做的肥香腸，還有被汗水浸透卻沒法洗的衣服。」西奧多・羅斯福（Theodore Roosevelt）在《一個書癡的野外假期》（*A Book-Lover's Holiday in the Open*）中，這樣寫道。《一個書癡的野外假期》是他有關歷史、傳記、旅行和自然的三十八本著作之一。他還為一些大眾雜誌寫了大量文章，並且在白宮任職期間也保持其寫作產量。他的《一八一二年海戰》（*Naval War of 1812*），是這方面的權威著作。一八八〇年代有一段時間，他還曾經投資為他出版過幾本書的普特南出版社（G.P. Putnam）。沒有任何一個總統寫過比他更多、更好，或者更有意義的書了。

伍德羅・威爾森（Woodrow Wilson）的行為，可能更像一位有政治抱負的大學教授，他的文字作品都是與美國的政治相關。他不是一位特別有天分的歷史學家，而且他的文筆也過於華麗。不過他的產量也很驚人，從一八九三到一九〇二年，在他任職普林斯頓大學校長時，完成了九本書，其中包括一個五卷本的《美國人民史》（*History of the American People*），另外還有三十五篇論文。

赫伯特・胡佛（Herbert Hoover）是個堅定的作家。他寫作歷史、傳記（包括那本值得讚美的

192 本段人名的年代為一八二九—一八六九年，除林肯以外，是從安德魯・傑克遜到安德魯・強生的美國第七到第十七任總統。

《伍德羅．威爾森的嚴酷考驗》(*The Ordeal of Woodrow Wilson*)，還有一本《漁樂人生——洗滌你的靈魂》(*Fishing for Fun—And to Wash Your Soul*)。他的《採礦原理》(*Principles of Mining*)已經成為這一專業的教材。據傳記作家理查．諾頓．史密斯(Richard Norton Smith)說，在胡佛生命的晚年，他在紐約的公寓中有四張寫字臺，「每張寫字臺上都有一本他正在寫作的書，而當時署他名字的書已經有二十四本了。」

格羅弗．克利夫蘭(Grover Cleveland)、卡爾文．柯立芝、威廉．霍華德．塔夫脫(William Howard Taft)，還有班傑明．哈里遜(Benjamin Harrison)都在這一時期擔任過總統。他們的作品都不如其他同時代的總統卷帙豐富，也沒有寫出經典之作。儘管如此，他們也都是說得過去的作家。哈里遜的《我們的國家》(*This Country of Ours*)一書集結至他為《婦女家庭雜誌》(*Ladies's Home Journal*)所寫的一系列文章並經過刪節，通俗易懂也很有趣。克利蘭夫為《星期六晚報》(*Saturday Evening Post*)寫了許多關於打獵和垂釣的文章，後來都編輯成書。柯立芝在離開公職之後，寫作成為其主要收入來源。這位「沉默的總統」發表的作品，包括一份報紙的定期專欄、雜誌文章，還有一本自傳。

不僅是美國有如此的文藝復興時代。這一時期，在唐寧街十號(10 Downing Street)的英國表親們的文筆也很流暢。威廉．格萊斯頓(William Gladstone)寫作的內容，不僅包括當時的政治主題，還涉及荷馬時代的基督教基礎。*他主要的政敵班傑明．迪斯雷利(Benjamin Disraeli)在二十三歲時，就寫了他的第一本小說。最後一本則在他六十七歲的時候完成，之後四個月他就去世了。他說：「當我想看一本小說的時候，我就寫一本。」羅伯・塞西爾爵士（Lord Robert Cecil，索爾茲里伯爵）、亞瑟・貝爾福（Arthur Balfour）、赫伯特・阿奎雅絲（Herbert Asquith）、拉姆賽・麥克唐納（Ramsay MacDonald）都寫文章、寫書。據一位評論員說，史坦利・鮑德溫（Stanley Baldwin）[193]「熱愛語言。……沒有其他首相像他那樣在演講上——特別是非政治演講——投入那麼多的時間和精力。這些演講也為他贏得了崇高的名望——演講集賣出去不少」。

這個時代即使是本糟糕的總統著作，仍然是值得紀念的。孟肯評論道，華倫・哈定（Warren Harding）寫出了「我所見過最差的英語。讓我想起連串濕漉漉的棉球；讓我想起一片洗完衣服之後剩下的殘渣污漬；讓我想起餿掉了的豆子湯，想起大學裡的叫喊，想起無盡的長夜中愚蠢的犬吠。它是如此的糟糕，以至於不知不覺中引發了另種偉大。」孟肯所說的偉大大概就是哈定寫的錯別字。在種種錯誤之中，哈定不經意間造了一個新詞 normalcy（常態 normality 一詞的誤寫，並成為正式詞彙出現在辭典中）：「美國現在需要的不是英雄，而是復原，不是祕方，而是常態（normalcy）。」

最後，我們來到「弄虛作假的時代」，就是我們的時代。這對您而言，可能是所有時代中最多產的一個。最後的這九位總統——從杜懷特・艾森豪（Dwight Eisenhower）到比爾・柯林頓（Bill

---

* 格萊斯頓饑渴的閱讀跟約翰・甘迺迪可以相互比拚，他也被形容爲一個速度神人。據說格萊斯頓一生讀了兩萬本書，也就是說在他九十一年的人生中，平均每年讀二百一十九本。假設他每天讀一本，那麼從他一歲開始除了週末每天都必須讀書。

193 本段落中的人名皆爲曾在一八六八—一九三七年間任職的英國首相。

Clinton）——的名下，總共已經有接近四十本書了。但是，一個人不該只憑一本書的封面就判斷其作者，真正的檢驗是看內容的文字水準，以及到底誰是真正的寫作者。在此，歷史的記載是令人沮喪的。當代總統們的寫作，就像俄羅斯的領導人唱他們的國歌一樣。（俄羅斯的新國歌是沒有歌詞的。）

富蘭克林．羅斯福（Franklin Roosevelt）和哈利．杜魯門（Harry Truman）是「弄虛作假的時代」最早的兩位總統，也是這個時代文字方面的路易斯和克拉克（Lewis and Clark）[194]。羅斯福在他罹患小兒麻痺症的時候，就開始致力於寫書了，寫了幾頁之後他就喪失了興趣，他更樂意把寫作的事情交給黑筆桿（寫手）去做，然後可能的話稍稍點綴一下。羅斯福在他第一次就職演說的草稿上夾了一張短箋，並說是他自己寫的。如他所願，演講稿和短箋最後都收入海德公園（Hyde Park）的羅斯福圖書館（Roosevelt Libray），不過最終還是真相大白：他只是重新手抄了一份他的助手雷蒙德．莫利（Raymond Moley）所寫的文字。

杜魯門活過了他的總統任期，因此有條件受邀寫作他的回憶錄。他是個充滿熱情的讀者，因而獲得相當多的讚譽。他在兩卷本的回憶錄前言中寫道：「擔任美國總統職位的個人責任之重，是無與倫比的，授權代替總統發言的人卻寥寥無幾。」儘管如此，他的書還是授權別人代替他發言。正如他在致辭中所寫：「我從很多人那裡得到了無價的幫助和意見。」與杜魯門一起工作的雙日出版社的提姆．塞爾德斯（Tim Seldes），並未給這位前總統提出編輯意見，他把意見提給了杜魯門的代寫人，再由他們在出現問題的時候把這些意見轉達給杜魯門。

杜懷特・艾森豪、約翰・甘迺迪，還有理查・尼克森，在這個弄虛作假的時代名下有幾本還算不錯的書。不過，他們對於那些作品的創作，並不是如我們通常所認為的那類作者，真正的作者為了研究一個題目，需要在大量資料中爬梳整理，並且獨自坐在空白的稿紙或者電腦螢幕前，苦苦思索應該如何組織安排這些資料。

艾森豪在他的《自由自在：我告訴朋友們的故事》（*At Ease: Stories I Tell to Friends*）一書中坦承：「在寫作方面，我這一輩子都是個不可救藥的修改者。」他的意思是說，對於某些人所寫的文字進行修改。就像艾克依賴大批參謀幫助他謀劃諾曼第登陸一樣，他同樣也必須依賴一個龐大的團隊，來幫助他組織、整理並寫作他的總統回憶錄。艾克在蓋茨堡（Gettysburg）的書房口述他的想法和回憶的時候，無法忍受獨自一人對著答錄機訴說，他必須對著一個真人說話。「像我這樣一個人的工作，」藍燈書屋派去陪艾森豪工作的一名編輯曾經跟我說，「就是陪艾克度過錄音階段。」

甘迺迪《勇者的畫像》（*Profiles in Courage*）一書的寫作，是一個激烈的辯論過程。歷史學家赫伯特・帕米特（Herbert Parmet）展現了一個一流的歷史學家所能做到的事情，他慷慨地提供建議，國會圖書館的工作人員和其他人做實質性的研究，不同的人分別起草各個章節。然而，甘迺迪還是把這本書說成是他自己的作品，並且以作者身分接受了一九五七年的普立茲傳記獎。喬治城大學（Georgetown University）教授儒勒・戴維斯（Jules Davids），是這些真正的作者之一，獲得七百美元

194 兩位美國探險家，在一八〇四—一八〇六年對密西西比河以西的廣大西部地域的探險中，獲取了對美國西部地理的廣泛認識，並繪製了主要河流和山脈形式地圖，觀察並描述了一百七十八種植物和一百二十二種動物種類和亞種。

的稿酬，沒有版稅。

尼克森公開鄙視甘迺迪利用寫手。「一個競選總統的大眾人物，不應該只是他演講稿作者的傳聲筒。那些思想、觀點還有言論，都應該是他自己的。」然而，實際上尼克森的行為跟甘迺迪所做的沒什麼兩樣。他在黃色的便箋簿上草草寫下他的想法，或者把他的思想口述給速記員，然後再讓文字專家推敲成他的文句。在一次受訪中，他在閒談中輕描淡寫的透露了這一點：「寫一本書是一項非常、非常艱苦的工作……我擁有一批優秀的人和我一起工作。」

尼克森並不是沒有成為一個好作家的潛質。道布林戴德高望重的老編輯肯．麥考米克（Ken McCormick）現在已經去世了，他曾經回憶說《六次危機》（*Six Crises*）的寫作過程中，當尼克森說他想自己寫其中的一章──就是描寫一九五二年他任副總統與艾森豪搭檔競選的時候，那場挽救了他地位的「跳棋演講」（The Checker speech）的那章──的時候，整個寫作班底都驚嚇不已。然而，麥考米克和他的同事看過稿子後都很驚訝，尼克森所寫的那章居然和整本書的寫作風格相一致。雖然後來寫手們都一直跟著他，但是尼克森在被迫退休之後，顯然是讓自己更多地投入到他的寫作中。他說：「在編輯後期校稿的時候，有時候我會用一整天去修改一個句子，以精準地表達我的想法或者闡明一項值得記住的政策。」（順便問一下，您是否碰巧記住了這些值得記住的政策？我感到懷疑。）

黑筆桿，總統文學的漢堡幫手（Hamburger Helper），並不能保證寫出一本好書。桃莉絲．柯恩斯（Doris Kearns）和其他同事共同努力幫助林登．強生（Lyndon Johnson）寫作他的《登高遠望：總統的觀點》（*The Vantage Point: Perspective of the Presidency*）。但是，強生從來都無法把自己的注意力集中到這本書上，根本就不管寫手們用什麼樣的熱情去寫這本書。福特（Ford）的寫手沒有使他的《療傷時刻》（*A Time to Heal*），免於他那句特有的告白：「在我政治生活的整個過程中，我相信我總是被告知的。」沒有出版社對這本書的平裝本版權有興趣。一個由新聞作家羅伯．林賽（Robert Lindsey）率領的大約有二十四個人的「專業團隊」，寫作羅納德．雷根的回憶錄《雷根自傳》（*An American Life*），雷根對很多細節問題，比如回憶任何他跟珍．惠曼（Jane Wyman）的婚姻一事沒什麼興趣。當這本書強力登場時，雷根不但沒有讀書評，連書本身都沒看過。這本書面世之後，他簡短地說了一句：「我聽說這是一本很棒的書，最近哪天我打算閱讀一下。」＊《小狗米莉》（*Millie's Book*）這本書看得出來是芭芭拉．布希（Barbara Bush）和她的寵物狗寫的，賣得很不錯。

迄今為止，布希的管理水準為我們這個時代樹立了一個低標準。寫作對於這位總統來講，就像運動精神對於麥可．泰森（Mike Tyson）一樣。布希在走向白宮的道路上獲得了一個擅寫「感謝」便條的名聲，一旦進入總統辦公室他就改說那些「看得見的東西」。他偶爾閃現的智慧，把美國總統的歷史推入了黑暗的角落。在他信誓旦旦地說：「看我的口型：絕不增稅」之後，隨即增了稅。從此以後，他再說這種話，我們不如就當他在說：「看我的屁股」，這個詞也是有典故的。當年揭

＊猜測雷根也沒有讀過這本書。在一次經濟高峰會議之前，他不去看他的助手詹姆士．貝克（James Baker）爲他準備的簡報，卻在看電視重播的《音樂之聲》。這是他那個本身也沒什麼天分的國家安全顧問威廉．克拉克（William Clark）推薦他看的電影，目的是幫助雷根學習外交政策。

發醜聞的林肯．史蒂芬斯（Lincoln Steffens）曾經說西奧多．羅斯福——那位魯莽騎兵總統「用屁股思考」。《展望》（*Looking Forward*）是布希那本戰爭自傳的題目，由維克．戈德（Vic Gold）所寫，同樣也是富蘭克林．羅斯福讓人代寫的那些雜誌文章集結成書以後的標題。

副總統丹．奎爾（Dan Quayle）與布希的組合，簡直就是「不高興」和「沒頭腦」。從奎爾回憶錄的致謝詞中可以看出，除了危機四伏的丹，在華盛頓和印第安那州的幾乎每個人都參與了《堅定不移》（*Standing Firm*）一書的寫作。您可能會記得奎爾連「馬鈴薯」都拼不出來，他的成績低於美國國家防衛隊通信技能考試（*National Guard communications skills exam*）的平均水準，而且他曾經很有洞見地評論《俄宮祕史》（*Nicholas and Alexandra*）[195]：「呈現了那些真的非常奇怪的人們，是如何捲入情感糾紛，並對歷史發生巨大影響。」

吉米．卡特（Jimmy Carter）是當代總統中，唯一真正算得上是個作家的人，他對於他名下「在家裡用我值得信賴的文字處理器」寫出的十二本書，深感自豪。然而，他的那本戰爭傳記幾乎就像是高中生的學期報告；他的詩集根本沒有詩意；而像《堅定信念》（*Keeping Faith*）和《生活信念》（*Living Faith*）這樣的回憶錄，都是令人大倒胃口的自以為是之作。用一位評論家的話說，卡特「對宗教和政治的思考，使他成了一個極其煩人的迂腐思想者，在如今這個時代，就能登上暢銷書排行榜」。他的作品中只有一部例外，是關於垂釣的，用一位研究卡特時代的歷史學家李奧．里布福（Leo Ribuffo）的話說，這本書或許可稱上有點抒情詩意。

您可能會指出我還沒有細數柯林頓，我正對他的寫作拭目以待。目前，我想略提即可，當他還是個小男孩的時候，最喜歡的作家是約翰．甘迺迪。

所以，我的朋友，所有的總統都不算是傑出的作家，甚至連作家都不算。然而，您可能會舉出第二點，來說明問題並不在於總統是否會寫作，而在於那是否能引起重大影響……

「展示有良好的寫作能力，會幫助我當選。」

事實上，這正好相反。

我剛開始到華盛頓並在國會山莊工作的時候，遇到了一個常用語——政治判斷（political judgment）。人們經常用這個詞來說這傢伙有、那個人沒有。我很困惑，到底以什麼事物來區分政治判斷和其他的判斷呢？過了一段時間，我明白了。政治判斷是不同的，是一種對大眾理解力和政府活動的第六感覺。我同時也發現，如果您想進入那裡的辦公室並繼續待下去的話，寫書就是糟糕的政治判斷的一種主要表現。

下文是您應該一遍又一遍告訴自己的，關於寫書的教訓。

---

195 一九七一年上映，關於沙皇俄國末代皇帝和皇后的英國電影。

第一課：您沒有時間寫書

「寫作」就像馬克・格林（Mark Green）所指出的那樣，「需要長時間放棄支援和知名度」。格林是個權威人士，他是十幾本書的作家，同時也是美國參議院一個失敗的候選人。

想要當選，您需要錢，而且必須要有車載斗量那麼多，很難想像用寫一堆書這種收效甚微的方式來獲得。同時，您還必須花費大量時間打電話請求人們為您的競選，或者為您一個又一個城市地飛來飛去，參加那些一千美元一盤菜的募款餐宴。

您可能會認為資助者們會因為您寫書而狂歡，因為這意味著您比那些腐化墮落的纏著他們要錢的人水準高。事實不是這樣的。在他們看來，寫作跟那些混水摸魚的員工們利用工作時間吸菸，長時間不回來是一樣的。蓋瑞・哈特（Gary Hart）參加總統競選初期，正與和他同在參議院工作的威廉・科恩（William Cohen）合作寫一部驚悚小說《雙面人》（*The Double Man*）。憤怒的資助人譴責哈特沒有為他的競選捐獻清除障礙。

格林所警告的另一部分——知名度的需要——反映的事實是，作家們總是長時間、沒沒無聞地獨自工作，而總統候選人則需要每天都出現在大眾面前，在攝影機前就更好了。當然，一位作家有時候也會很幸運地在「早安美國」（Good Morning America）節目中，露上幾分鐘的臉。但是一本有篇幅、有思想的書，能夠使得你在廣播電視中露臉的時間，也只夠說上一句機敏的話，不會超過一張便箋紙上所能寫得下的長度。艾爾・高爾（Al Gore）即使不寫那本環保書，也能夠受邀出席大衛．賴特曼的「深夜脫口秀」，在節目中他用木槌打爛了一個政府的菸灰缸，而引起了人們的關注。

秘魯作家馬利歐．巴爾加斯．尤薩（Mario Vargas Llosa）[196]一九九〇年時，曾經說過：「當我進入政壇的時候，本以為我會為價值和觀念而戰。然而實際上，政治的例行公事，就是純粹的陰謀詭計、盲目並且玩世不恭地耍手腕……把權力交給富有想像力的人是很危險的。庸人政治家其實要好得多。」這些話必須打折扣。當時巴爾加斯．尤薩剛從他們國家的總統競選中落敗。一名幫助他競選的英國公關馬克．馬婁克．布朗（Mark Malloch Brown）曾經說：「馬里奧是跟文字和書頁打交道的人，他無法充分理解電視形象的力量。」

第二課：大眾認為寫書這種事情有些娘娘腔，甚至可能是一種無能的象徵

從幼稚園開始，老師就告訴小男孩和小女孩們，寫作是一種智慧成就的象徵。因而，有選舉權的成年人會相信總統，這個在這一領域擁有至高職位的人，在寫作方面也應該達到頂點——寫成一本書，也就不足為奇了。但是，與這種想法共存的是，人們也相信寫書的人手上不會長繭，這些整天與文字打交道的人一旦需要修理漏水的龍頭，或者管理一個政府的時候，就會顯露出其根深柢固的軟弱無能。

[196] 一九三六年出生，秘魯和西班牙雙重國籍的小說家、詩人、文學評論家，並參加影視作品的製作和演出，也曾經從政參加秘魯總統的競選，在一九九〇年敗給藤森。

這種分歧的看法，在合眾國建立以前就存在了。據以撒．狄斯雷利說，當國王詹姆士一世（King James I）[197]拿起筆要寫作的時候，他的騎士們放聲大哭。他們不喜歡一個國王要寫書的想法，不喜歡他們的國王「用筆而非長矛來參戰，把他的熱情投擲在稿紙而非火藥上」。派翠克．亨利（Patrick Henry）警告說：「理解人，而不是書。」在世紀之交的時候，坦慕尼協會（Tammany Hall）[198]的政治老闆喬治．華盛頓．普朗基特（George Washington Plunkett）[199]用他富有洞察力的（也是由人捉刀的）言詞讚美該組織的領導者們，是「普通的美國公民，並成為民有的和親民的，他們被訓練成能夠鞭策那些中產階級的花花公子，並且管理市政府。我們的組織中也收納書蟲。但是，我們不會讓他們成為地方領導人，我們只是在遊行慶典日把他們當成點綴而已。」用心寫作也會成為問題，容易太過情緒化。「如果被人認為會在雨中哭泣，就能使穆斯基（Ed Muskie）如此優秀的競選者失敗……那麼，對於一個候選人而言，在競選的過程中突顯其情緒和詩意又會如何呢？」藍燈書屋的編輯山姆．沃恩（Sam Vaughan）如此說道。

第三課：寫一本書，就像在自己的胸口上畫一個巨大的靶子，以幫助政敵瞄得更準

「看吧，我的願望就是……我的對手能夠寫一本書。」這是約伯（Job）在《舊約》（*Old Testament*）中說的。這位飽經風霜的聖徒懂得一條基本政治原則：一本觀點明確的書落入政敵手中，就成了一個致命的武器。在我們這種從個人偏好出發的政治文化中尤其如此，政敵可以隨便挑選他們找得到的事物來給你一記悶棍，尤其是這一記悶棍有助於迴避嚴肅辯論的情況下。

詹姆士．布萊斯（James Bryce）是位英國子爵，同時也是研究美國的學者，他解釋了為什麼多才多藝的人不能擔任總統一職。在競爭總統職位之前就取得過太多的成就，比如寫了幾本重要的書，這樣優秀的男人或者女人「會比那些面目模糊的人樹立更多的敵人，並且也授予別人更多把柄」。柯林頓的競選謀士詹姆士．卡維爾（James Carville）就建議他不要寫任何文字，連一封信也不要寫，他說：即使寫了也不要寄出去。

有人曾經說艾爾．高爾的《瀕危的地球》（*Earth in the Balance: Ecology and the Human Spirit*）在「美國政治家所寫的書中，生動地分析了世界環境條件，並且盡其所能地為經濟上的解決方案做出規劃」。也許是如此。但是，布希—奎爾競選團隊並沒有告訴布希也寫些文字來對此回應，相反地，這個團隊卑鄙地評論：「高爾應該少把一些納稅者的時間和金錢花在他自己的書上，而應該多用一些在立法工作上。」在下一屆的選舉中，鮑勃．杜爾（Bob Dole）打算用廉價的修辭把柯林頓太太寫的書《集全村之力》（*It Takes a Village*），批評為「集全家之力」。當阿通．辛克萊第三次競選加州州長時，他的政敵引述他的書中所寫的反婚姻的論點來反對他。問題是那本書是一本小說，而

197 一五六六—一六二五年，一五六七年起爲蘇格蘭國王，到一六〇三年又繼伊莉莎白一世女王之後任英格蘭國王。

198 坦慕尼協會的前身是由穆內（William Mooney）於一七八九年在紐約市創辦的一個愛國慈善機構，但是後來逐漸轉型。一八三〇該組織總部在紐約坦慕尼大廳正式成立，並成爲民主黨的政治機器。從一八五五至一九二五年，整個紐約市都由坦慕尼協會掌控。一九三〇年代，富蘭克林．羅斯福總統支持的改革派市長菲奧雷洛．亨利．拉瓜迪亞（Fiorello la Guardia）大幅削減了坦慕尼協會的權力和影響；到一九六〇年代，在改革派市長約翰．林賽（John V. Lindsay）的打壓下，該協會終於解體。

199 一八四二—一九二四年，「坦慕尼協會」的重要人物之一，掌握該協會亦即掌控紐約市長達二十五年之久。

辛克萊寫的那段話，是小說中一個虛構的角色說的，辛克萊本人結婚已經逾二十年了。

您的政敵沒有找出來的事物，那些印刷品都能做到。羅斯・裴洛（Ross Perot）那本薄薄的由人代筆的小書《團結起來：我們如何拆散我們的國家》（*United We Stand: How We Can Take Back Our Country*）中，寫到聯邦政府應該向商業航空公司發起進攻。為了表達準確，他還說：「他們應該去機場搭飛機，弄丟他們的行李，在飛機上吃上糟糕的一餐，瞭解一下普通老百姓是怎麼過的。」出版社很愉悅地說，裴洛通常是搭乘私人飛機的。

不要試圖用文字抵禦文字。丹・奎爾為他自己作為副總統的那本回憶錄《堅定不移》寫了完整的一章，儘管他解釋了為什麼他無法拼對「馬鈴薯」這個詞，但是這也並未替他自己帶來好處。（「事實上，那天下午根本沒有人叫我拼寫『馬鈴薯』這個詞，」他堅持說，「如果有的話，我想我是可以拼對的，儘管我無法發誓一定會。畢竟我不是世界上最偉大的拼字者。」）

如果您能回想起來，斯皮羅・安格紐（Spiro Agnew）也曾經陷入這種陷阱。他在擔任巴爾的摩（Baltimore）郡的行政人員、地方長官和副郡長的時候，曾經因為從馬里蘭州的承包商那裡接受了一筆十四萬七千五百美元的回扣，而遭到控告。被迫辭去副總統職位之後，他寫了一本回憶錄《安靜地離開……或者其他》（*Go Quietly...or Else: His Own Story of the Events Leading to His Resignation*）獻給法蘭克・辛納屈（Frank Sinatra），文中提到他沒有做錯任何事情，承包商給他的是競選獻金。因為安格紐引述了他和律師的對話，所以法官裁決他的律師代理人不許再申請豁免權。律師證實安格紐接受了州議會對他的賄賂，安格紐最後付給馬里蘭州政府二十四萬八千七百三十五美元作為歸還。

無疑地，他應該會想收回他在前言中說的話，「我也感激我的律師……因為他們的回憶和幫助。」

為了防備您還是沒有完全明白我說的這些話，這裡還有一個我所得出的結論：寫書使得您在競選過程中，變成了一個巨大的靶子。寫書同樣也使您在辦公室中，成為一個巨大的靶子——而且不論您在書裡寫什麼，都會是這個結果。參議院責難其成員之一大衛·達倫伯傑（David Durenberger），因為他與一場圖書促銷的生意有關係，並且因此償還了他在明尼蘇達州購屋的費用，這屬於經濟方面的錯誤行為。但是，最值得注意的犧牲品還是白宮發言人，您應該還記得他們的倒楣程度僅次於總統。

白宮發言人吉姆·萊特（Jim Wright）就栽在他自己的《一個大眾人物的反思》（*Reflections of a Public Man*）這本書上。那本書是他原來手下一個職員所編寫，他用國會資金支付對方稿酬；用競選基金作為出版費用。肥料協會買了一屋子的書作為謝禮，而萊特所得的版稅為百分之五十五，這對一位作者而言可以算是天文數字了。當時這些事情在技術上都沒有觸犯白宮的道德規範，但是紐特·金瑞契（Newt Gingrich）歇斯底里地迫使萊特遞交了辭呈。

放鬆警惕之後，金瑞契也因自己的書步入了萊特的後塵。在他攻擊萊特的時候，被人得知有支持者為一本金瑞契從沒寫過的小說，給了他一萬三千美元。隨後，一九八四年的一次合約交易，資助了他的《機遇之窗》（*Window of Opportunity*），這一合約內容包括了十萬五千美元用於推銷這本書，一萬一千五百美元給他太太用以管理這一合約。金瑞契經過一場鬥爭洗禮，終於使自己當上了白宮發言人。由於對自己的文字水準頗為自信，隨後又從哈潑柯林斯出版社收了四百五十萬美元的寫書預付款。所有這些作為，都是在國會宣布圖書預付款非法之前進行的。但是，在簽合約的時候，他忽略了白宮的道德委員會。委員會所關心的是，如此一筆巨額的預付款會使媒體大亨、哈潑柯林斯的老闆魯伯特．梅鐸，得到一條進入白宮發言人辦公室的專線。在所有的壓力之下，金瑞契不得不退還預付款，並且為他這本書的巡展自掏腰包。

基本上沒有人讀過《重建美國》（*To Renew America*）這本書，它被認為是資深政客所寫過最不成熟的作品。不過，還是有許多人都意識到了該書的道德問題。儘管不是金瑞契的書導致他在一九九九年離開白宮發言人的位置，他們還是讓他明白了，為什麼他無法獲得同事的支持。他應該記得，他被任命的是白宮發言人，而不是寫作者。

「在這個時代，一個人要寫書之前應先好好思考。」西班牙宗教裁判所（Spanish Inquisition）200時代一位耶穌會的牧師如此說道。我們就生活在這樣一個時代。任何時候當您的腦筋轉到要寫一本書，以鞏固您在辦公室裡的位子的時候，就請想想阿卜達拉．布卡拉姆（Abdala Bucaram）的例子吧。這位厄瓜多爾（Ecuador）的總統，喜歡在公共場合朗誦原創詩歌，一場政變之後，厄瓜多爾國會通過了一項法律，使他永遠不能再出任公職，其中一個明確的說詞是說他「心智無能」。

✍您提醒我說：「每一位總統候選人都有一本競選書。」

我同意。但是，您必須遵守一些規則，總結如下：您的競選書應該有一本書的外形，但是除此之外不能有任何實質內容。作為指導，我建議您看一下比爾・柯林頓的《在希望和歷史之間》（*Between Hope and History: Meeting America's Challenges for the 21st Century*），是他競選連任時出版的。

首先，柯林頓沒有收這本書的預付款，而且還拒絕了版稅。這使得出版社可以用很低的價錢——十六・九五美元——販售，如此也讓這位總統具有一個良好的親民形象。

其次，這本書就像如今的黨派論壇一樣，任何具體內容都沒有，只是過去三十六次演講的大雜燴，原稿都是別人寫的，又被他的政治顧問威廉・諾多夫特（William Nordurft）和兩名白宮助理組成的團隊，胡亂地整編成書。

「當書作為對外媒介時，必須提供嚴肅的、清楚明白的觀點或意圖的表述，」一篇《紐約時報》上的評論總結說，「……但是，柯林頓先生所提供的，卻全都是一堆冗長的說教，處處充滿陳腔濫調。」不過，這些對於總統而言不算問題，他的對手寫得一點也不比他更好。而且，誰還看書評版呢？大多數人都在看電視，這將引入我要指出的第三個論點。

柯林頓巧妙地駕馭了美國人對於寫書的分裂感。在出版前的最後幾天，他的助手們對外宣稱，休假中的總統正在為最後的定稿揮汗如雨。與此同時，柯林頓正沉醉在高爾夫球場，這種動作舒緩的總統運動讓攝影記者們有時間按快門。柯林頓也並未忽略資金的成長。在這本書出版之前，他的工作人員就在美國音樂大廳（Radio City Music Hall）籌備了一個盛大的生日宴會，並透過衛星傳送

200 西班牙宗教裁判所是一四八〇—一八三四年的天主教法庭，以殘酷迫害異端著稱。

到全國其他八十個募款晚會上。他希望可以藉此聚集到八百至一千萬美元的競選捐助。

六十五年前，新聞記者韋斯特布魯克．派格勒（Westbrook Pegler）把貝比．魯斯（Babe Ruth）和其他那些用寫手寫作的體育明星稱作「出汗文人」。有抱負的總統們也應該塑造相同的形象，當他們對著書籍昏昏欲睡的時候，要努力表現出他們因為沉重的思想而感到輕鬆舒適。與其寫作，他們還不如去推動一下文化競賽，這樣還會有更多的機會與那些毛頭小孩子們共同出現在電視鏡頭中一起讀《小火車做到了》（*The Little Engine That Could*）。＊

喬治．布希是「出汗文人」中貨真價實的一員（一個顯著特徵是他在耶魯的時候曾經打過棒球）。他把自己稱為教育總統，並且簽署了國家素養法案（National Literacy Act），其中一項是資助有關家庭素養的電視節目。當被問及他在緬因州如何過暑假的時候，他回答：「我會多多打高爾夫、多多打網球、多多玩擲蹄鐵遊戲、多多釣魚、多多跑步——還有讀一些書。我在那兒總得做點用腦子的事吧。」

✍我意識到您不會想「僅是坐進那間辦公室」，您還想成爲一位偉大的總統。那就不僅要有一系列獲選的技巧，還必須有些其他的偉大成就，也包括寫書的能力。可能您會說：「寫一本書會增加我作爲總統的成就。」

有可能……但是不會的。

小亞瑟・史列辛格（Arthur Schlesinger Jr.）負責評選當代總統中，誰最有可能萬古流芳。一九九六年，就在柯林頓連任前夕，他再現了其父親在一九四八—一九六二年曾經開創的研究。史列辛格邀請了三十二名多數來自研究機構的專家，共同為歷屆總統（不包括威廉・亨利・哈里遜（William Henry Harrison）和詹姆士・加菲爾（James Garfield），他們都是剛上任不久就去世了）按照偉大、接近偉大、普通、低於普通和失敗來評等。就像一般所認知的那樣，喬治・華盛頓、亞伯拉罕・林肯和富蘭克林・羅斯福，這三位總統名列前三名。而富蘭克林・皮爾斯、詹姆士・布坎南、安德魯・強生、尤利塞斯・格蘭特、華倫・哈定、赫伯特・胡佛和理查・尼克森，也毫無意外地被評為失敗的總統。

在這份計分卡上，寫作發揮了什麼作用呢？什麼都沒有。最差的一組總統中，有兩位最好的作家——格蘭特和胡佛，還有一位最大的文盲哈定。三位偉大的總統中，只有一位可以被認為具有文學素養——林肯。與之相反的，華盛頓在文學素養方面的水準跟哈定不相上下。儘管如此，華盛頓是一位偉大的總統，而哈定不是。

社會科學家已經研究出，預測傑出總統的領導能力、管理水準和歷史意義的各種方式。然而，所有這些努力都不可能得出如物理學 $E = mc^2$ 簡式般，可以把生活填到如此簡潔的公式之中，以預

＊總統文學競賽似乎開始於羅斯福，他在「二戰」中採用了標語「書籍就是武器」；吉米・卡特的計畫，是要挑戰十萬名大學生以幫助年輕人學習閱讀，卡特從來沒解釋過這些大學生是如何找來的；布希夫人促進文化，而希拉蕊・柯林頓則提出她的促進閱讀法規，建議把兒童書放在醫生的診室中；比爾・柯林頓的文學計畫，需要一百萬個閱讀導師才能達到他要的成果，即每個四年級學生都能達到或超過基本水準。

測總統。不過，他們的工作還是具有啟迪作用。他們極少會把寫書當作一個值得考慮的條件，大概他們已意識到這確實不是。一旦他們把寫書考慮進去，得到的結論就是他們在浪費時間。

這裡有一個他們用來計算偉大程度的公式：

偉大＝1.24＋0.17×（總統任期的年數）＋0.26×（在他或她任期中國家經受戰爭的年數）－1.7×（如果內閣有醜聞爲1，沒有則爲0）＋0.89×（如果在職期間遭到暗殺爲1，沒有則爲0）＋0.82×（如果總統是戰鬥英雄爲1，不是則爲0）。

這個公式的作者在把總統們當選之前所寫的書籍數量也算進去之後，他發現「總統的寫作，在任何實際面向、數量或者重要性的層面，都不會影響這五種變數」。

如果覺得算這個公式太麻煩，就思索亞歷山大大帝的例子吧。一位研究軍事領袖的學者說：「我們沒有任何關於他說的或者他寫的文字記錄。他沒有留下法典，沒有戰爭理論，沒有統治哲學。他肯定也不寫日記。」亞歷山大的偉大來自他在戰爭和征服中，令人難以置信的成功，他忍受了各種各樣的戰爭創傷，他在行軍中去世（他有可能是遭到暗殺），他囚禁了他的宮廷史學家——亞里斯多德的一個侄子，但他對此顯然毫無悔意，因為那傢伙竟敢說他確實不是神。

拿破崙對他那些殘忍至極的命令，也沒有留下任何文字說明。獲得了諾貝爾文學獎的溫斯頓·邱吉爾也沒有保留他在「第二次世界大戰」期間的日記，當他任職首相以後，開始避免他的錯誤。與理查·尼克森相對照，他的電子日記和那些可惡的白宮錄音帶，使他的醜名永留史冊。「我把自己給害了，」尼克森後來提到那三千七百個小時的錄音帶說，「我自己授人以劍，他們當然就刺向前來。」尼克森辭職以後，他的律師竭盡全力不讓錄音帶和檔案公諸於世，但是他們不可避免地失敗了。一九九六年開始，三千七百個小時的錄音帶內容以書籍形式面世了，從而讓尼克森的反對者們在未來若干年內都有資料可讀。類似的命運也降臨在俄勒岡州的參議員鮑勃．派克伍德（Bob Packwood）身上。二十五年來，他每天早上都會記錄下前一天發生的事情，其中包括他吃女職員豆腐的溫情回憶。這本日記害他被罷免。在十六世紀，偉人們寫日記以建立他們的美德。如今，保存日記的作用正好相反，那些記錄是建立您罪行的文字證據。

還請記住，偉大作家的特徵不是理想總統的特徵。寫作是一種微型管理的練習，卡爾文．柯立芝在撰寫總統就職演說時，字斟句酌，費力推敲。後來在他的自傳中，論述他此種嚴謹的工作「要求耗時費力、廣泛的調查與研究，以及謹小慎微地、深思熟慮地思考。每寫一個字都必須仔細斟酌」。也因為他此種謹慎態度，柯立芝永遠也上不了羅斯摩爾山（Mt. Rushmore）。雕刻家加特森．博格勒姆（Gutzon Borglum）欲在南達科塔州（South Dakota）的黑山（Black Hills）刻下柯立芝的永恆形象時，他建議柯立芝寫一篇歷史文章刻在青銅上掛在那裡。柯立芝寫了一小段，由於他太看重自己了，所以拒絕博格勒姆的修改。您最近一次參觀羅斯摩爾山是什麼時候呢？應該會發現總統山附近的任何角落，都沒有柯立芝的蹤影。

來對照一下柯立芝和喬治．華盛頓。獨立戰爭期間，這位將軍至少有三十二名私人祕書，四到五人一組地為他寫作。當了總統以後，他還是繼續讓別人幫助他寫作。麥迪遜為華盛頓那場精彩的離職演說寫了第一份草稿，華盛頓刪掉了一些段落，又潦草地寫上了一些沒有條理的想法，然後他把這些都給了亞歷山大．漢彌爾頓，要求他修改或者「索性整個換掉」。漢彌爾頓選擇了後者，而華盛頓發表了那篇不朽的演說。

總統並不一定就是能言善道者，這還可以從白宮裡滿是演講作者這一點看出來。現在已經成為著名記者的詹姆士．法洛斯（James Fallows）曾經是卡特總統的演講作者之一，他抱怨說：「如果卡特有時間的話，他會更願意不要演講作者而自己寫所有的文字，就像他那篇完全自己操刀的就職演說那樣。」離開自己的職位之後，法洛斯爆料說卡特——這位低於普通水準的總統和高於普通水準的總統作家——根據個人的喜好，決定誰能夠在白宮的網球場上打球。

瓦茨拉夫．哈維爾曾經充滿熱情地談論作家成為政治家的價值：「一位對政治抱有惡感的作家，就像一位研究臭氧空洞的科學家，他忽視了正是他的老闆發明了氯氟甲烷。」但是，哈維爾的一名崇拜者對他的讚美，在不經意間透露了正是寫作天賦，使得這位捷克總統「事事過度小心……從為城堡警衛設計制服到對兩部新憲法的表述，都是如此」。

我們的國家，由於其對全球的責任，要求總統必須有能力管理無法管理的職員。說到寫書的問題，沙烏地（Saudi）國王哈利德（Khalid）是個比卡特和哈維爾更好的範例。諾曼．史瓦茲柯夫（Norman Schwarzkopf）將軍曾經寫了一本頗為暢銷的書（獲得了六百萬美元的預付款），在書裡把自己描述成一個沙漠風暴的英雄，國王對此很氣憤，於是打算寫一本讚美自己的書。他透過購買軍火的回扣給了自己一筆預付款，然後雇了一個我認識的寫手為他寫作，這個寫手每寫一章都要提交給

偉大的總統作家≠偉大的總統

如果您希望您的臉被刻在羅斯摩爾山上，那麼就不要浪費時間去寫書，就像下面這張表所顯示的。此處總統排行的依據，是一九九六年小亞瑟．史列辛格所做的民意測驗。要知道這些總統被當成作家的程度，就看他們名字前面的✍。有兩個✍的是多產作家，或者在其名下至少有一本重要的作品。有文學愛好但是沒寫過書的有一個✍。泰迪．羅斯福是我們最偉大的總統作家，而喬治．華盛頓是最糟糕的，他們倆都在羅斯摩爾山上。所以說，成就偉大的最重要因素是什麼呢？另外一份民意調查顯示，諸如辦公室凌亂不堪這類任何顯示個性的特徵也是因素之一。

偉大

華盛頓，✍林肯，富蘭克林．羅斯福

接近偉大

✍傑佛遜，傑克遜，波克，✍✍泰迪．羅斯福，✍✍威爾森，杜魯門

普通（高）

✍約翰．亞當斯，孟羅，✍✍克利夫蘭，麥金萊，艾森豪，甘迺迪，林登．強生

普通（低）

✍麥迪遜，✍✍約翰．昆西．亞當斯，范布倫，海斯，亞瑟，班傑明．哈里遜，✍✍塔夫脫，福特，✍✍卡特，雷根，布希，柯林頓

低於普通

約翰．泰勒，札卡里．泰勒，菲爾莫爾，柯立芝

失敗

皮爾斯，布坎南，安德魯．強生，✍✍格蘭特，哈定，✍✍胡佛，尼克森

列表中不包括任期太短的威廉．亨利．哈里遜和詹姆士．加菲爾，他們都是剛上任不久就去世了。加菲爾無法被當作一名卓越的作家而被記住，不過他能夠一隻手寫拉丁文，同時另一隻手寫希臘文。

哈利德以及他所組織的委員會。這個委員會包括一名毛拉（伊斯蘭神學家）、一名律師，還有一位曾經在戰爭中為國王當軍事顧問的埃及退休將軍。「他們會為了一句話爭論好幾個小時。」那位寫手說。

而自己寫作的總統，通常不太願意像他或她修改別人為之寫的文稿般地修改自己的文字。但是，如果您打算在政治妥協中有所作為，或者把自己樹立為一名真正的領導人，那麼槍斃您自己的文字產品就是必不可少的。還記得羅納德．雷根是如何成功地疏遠他的助手嗎？這個富戲劇性的案例是這樣的，他的前新聞祕書賴利．史畢克斯（Larry Speakes）透露，他曾經為《偉大的溝通者》（*Great Communicator*）假造評論，而且事先沒跟總統說。人們對史畢克斯很氣憤，最後史畢克斯丟掉了他在美林集團（Merrill Lynch Pierce Fenner and Smith）那份賺錢輕鬆的工作。至於雷根，他說他根本就沒注意到史畢克斯教他講了些什麼。有人可能會認為雷根對他的工作太不在意了，但是並沒有人提出來過。華倫．哈定儘管是個失敗的總統，但是他也曾經明智地抱怨說，他並不是很明白寫手替他寫的演講稿。

伍德羅．威爾森的智慧具有分量，而且他為此驕傲，就像專門研究他的歷史學家詹姆士．麥奎格．伯恩斯（James McGregor Burns）說的那樣，這使得他「倔強、固執、不靈活」。這類人會躲在角落獨自寫作。威爾森在試圖建立國際聯盟（League of Nations）時，就不與人進行建設性的溝通。與之相反，富蘭克林．羅斯福就不是個專心的作家，玩政治才是他的興趣。當羅斯福的戰爭結束時，他建立聯合國的訴求也實現了。威爾森是個接近偉大的總統，還不壞；而羅斯福是個偉大的總統，這個更好。

華特．李普曼（Walter Lippmann）譴責使用寫手的行為，即使是演講。「真實，就是任何知道自己在做什麼的人，能夠說出他在做什麼；任何知道他在想什麼的人，能夠說出他在想什麼。那些無法表達自己的人是極罕見的特例，他們無法確知他們在做什麼，以及那樣做的意義。他們愈快發現這一點會愈好。」這是很天真的。寫手們為您的想法所做的，就像特工人員為您的身體所做的事情一樣。他們保護您，特別是為了歷史。*

就像在考試中寫作是有時間限制一樣，在您的職位上時間也是不夠用的。「當一個鐵匠分內的工作時間結束時，他就熄火，脫下皮圍裙，把一雙髒手洗乾淨然後回家。而且，他第二天早晨開始工作之前，還可以吸一口沒有煙薰火燎的空氣。」班傑明．哈里遜在他近一個世紀以前的那本《我們的國家》中如此寫道，「但是，對於總統而言，在他的辦公室和那不能說是私人寓所之間，只有一個門，而且是永遠不上鎖的。」

如今工作的要求更多了。「對於領導人而言，基本上沒有時間反省。」亨利．季辛吉（Henry

*還有另外一個例子，喬治．華萊士（George Wallace）晚年想要提高他在歷史上的地位。沒有什麼事比一九六三年他任職阿拉巴馬州（Alabama）州長時的那場就職演說，更讓他名譽掃地了，他說：「現在種族隔離！明天種族隔離！永遠種族隔離！」這件事情之後的若干年，他想洗刷這一污點，於是對新聞記者卡爾．羅恩（Carl Rowan）說：「我並沒有寫那些現在、明天、永遠種族隔離的話，我只是在演講稿上看到它們被寫出來，本來還打算跳過去不讀呢。但是，我演講那天氣溫陡降，只有零下五度。我一開始讀演講稿就想趕緊把它讀完，結果什麼都沒想起來。」因爲類似的原因，傑佛遜如果當初沒寫他那本《維吉尼亞散記》的話會得到更高的評價。雖然他承認黑人在某些事情（音樂）上比白人優越，但他同時也說：「他們遲鈍、沒有品味，而且異常。」這些觀點都對他的名譽有損。

Kissinger）在《白宮歲月》（*The White House Years*）一書中寫道，「他們必須不斷地處理那些重要的突發事件，就像是一場沒有盡頭的戰役。」更有甚者，他們當選後仍必須沿著競選時的軌跡，繼續用普通的文字面對大眾。孤獨的寫作生涯，是不可能實現的。

詹姆士．大衛．巴伯（James David Barber）在對總統品格的研究中，尋找能夠預見總統在其職位上表現的線索。很荒謬的是，善於寫作的總統在與大眾溝通方面表現得並不好。胡佛在大眾面前或者公開講話時，常感到不適應；但當他獨自寫書或者草擬、修改演講稿的時候，卻很愉悅。套用他的一名支持者的話說，胡佛「對政治的詩歌、音樂以及戲劇，一點欣賞興趣都沒有」。柯林頓有，而且當他試圖組織他的想法時，也能夠明智地遠離寫作。「他有如此多的聰明才智，使得他不得不揮發掉一些才能進行思考。」前白宮顧問狄克．莫瑞斯敘述柯林頓喜歡玩單人紙牌時如此說。這種遊戲滿足了「一種從混亂中趨於規律，並使之變化的需要」。

「政治並不是一種智力程式，儘管表面上看起來是這樣，」一位總統學專家理查．諾伊施塔特（Richard E. Neustadt）說，「但實際上那是一個人的程式。」他是《及時思考：決策制定者的實用歷史》（*Thinking in Time: The Uses of History for Decision Makers*）一書的聯合作者，這本書的內容是關於政治決策的制定。從這本書中所得到的結論是，他想不出任何一個關於總統的寫作成就，能夠有助於其在危機中做出正確決策的例子。

用來預測偉大程度並令我激賞的方程式中，包括如下因數：智商（IQ）、在職的時間、成績、衝勁、整潔程度、成就動機、身高、吸引力，還有一些被稱為時代精神的因素，與其總統任期內的時代特徵相聯繫（國家危機比和平時代更有助於成就總統的偉大）。我相當欣賞這個公式，是因為裡面有個唯一您自己能控制的因素，就是整潔程度——而且，這個公式中保持整潔被認為是減分的，不是加分。其他的偉大因素，則是屬於運氣層面。所以，如果您當選了，不妨休息一下，享受這一體驗，讓白宮的工作人員跟著您打雜吧。

✍您會說：「寫書一點也沒變得容易，而且在脫離政治之後追求寫作，就像你已經在棒球場得到榮譽之後還學習滑行一樣。」

這部分是正確的。一旦您與政治的關係結束，您就有任何理由寫書了，儘管坦白說並未看到有任何能讓您擁有創造偉大文學的熱情的理由。

寫書是您的一個機會，可以按照您希望歷史所呈現的方式，來重新修改您的記錄。當代總統中一個備受屈辱、讓人無法不在意的人——理查．尼克森就成了一個馬力十足的文字機器。他剛從白宮被趕出來，就有書以他的名義出版了，還有他那些忠實的追隨者們也都紛紛出書，以前他們可都沒顯示出任何對寫作的愛好。這些作者中有斯皮羅．安格紐、查克．寇爾森（Chuck Colson）、莫里斯．史坦斯（Maurice Stans）、傑布．史都華．馬格魯德（Jeb Stuart Magruder）、戈登．李迪、詹姆士．麥考德（James McCord）、約翰．艾利克曼（John Ehrlichman）、霍爾德曼（H.R. Haldeman）和約翰．迪恩。其中迪恩和馬格魯德各自的太太，也都因為水門事件寫了書，而且水門事件還使得參與者之一霍華德·杭特（E. Howard Hunt），恢復了他的寫作生涯。尼克森還幫助參議院水門事件聽證會首席律師山繆·達許（Samuel Dash），以及少數黨律師佛瑞德·湯普森（Fred Thompson）開始了他們的寫作生涯。

這些寫作對於文學都沒任何補償作用，對於尼克森的案子也沒有任何好處。但是，卻有助於支付法庭費用，這為寫作提供了第二個理由。您應該把一本書視作您從白宮退休後，帶回來的最有力的資產。出版社願意把上百萬美元砸給前總統們。據估計，賽門舒斯特為了羅納德·雷根的回憶錄和他的一本演講集，在交易中損失了五百萬美元。當出版社支付您大筆預付款時，您的書只是他們所購買的物品之一。他們還買下了在雞尾酒會上談論您的權利，「我有沒有告訴過您，昨天雷根總統對我說的話？」愛出風頭的歐文·拉札爾（Irving "Swifty" Lazar）硬是回憶說一九七四年尼克森的回憶錄獲得了一筆兩百萬美元的預付款。「不管怎麼說，當初華納書屋（Warner Books）都只是個沒什麼名氣的出版社，」拉札爾在他自己的回憶錄中說，「這樣出版社就有了某種潛在的巨大廣告效應。」

當您還居住在白宮裡的時候，雖然我實在不願意讓您寫任何回憶錄，但您還是可以先預售。就像出版名人麥可·柯達提到過的，如此可以使得您和您未來的出版社，「在莊嚴的總統辦公室或者您白宮中的私人處所會面」。誰會為了幾萬美元跟一位坐在聖殿中央的人講價呢？

順帶一提，那些出版社並不指望您來寫您的書。（他們甚至也沒有指望您的寫手寫他們的書。喬治·史蒂法諾普洛〔George Stephanopoulos〕雇人撰寫他那本關於他在華盛頓經歷的所謂「誠實的書」。）每一個人都最好把時間花在鮑勃．杜爾式的遊戲中，比如像「週六夜現場」和賣威而鋼的電視廣告，它們的標準比出版社要高多了，人家不接受替身演員。布希可能說話不俐落，但是大西洋富田公司（Atlantic Richfield Company）花了十萬美元，請他到公司在中國開辦天然氣企業的剪綵儀式上動動嘴皮子。奎爾的特寫鏡頭出現在樂事（Lay's）洋芋片的電視廣告中，他說這是「馬鈴薯」拼寫事件的最好結局，這個廣告是在美國橄欖球超級杯冠軍賽（Super Bowl）的中場休息時插播。

除此之外，您還需要時間來建設您的總統圖書館。這一相對比較新的發明，提供了另一種提高您名譽的方式，不過您必須明白，就像尼克森所做的那樣，這與書籍毫無關係。在一九九〇年的開幕典禮上，尼克森的圖書館中除了那些在禮品店大減價中販售的書之外，就沒有別的了。

忠實的，
您的顧問

附言：為了防止您遺漏了這封信的要點，請記住柯林頓在莫妮卡．呂文斯基這件事上的麻煩，就是從某次白宮工作人員琳達．崔普（Linda Tripp）出書的想法開始的，隨著文學代理人露西安妮．戈德堡（Lucianne Goldberg）的捲入而增強了推動力，到了肯．史塔（Ken Starr）雇了一名職業作家來幫他寫那份呈給國會的報告時，事情就鬧大了。我不是在暗示說，有何種方法可以阻止這類問題發生。賈桂琳．甘迺迪（Jacqueline Kennedy）曾經要求白宮內所有雇員簽署一份封口同意書，不會對外洩漏他們在白宮內的任何事。這位第一夫人的祕書莉蓮．帕克斯（Lillian Parks）是這項工作的負責人，但是她自己並沒有在同意書上簽字，後來就出了《我的老闆》（*My Boss*）一書。您可能必須忍受工作人員在文字方面的不忠誠，但是只要還沒到寫書的分上，就由它去吧。

再附言：莫妮卡又讓我想起了別的事情來：還必須從其他國家吸取教訓，尤其是法國。連任兩期的法國總統弗朗索瓦．密特朗（François Mitterrand）是個多產作家。「我觀察——而且我寫作，」他說，「我喜愛寫出來的文字。」他還說過他的夢想是，「死去的時候手中拿著一本書」。但是，法國正好是美國的反面，我們尊敬對文學不忠但忠實於太太的政治家。在密特朗的葬禮上，他的情婦與他的太太肩並肩站在一起。順帶一提，密特朗珍藏著卡薩諾瓦的《回憶錄》，只要還記得吉米．卡特的事情，就沒有任何一個神智健全的美國總統可以容忍這種事。卡特曾經在接受《花花公子》（*Playboy*）採訪時，無辜地承認他曾經「貪婪地看著許多女人……我已經在心裡犯了若干次通姦罪了」，此話一出結果惹上了一身麻煩。

包羅萬象的圖書館

本章內容是與世界上最偉大的圖書館工作人員的對話，
顯示了古代想要把所有的東西都聚集在同一個地方的野心，
不再只是個夢想，而是一個噩夢；
而且本章內容還顯示出這種噩夢
對圖書館的管理人員而言可能還是好事。

Littera scripta manet（拉丁文——寫出來的文字是不朽的）

——圖書館館長辦公室穹頂上的銘文，美國國會圖書館一八九七—一九八〇年使用

期待這一機構在未來有著愈來愈多具有價值的選擇，愈來愈強調「重要」這個詞。

——詹姆士．比林頓，美國國會圖書館館長

載著外地遊客開往國會山莊的遊覽車經過國會大廈後面的傑佛遜大樓時，導遊會說：「現在你們看到的，是國會圖書館年代最久遠的一部分。」

「我聽說這個圖書館每本書都有兩本，是嗎？」一名遊客問。

「不，從一八〇〇年開始每本書就只有一本了。」

面對著馬路較為新穎的麥迪遜大樓四樓，羅莉塔．希爾瓦（Lolita Silva）所在的位置是知識的閘門。在她面前是浩如煙海的圖書，和大量湧入圖書館的版權室的其他出版物。按照版權法的規定，所有的書都必須成雙成對地送來。希爾瓦繫著一條圍裙有效率、快速、自信地評估這些書，她把一張黃紙條插進卡米克指導研究所（Institute of Karmic Guidance）出版的《布勞德文檔：二十二篇關於非裔美國人經驗的文章》（*From the Browder File: 22 Essays on the African American Experience*）。這張紙條告訴後續作業的辦事員，要把兩冊副本都保存起來作為圖書館的永久收藏，但不保存相關的錄音帶。《調整你的步伐：走路節省精力》（*Pacing Yourself: Steps to Save Energy*）一書，在扉頁中夾了一張藍紙條，意思是說只為圖書館保留一冊副本。而一本針對熱心的肥皂劇演員的顧問類書籍得到一個紅×，這意味著她兩本都不要。

就這樣一堆一堆、一年一年地過去了。家庭修繕圖書她保留了兩本，但是不留學生工作手冊指南；保留了兩本立體兒童書，但是不要彩色書。她不保留曆法書，但是對《長臂與短斧婦女》（*Longarm and the Hatchet Woman*）這類大眾小說市場的平裝書，則保存了一本。偶爾地，她會從翻查中休息一下。她拿起一本自助出版的兒童書給我看，裡面的插圖很粗糙，她一本也沒有保留。「它還不夠暢銷。」她歎息地說。她有原則，但是綜合性的原則。她會保留一本社區出版的地方性食譜，但是不要一本市區醫院聯合會出版談論一般菜餚的烹飪書——不過，她保存了華盛頓紅皮人橄欖球隊員（Washington Redskins）的太太們所寫的一本書。「不要懷疑，」她說，「會有人想看的。」

當一本書的兩冊副本都不曾有人借閱的時候，其中一本就會被送出交換，或者如果沒有人要的話，就會被銷毀。另外一本則可以免此厄運，而被送到馬里蘭州蘭德歐夫的版權臨時管理處，它會在那裡放置五年，因為這是一段容易被侵權的時期。*此後，它再被送回圖書館，接著將面臨此前一本曾經面臨的命運。除非某天有某個人決定這本書是值得保存的，否則圖書館將不會留存下來。也許也沒有人希望留下來。

有兩百年歷史的國會圖書館第十三任館長詹姆士．比林頓（James H. Billington）說，他們的圖書館是「地球上曾經有過對知識的聚集中，收藏最豐富、種類最多樣的」。它的使命就是要保持這個紀錄，「要為後代子孫維持並保存一個知識和創造力、包羅萬象的收藏」。這裡有個關鍵字「包羅萬象」（universal），它的涵義並不是一般所認知的。

古埃及偉大的亞歷山大圖書館，立志取得漂浮在知識宇宙中的每一本書，儘管這個目標永遠不可能實現，但是盡可能多地收集「所有事物」仍是一個有效的指導原則，至少到目前為止是如此。在這個資訊時代，「所有」實在是太多了。因此，比林頓的國會圖書館——當代的亞歷山大圖書館，追求另外一種廣泛性，可以解釋為「立志取得所有中的一部分，或者所有中最重要的」。比林頓還解釋說：「期待這一機構在未來有著愈來愈多具有價值的選擇，愈來愈強調『重要』這個詞。」

希爾瓦被適切地稱為「選擇」官員，而不是採購官員。這與比林頓對圖書館所抱持使命，兩者之間的差別有著截然不同的意義。在國會圖書館如此自我定位的一九四四年之前，一般做法就是每本書保留兩冊副本，而到了二十世紀的後半，他們的工作就變成了淘汰書籍。

國會圖書館估計他們每天收到的出版物，大概有兩萬兩千「件」，就數字本身而言其意義不大，像古騰堡《聖經》（*Gutenberg Bible*）、華特·惠特曼文件中的一封信（這間圖書館收藏的），以及一卷能夠容納相當於一個月份的《威奇塔鷹報》（*Wichita Eagle*）如此多內容的微縮膠卷，在國會圖書館一九九八年全部收藏的一億一千五百五十萬五千六百五十九件中，都屬於其「件」之一。但是，如果將二萬二千這個數字與篩選後的入藏量七千相比，就很可觀了，因為被留下的不到它的三分之一。

要為這些圖書的生死去留做決定，沒有人比希爾瓦更合適了，她熱愛書籍。她生於拉脫維亞（Latvia），第二次世界大戰後來到美國。她在紐約大學學習文學，又在哥倫比亞大學取得圖書館學的碩士學位。她說她可以「應付」二十八種西方語言，其中有俄語、丹麥語、德語、西班牙語，還有羅馬尼亞語，她還曾經自學希臘語。她謙虛地說：「有的掌握得少一些，有的則多一些。」

我注意到希爾瓦在一堆書中工作時，一個戴著哈雷大衛森頭巾的職員走過來，告訴她說有一本

* 一本申請版權而並未出版的書，其版權期限與限制同樣受到該法律的保護。由於一九九八年頒布的著作權法修正條文（Sonny Bono Copyright Term Extension Act），這一時期被延長了。一九七八年以前的作品的受保護年限，從最初申請開始長達九十五年。這就意味著管理處必須不斷地擴張了。

史蒂芬．金的小說不見了。「有人想要這本書。」他說。

「這裡有很多書會暫時放錯地方。」她告訴我。工作人員有時會拿走一本書，她不把這個稱作偷竊，而是借。她還說，她知道每個人的閱讀興趣，所以她會去找他們要那本書。

國會圖書館的不穩定成長

國會圖書館的中文、日文和俄文收藏，是在這些國家之外收藏最多、也是西半球收藏一千五百年以前的珍藏書最多的圖書館。圖書館還相信他們「收藏的地圖、地圖冊、報紙、音樂、電影、照片，還有微縮膠卷，可能也都是世界上最多的」。雖然有了國家醫學圖書館（National Library of Medicine）和國家農業圖書館（National Agricultural Library），他們仍然收藏這些領域的圖書。其收藏美國歷史上的電話地址簿也是全世界最多的，還有世界最大的海報收藏、連環畫收藏，以及世界上最廣泛的報紙收藏。一個有四千名職員的團隊，負責整理那些特別的收藏，其中包括美國印第安人部落聖歌的錄音唱片、阿隆．柯普蘭（Aaron Copland）的《阿帕拉契之春》（*Appalachian Spring*）的原始手稿、《大憲章》（*Magna Carta*）最早的一個副本、世界上保存最完整的三部古騰堡《聖經》中的一部，還有——這間圖書館奇怪收藏習慣的象徵——五把史特拉底瓦里（Stradivari）的小提琴，和一個裡面裝著林肯總統在福特劇院遇刺那天晚上口袋裡裝的物品的盒子。

國會並不是從一開始就設定了如此偉大的目標。國會根本不確定是否需要一座圖書館，也不管這座圖書館是否優質。早在一七九〇年，立法者們即討論說要買一些「立法和管理機構需要的書」。還不到一八〇〇年的春天，他們就付諸行動。最初收藏了七百四十本書和三張地圖。評論家曾經反對建立圖書館，因為他們認為參議院和眾議員們應該已經懂得了一切他們所應該知道的事物。不論真假，總之這間圖書館並非立法者們最重視的一個地方，在一九一一年，四百九十名議員中只有九十三名用過這間圖書館。

國會圖書館改善了此種漠不關心，部分是透過幾位有魄力的館長的領導，而部分是因為運氣。圖書館在不尋常的方式下，有了第一次突破。在一八一二年的戰爭中，英國軍隊放火燒了國會，當時的圖書館也被波及。已經退休回到蒙提薩羅，並且經濟壓力很大的湯瑪斯・傑佛遜，把他珍貴的藏書賣給了國會。*那些議員們並沒有太大熱情。議會以十票之差准許了這次的收購，而且國會只同意支付二萬三千九百五十美元，僅值這批藏書拍賣價值的一半。儘管如此，傑佛遜的六千四百八十七卷藏書，比圖書館原來的收藏量多了兩倍以上。更重要的是，正如該圖書館所願意承認的，傑佛遜式廣泛收藏知識的觀念，已經成為「如今國會圖書館全面廣泛收藏政策的基本原則」。

* 比林頓說傑佛遜當時必須選擇是賣掉他的藏酒還是藏書，這兩樣都很值錢。我向圖書館的工作人員打聽，想知道比林頓是從哪裡知道這個八卦的，他們也都不知情。不過，《傑佛遜與葡萄酒》（*Jefferson and Wine*）一書透露了：「沒有哪個總統彙集了這麼好，而且這麼多樣的窖藏。」

一八五二年，由於煙囪排氣管問題導致了另一場大火，燒毀了大約三分之二的收藏，包括傑佛遜的許多藏書。國會撥款讓圖書館恢復到以前的藏書量，大約五萬五千冊，不過僅限於此。至一八五〇年代中期，哈佛和耶魯大學的圖書館、波士頓公共圖書館（Boston Public Library）、波士頓博物館（Boston Athenaeum）還有阿斯特圖書館（Astor Library）等圖書館的藏書量，都比國會圖書館還要多。而且，當時美國國內圖書館中試圖努力達到國家水準的，是史密森尼學會（Smithsonian Institution）。若不是老闆約瑟夫·亨利（Joseph Henry）要求史密森尼的工作人員集中精力創造知識——研究和寫作——而不是儲存知識，史密森尼圖書館的館長查爾斯·柯芬·朱艾特（Charles Coffin Jewett）是可以成功的。朱艾特不斷轉移焦點的計畫，令亨利對他的不滿與日俱增，終於在一八五四年解聘了他。幾年以後，亨利就把史密森尼的四萬冊藏書轉給了國會圖書館。

安斯沃思·蘭德·史波福特（Ainsworth Rand Spofford）是林肯總統任命的國會圖書館館長，他鞏固了已有的成就。正如若干世紀以來，圖書館的管理者所意識到的，利用政府力量來建設偉大的圖書館才是明智行為。一五三七年的曼皮爾敕令（Ordonnance de Montpellier）是最早的一部法定送存制度，要求法國出版或進口的所有圖書，都必須提供給布洛瓦（Blois）的圖書館一份。一八六五年史波福特擔任這一職務時，成功地遊說議員通過了一項新的版權法，把監督責任從專利局（Patent Office）轉交給國會圖書館，並且要求讓圖書館取得所有美國的圖書、手冊、地圖、報刊、照片和音樂等，每種各兩份。一八九一年，又通過一項後續法令，把涵蓋面擴大到要求獲得美國版權法保護的外國作品。（再後來，如果一家國外出版社想要到美國發行，也必須送上一份。）一八九七年，史波福特館長任期的最後一年，圖書館從國會大樓搬到了文藝復興風格的湯瑪斯・傑佛遜大樓，那裡滿是希臘柱、雕像、繪畫，還有一個一百九十五呎高的圓形穹頂。至此，國會圖書館擁有全球最全面、最廣泛的收藏。

儘管如此，國會圖書館這時還不是正式的國家圖書館，至今也仍然不是，雖然它實質上具備了這項資格。國會圖書館的館長們，一直都明白國會是他們主要的客戶，因而二十世紀初圖書館就創建了一個現在稱為國會研究服務局（Congressional Research Service）的部門，該服務局的七百五十名職員幫助立法者和其助手研究並準備背景資料。國會在圖書館現在的基本規劃中，仍保有固定的「優先權」。

資訊過量

「面向世界，服務國家」，這是史波福特的繼任者赫伯特・普特南（Herbert Putnam）設計的口號。但是，他所預見的到底是個什麼樣的世界，還是挺令人懷疑。一九〇一年，普特南正式上任時，圖書館有一百萬冊藏書，到二十世紀末，已經超過一千八百萬冊了。

十九世紀中期，隨著圖書大量生產開始的思想商品化，可以解釋這個數字的成長。一八七〇年，國會圖書館登記註冊的作品有五千六百件，一九九八年則有五十五萬八千六百四十五件。除了新書出版的數字在逐年成長，期刊的數量也在成長。三十年前，《烏利希國際期刊指南》（*Ulrich's Intrenational Periodicals Directory*）上列出的期刊有七萬種，到一九九八年的十五萬六千種已經兩倍多了。

隨著圖書和雜誌的倍數成長，新媒介出版物也不例外。首先是照片，接著是電影，然後還有錄影帶。留聲機唱片已經讓位給了CD和DVD。在許多情況下，紙媒出版物也向電腦螢幕繳械了。一般而言，查找一個詞語或者主題的最快速方法，已經從字典和百科全書轉向電腦了。

這樣的結果，就是資訊爆炸。現在新聞報紙既出版白紙黑字的產品，也透過全球資訊網（World Wide Web）發布電子版。一個資料庫的提供者，可以每天或者每小時發布一個新的版本。渴望寫作的人們，不再需要顧慮任何取悅編輯或者出版社的事情了。「在網上」，語言學教授傑弗里·農貝格（Gregory Nunberg）寫道，「沒有任何物質或者經濟上的誘因，可以鼓勵刪除那些過於囉嗦的文字或避免張貼多餘的文章。」

「要自助出版一本看起來好像很專業的書，是如此地容易。」希爾瓦評論說。除此之外，技術性符號對於一份作品也不再那麼重要了。以前的歌曲作者必須把譜記下來才能去申請版權，現在他們只要對著錄音機把歌唱出來就行了。「在我們辦公室你很快就會知道一件事，」版權工作人員理查·安德森說，「那就是：在美國任何人都可以是個歌曲作者。」

就像一艘巨大的知識捕撈船，圖書館撤下各種不同的網，以捕獲這些資料。版權室雖是以處理出版品上的問題為主，但實際上只要符合廣義的「原創性作者作品」的任何東西，他們也會處理。

例如，一萬兩千磅重的鳥澡盆、棋盤遊戲，以及印有某人女友照片的T恤，版權專家均必須與其奮戰。希爾瓦回憶說：「我還見過有寵物石被送來呢。」

許多美國政府檔案也會自動送一份給圖書館收藏，還有聯邦機構的剩餘出版品。大約一萬五千種交換合約，會從諸如俄國的列寧圖書館，和威斯康辛州歷史學會（Wisconsin State Historical Society）這類機構，交換來一些手冊、編目和其他專業資料。圖書館也接受從美國紅十字會到哈佛大學，這些機構捐贈的資料。

國會圖書館可以享受到其他圖書館所享受不到的優越性，即免費獲得所有已取得版權保護的資料。到一九九七年為止的十年間，研究型圖書館在每本書上的平均花費，已經從二十八・六五美元飆升到了四十六・四二美元，這是針對美國研究圖書館協會（Association of Research Libraries, ARL）一百二十二個成員的調查，所得出的結論。訂閱期刊的費用從八十八・八一美元，提高到了二百三十八・六九美元。《比較生化生理學雜誌》（*Comparative Biochemistry and Physiology*）一年要八千八百三十五美元；《比較神經學雜誌》（*Journal of Comparative Neurology*）的全年訂費是一萬三千九百美元。這些科學和醫學領域內研究面較為狹窄的小團體學者，是離不開這些雜誌的，而這些雜誌的老闆也很樂於從他們那裡收取高額費用。為了配合不斷提高的價格，研究型圖書館花費愈來愈多的金錢，卻只能買到愈來愈少的雜誌。美國研究圖書館協會調查發現，一系列的支出雙倍成長，而整體購進量卻下降了百分之六，其中圖書下降了百分之十四。

雖然透過版權室所取得的免費出版物，可以為國會圖書館帶來一些利益，但是它所追求的包羅萬象的收藏，仍然會需要大筆開銷。圖書館必須花錢購買圖書填充收藏的空缺，以及取得那些沒有被送來的出版品。在已開發國家，圖書館很大程度依賴於那些有委託書的經銷商。而在世界的其他發展中國家，中樞機構作用不大時，圖書館本身就會扮演一個更具主動性的角色。在里約熱內盧（Rio de Janeiro）、開羅（Cairo）、新德里（New Delhi）、喀拉蚩（Karachi）、雅加達（Jakarta）和奈洛比（Nairobi），都設有地區採購辦公室。一九九八年，圖書館的工作人員專門出差到香港，採購香港回歸中國以後第一次選舉的檔案資料、徽章和其他雜物。與此同時，還有一個使團奔赴戰爭中的前南斯拉夫（Yugoslavia），據採購部主任南西．戴文坡（Nancy Davenport）說這次旅行很危急，戰爭威脅下的檔案和文獻，就像當時人的生命所面臨的情況一樣。

採購是個問題，處理這些物品又是另一個問題。一次又一次地，未經處理的資料會被嚴重積壓。這並不令人驚訝，處理一批收藏的檔案要花費相當大量的時間。前麻薩諸塞州的參議員愛德華．布魯克（Edward Brooks）的個人檔案資料，在一九七八年送到圖書館，但是到一九九一年才全部對大眾開放。美國有色人種促進協會（NAACP）的法律檔案，以及一大堆由著名或者非著名作者編寫的原始草稿遞交到版權室之後，都必須排隊輪候多年。延滯的工作，用圖書館的話說，稱為未處理資料，現在已經達到兩千萬件了。這與十年前相比已有大幅改進了，那時候未處理的資料數量是現在的兩倍。美國審計總署（General Accounting Office）在當時的一項調查得出結論，認為該圖書館沒有能力「有效地解釋並支配它的收藏」。但是，拖欠工作仍然構成一個問題，一項被延滯的條目就是一項無法被使用的條目，而兩千萬項就相當於整個收藏的六分之一。

為所有的物品找到空間，也是一個問題。圖書館的歷史中一個貫徹始終的主題。就是空間或空間不夠。最初的國會圖書館被設置在國會大廈內，當時的圖書館房間內堆滿了一堆書，也因而史波福特曾經對國會提出了警告，他說他將要負責「美國最雜亂的地方」。在傑佛遜大樓建成之後，一九三九年和一九八〇年又分別建了兩棟大樓，然而圖書館還是沒有足夠的空間。「地方不夠總是件麻煩事。」希爾瓦說。

而長期下來也出現了這樣的問題，即：圖書館的收藏是否應該持續增多，而不是減少。協助制定收藏方針工作的比爾．申克（**Bill Schenck**）說：「有個同事爭論說，火花也應該被收藏。」真正的挑戰，並不是簡單地決定現在有什麼物品值得收藏，而是未來人們會認為什麼東西是有價值的。在十九世紀，歷史學家們對當時的流行文化並未有任何關注。如今，他們研究庸俗言情小說，以洞察日常生活。描寫都市犯罪的電影在一九四〇—一九五〇年代出現時，被視作庸俗趣味的作品，如今它們被評價為悲劇電影。「你無法想像有什麼事物是人們所不想瞭解的。」比林頓的主要副手之一溫斯頓．泰伯說。

這兩個困境——廣泛性的期望和缺乏空間——形成了國會圖書館的戈爾迪烏姆結（**Gordian knot**，問題棘手）。比林頓試圖用他立志「得到所有中的一些，或者所有中最重要的」，這一權威的回答來斬斷這個結。但是，就像聽起來的那麼好，這個回答還是為收藏的選擇留下了很大的模糊空間。圖書館是否同時需要《波士頓環球報》的紙版和電子版，即使它們只是有一些細微的差別？（回答是：暫時是的。）在面對一張 **CD** 的時候，希爾瓦沒有時間去聽，她只能透過光碟所附的簡介來決定是否保存。圖書館對於早期的優良廣告也有妥善收藏，那麼新的網路商業中，有多少廣告是值得圖書館收藏的呢？圖書館館員們承認在這一點上，他們錯過了大部分。

提升至國際層面上，這個問題就更加擴大了。圖書館希望對每個國家至少收藏一份新聞報紙。但是即使如此，就南太平洋上有那麼多小國家而言，也是不現實的。隨著全球化的發展，愈來愈多國家會創作關於其他國家的文獻著作。雖然建立了典藏機構確保圖書館取得關於法國的法文學術作品，但是由誰來負責收錄日本方面的法文學術著作呢？法國或者日本的經銷商、圖書館，又該依賴誰呢？隨著自助出版愈來愈容易，人們可以用方言寫作，這些也不是一般途徑就可以取得的。

一本三吋厚的管理手冊告訴圖書館的工作人員們，哪些應該保存而哪些可以扔掉。「圖書館的管理策略，是針對我們該要的以及不該要的，不斷進行評估。」戴文坡說道。圖書館在更深層面上詢問著：何謂出版品？收藏的意義為何？

為了對這部分進行探究，版權室從事一項嘗試，稱作版權電子登記紀錄和送存系統（Copyright Office Electronic Registration, Recordation & Deposit System, CORDS）。CORDS允許作者透過線上版權申請登記系統提交作品，也就是允許送存者以電子形式透過網路完成電子出版品的線上送存作業。版權室一名主管彼得·范克微支（Peter Vankevich）說：一旦試驗成功，以後就可以用於印刷出版品，而電子版本形式的作品也可以被圖書館收藏。在這個方向上還嘗試性地邁出了另外一步，圖書館在一九九九年與UMI博碩士論文資料庫（UMI Dissertation Services）——貝靈巧資訊服務公司（Bell & Howell company）簽訂合約，意即為了版權目的送存的數位化博碩士論文，可以不經圖書館的網站，而是直接透過 UMI 的網站來進行。

近來在管理結構上的一次改變，將圖書館執行採購政策的職責擴展到更多職員身上。羅莉塔・希爾瓦原本必須同時評估多個國家的圖書和資料，現在則集中負責美國版權資料。而每個地域部門，則各有負責的選書人員。此種工作形式的挑戰，是為了確保每個人能夠應用相同的規則。培訓新人的需要比任何事都重要，因為眾多老手，例如一九六六年就在國會圖書館工作的希爾瓦，很快就必須退休了。

保存過去

當希爾瓦為圖書館挑選大量新資訊的時候，就在四層樓下，湯姆・奧爾布羅（Tom Albro）站在堆滿已經用了幾個世紀的圖書壓印器和書釘的工作檯前。他帶著明顯的得意神情，展示了一本他當時正在整理的書：一本一七六三年版的阿爾吉儂・西德尼（Algernon Sydney）的《在政府》（*On Government*）。這本書原本是湯瑪斯・傑佛遜的珍藏。奧爾布羅把書拆開，一頁一頁地清潔、整理，然後再重新裝訂，用紅色的皮革包上。他還要在封面上寫字，並為這本書專門做一個盒子。全部流程要花費九十五個小時。奧爾布羅希望這本書可以繼續保存兩百到三百年。

奧爾布羅把他的維護工作，比作古代的手工藝人。他不穿領尖釘有鈕釦的傳統襯衫，也不繫領帶，他穿的是牛仔褲和淺色運動服，袖子捲到手臂上，房間裡還飄散著古典音樂。他帶著故意的口吻說，不要跟他的同事們說話，否則會打亂他們的工作節奏。修復珍貴資料「反映了我們的社會，」奧爾布羅說，「這可不是米利瓦尼利的對嘴演唱，而是絕對踏實的作業。」

奧爾布羅和二十幾名共同在保護部門工作的專業圖書修復人員，除了讓存放在此處的珍藏書獲得修復保存原樣，還必須能夠讓學者們使用。圖書館收藏的古代文稿、地圖和海報數量之多，奧爾布羅和他的同事們這輩子是忙不完了。不過，這些受到奧爾布羅精心照料的善本，僅是問題的冰山一角。近些年，圖書館也開始面臨了隨著大眾讀寫能力增強，所出現的殘酷反諷。

當閱讀還是屬於菁英文化時，出版社以手工製作線裝書，並且使用可以維持若干世紀的優質紙張。隨著十九世紀中期，具有閱讀能力的民眾加倍成長，出版社們為了因應大量生產的圖書，開始使用廉價的裝訂技術來降低成本。「在廉價的白熱化下，我們已經把所有可能被視為多餘的部分都捨去、犧牲了。」一八八四年的《出版人週刊》上感歎地論述，「同時，製作得稍為精美但毫無內容的書籍，就像把珠寶戴在豬鼻子一樣。」圖書不僅損壞得更快了，而且還會自我破壞。造紙廠原本是使用含有布質纖維的紙漿，後來為了因應不斷成長的需求，改用全木漿造紙。而透過酸鹼值處理生產的木纖維紙張，總會發黃易損壞。《美國國會會議紀錄》（*Congressional Record*）第一版，為參議院和眾議院出版的正式文字記錄，就是使用此種紙張印刷。

一個經常被引用的研究資料估算美國的研究作品中，百分之八十的圖書是採用酸性紙印刷，而且百分之三十或說八千萬冊已經變得易脆化了。國會圖書館開始統計自己的收藏，其判斷藏書中，每年約有七萬冊從「不耐用」的類別移至「易脆化」的類別，而且大約有百分之二十五的藏書沒辦法用手正常持拿。也可用另一種情況來瞭解此一問題，傑佛遜大樓的工作人員每天必須檢查兩千冊讀者需要的圖書，平均約有五十四本被認為易脆化但仍可以使用，意即小心使用是可以的，但是不能被磨損也不能在影印機上被壓扯。另有二十六本，則太過於脆弱而無法再使用。把已經變得易脆化的書籍從流通中撤掉，以另種形式保存，基本上等同於將其銷毀，因為一本書在無法讓人閱讀的情況下，是不具備知識價值的。

書籍不是圖書館中，唯一瀕危的物品。國會圖書館還有十萬份左右的海報收藏，其中的百分之二十五至五十需要受到保護，紙張保護部門的主管桃莉絲・漢堡（Doris A. Hamburg）如此表示。她估算一九九九年約只有八份能給予修補或保護，並為五十到一百張較大的海報上保護夾，不過僅管如此仍無法供研究者使用。

電影膠片雖放在金屬罐裡一排一排地保存著，但也處於自我毀壞的過程中。一九五〇年以前的電影，幾乎全都使用纖維硝酸酯膠片，此種物質易燃性高，而且一旦保存不當就會分解成棕色粉末。所有的默片中，大約有百分之八十就是因此而永遠消失，一九五〇年以前的電影中，也有一半就這麼沒了。國會圖書館，這個國家最大的電影收藏檔案館，對於電影收藏方式的選擇有其限制性，包括保護、冷藏和複製。複製黑白電影費用是一萬美元，彩色電影則為四萬美元。

圖書和研究的保護有些方法與步驟，其中最費人力、財力的，就是湯姆・奧爾布羅修復傑佛遜那本藏書的方法。奧爾布羅的一位同事站在他寬闊的工作檯旁估算著，要挽救一張十九世紀英國出版，已經脆化、繪有倫敦塔衛士的六呎高的海報，大約得要二十四小時的修復手術。

對於出版社而言，針對這一脆化難題最具成本效益的解決辦法，就是用無酸紙再印刷一本新書，此一作法現在已經愈來愈普遍了。當圖書已經變得易碎裂而無法修復時，圖書館可將它們以微縮膠卷形式保存。一九九八年時，已經有一萬五千到兩萬冊書做如此處理，保護修復部門的主管愛琳·舒伯特（Irene Schubert）如此表示。總共大約不到四百萬書頁，在這個耗費大量時間的過程中，資料須先挑選、檢查，以確保圖書被完全呈現並編目。每一頁都必須被拍下來，「這不是單純的影印。」一名工作人員評說。圖書館把三分之一的工作量交由外圍公司進行縮拍，《美國國會議紀錄》就是由一家商業廠商負責提供微縮膠卷。

即使如此，工作人員仍然無法趕上對微縮攝製的需求速度。至於到底落後多少，據舒伯特說，簡直難以估算。在各個不同部門工作的職員們，都會留意挑出狀況比較多的書籍，但是圖書館無法每天細查送到傑佛遜閱覽室要求修復的每本書。舒伯特表示，如果他們有一個使用導向程序來尋找和修復圖書，圖書館就必須在微縮攝製的一百八十萬美元預算上，再增加百分之五十的費用。

與此同時，為保護那些已經開始脆化但尚未碎裂的圖書和文稿，圖書館試盡了各種鍊金術。後來，他們發展了一種去氧處理方法，並申請了專利，即利用氣化的二乙基鋅（DEZ）處理瀕危圖書的方法。不幸地是，在華盛頓以外的試驗發生了爆炸，《華爾街日報》報導說：「一名圖書館承包商拉錯了閘，並且發現二乙基鋅與水接觸會發生爆炸情形。」國會圖書館隨後雇了一家民營公司，在德州一家小規模實驗性工廠來改善這一技術。那名承包商在製造了一次新的爆炸之後，解決了這個問題，而處理過的圖書會散發出使讀者頭暈噁心的氣味，也一併獲得解決。但是，那家公司最後還是關閉了這間實驗工廠，因為他們看不到足夠的需求量。

現在所使用的技術是由匹茲堡一家企業所開發，是把圖書浸泡在全氟烷烴溶液中，此種化學製劑會中和酸性。國會圖書館說經過這樣處理的圖書，在書架上的壽命延長了三百年。不過，此種處理方式價格昂貴，大約一本書十五美元，包括人工和運輸。據溫斯頓．泰伯（Winston Tabb）表示，如果全美國的圖書館都使用匹茲堡的設備，可以使成本降低。或者，如果此技術的唯一公司無法得到更多圖書館的訂單，勢必會中止提供這一服務。

一九九〇年時，國會圖書館設定了未來二十年內，每年會為一百萬冊圖書進行無酸處理的目標。但是，截至一九九八年，只有十二萬冊圖書做了無酸處理。泰伯被問及目前尚有多少圖書需要做處理時，他猶豫地說：「我無法回答這個問題。」

面對這種不切實際的花費，圖書館正重新考慮尋求另種保存圖書的辦法。策略之一是降低溫度，並使用其他可以使變質速度減慢的儲存技術，新的密德堡（Fort Meade）儲存技術能夠提高溫度控制。另外一個策略，是使用電腦技術來保存資料，但是此種方法會導致更嚴重的問題。

「如果書籍是在筆記型電腦之後才被發明出來，」資訊科技大師尼爾．葛申菲爾德（Neil Gershenfeld）寫道，「它將會被當作偉大的突破，而造成轟動。」傳統書籍因為運作良好，才能夠使用得如此之久，也正因為它使用得如此之久，使得我們可以預計其必然發生之事。例如，我們知道一本書依其自然規律的存在年限，但是電子技術還沒有被時間檢驗，沒有人明確地知道CD或其他資訊媒介中，是否存有不知名的致命基因。光碟相對是種顯現文字和圖片的較新載體，未必會比使用酸性紙印刷出來的書保存更長時間。據部分專家推測，一張光碟的壽命大約是十五到二十年。

新技術與生俱來的問題，不僅限於其有限的自然壽命。遍及圖書館的擔憂之一就是，快速的技術發展會帶來同樣快速的技術淘汰。圖書館員會追問，如果CD重蹈留聲機的覆轍，那又會是如何？果真如此，最後將只剩一、兩家工廠能夠繼續製作CD播放器，並且收取高昂費用——或者，更壞的結果是，所有工廠都停止CD相關產業。更或者，新的軟體取代了目前的軟體，就像過去那些舊版本一樣無法在現今的硬體上讀取。

同時，有許多人擔心在電腦螢幕上閱讀一本書，將減少學習的實際體驗。任何曾經在圖書館翻閱過舊雜誌的人，都可以實際感受到《星期六晚報》及其廣告的自然觸感，包括其他部分，均提供了閱讀那篇文章時的一種情境。微軟創辦人比爾·蓋茲（Bill Gates）表示，當他要看長篇文檔，例如書籍的時候，他會比較想閱讀紙本，而不是看著電腦螢幕。

「在保存一些事物時，我們必須不斷地對於做到何種程度做決定，」保存部門的主管馬克·羅薩（Mark Roosa）說道，「每一次的抉擇都是決定它的必要性。」他的策略之一，就是讓圖書館各個收藏部門的主管都參與，以決定何者應該受到重視，而何者該被忽略。「我們永遠也無法把所有的事都做了。」羅薩如此說。

所有事物，奧爾布羅補充說，「最終都會被放棄」。

把香檳裝進易開罐

「圖書館館長的首要任務，就是讓人們來看書。」辛克萊・路易斯（Sinclair Lewis）的小說《中產階級》（*Main Street*）中，那位冷靜的女主角說。

「你這麼覺得？」戈弗普賴里鎮上的一位夫人回應說，「但我覺得，肯尼科特太太，我是引用一所大學圖書館館長的話，那就是一個『負責盡職』的圖書館館長的首要職責，就是保護圖書。」

在我們的大部分歷史中，這位夫人的看法相當普遍。圖書館格言就是收藏，而不是傳播。還記得傑佛遜的藏書有多少吧？才六千四百八十七本；但在當時，被認為是全國最好的收藏之一。在古騰堡之前，西方的基督教世界中只有一家圖書館擁有兩千本以上的藏書。早期的圖書館長，例如那些在亞歷山大時代掌管著名圖書館的人，都被稱為「羊皮卷保管人」，而不是羊皮卷出借人。托勒密（Ptolemy）對待生產紙莎草紙的技術，就跟現代國家對待製造核武器的技術一樣，都歸為國家機密。後來本篤會的教士們——中世紀最專業的抄寫員——要求每家修道院的每個修道士都必須擁有一本書。一旦這一目標達到之後，收藏就會開始趨緩。被認為是歷史上第一樁版權糾紛的，是一個關於收藏的故事。一名十六世紀的愛爾蘭修道士違背書主人的意願，偷偷地抄寫了一本精美的書。被發現後，這位修道士不得不放棄他的抄本交給了原來的主人。羅倫佐・梅迪奇的圖書館長對印刷出版深感恐懼，認為那會「使上百本罪惡的書進入上千隻笨拙的手中，而瘋狂的人們會遍布世界」。

湯瑪斯．鮑德禮（Thomas Bodley）爵士，牛津圖書館的建立者，他認為圖書館館長應該是個禁欲的人，而且不應該讓遊手好閒的人「在屋子裡直眉瞪眼，或者喋喋不休地糾纏」與學者混在一起。一六〇二年在圖書館開放的當天，他很高興看到「一切都這麼安靜、有序地進行著」。那是一個圖書館管理員們仍舊把圖書鎖在書桌或者架子上的時代，而這一行為也將持續一段時間。在美國，從免費的大眾圖書館借閱書籍的想法，到了十九世紀中期才獲得實現，而且是到了安德魯．卡內基（Andrew Carnegie）資助圖書館大樓興建之後，才有長足的進步。一八九六年，即卡內基捐獻之前，美國的公共圖書館有九百七十一座，因為他，增加了一千六百七十九座。*

由於大家均期待圖書館把自己視作一名終極收藏者，所以國會圖書館首要考慮的還是保存問題，這會受到戈弗普賴里鎮的夫人的極大認同。只有一小群人可以從它那裡借書，主要是國會的議員和他們的工作人員，他們可以要求把書送到他們辦公室。十九世紀時，國會圖書館館長史波福特，在一八六五年把圖書館的開放時間擴展到全年的每一天。一八六九年，他又倡議夜間開放，不過國會在將近三十年後的一八九八年，才批准通過。到更晚時期，國會圖書館才加入了館際借書計畫。由於沒有開放外借，國會圖書館提供其他的服務，例如向其他圖書館提供編目資訊，作為一種協助確認標準化措施。

不幸地是，這類服務一般納稅人是看不到的。基本上沒什麼人寫信給他們的立法者，要求國會增加圖書館的經費，以使得他們可以提供更多的編目資訊。

由於熱衷於討好大眾，比林頓顯現出了肯尼科特太太的看法。他的戰鬥口號是：「把香檳從酒瓶倒進易開罐。」圖書館圖書中心的主任約翰．科爾（John Y. Cole），同時也是個坦率的宣傳者，他把比林頓的口號稱為：「一個廣泛適用的服務使命。」

科爾的圖書中心是這一服務使命的象徵。其創建於一九九七年，致力於提高對書籍的閱讀和關懷，現今其附屬中心已經遍及三十個州。

比林頓所提出最為振奮人心的計畫，就是國家數位圖書館計畫（National Digital Library Program, NDLP）。這一以電子資訊為基礎的計畫，已經建立了透過網路途徑借閱的圖書館，在這裡永遠不會有逾期不還的書。讀者不需要走進國會圖書館，在家裡、辦公室或者學校，透過電腦就可閱讀華特．惠特曼的作品，看到馬修．布萊迪（Mathew Brady）的《南北戰爭攝影集》（*Civil War Photographs*），並且聽到美國領袖在第一次世界大戰時的講話錄音。這一計畫的目標，是在圖書館二百週年紀念的二〇〇〇年，使館藏一億一千五百萬件的作品中，有五百萬件能夠放到網上。

數位圖書館的優點，是具有可以刺激一般讀者，尤其是學生閱讀興趣的潛力。「我們希望能夠吸引年輕人，使他們回到書本上來。」NDLP的主任蘿拉．坎貝爾（Laura Campbell）如此說道。年輕人學會了為研究目的使用原始資料，如果幸運，這些年輕人會在飯桌上談論他們從國會圖書館

＊卡內基一向是個精明的商人，大多數時候他建起了圖書館大樓，然後把花錢買書往裡面放的事情留給當地的納稅人。若干年後的一項研究顯示，在他提供資金建設的城鎮中，絕大多數在圖書館上均有明顯成長，但是那些城鎮的居民也絕大多數必須提供額外的支援。

所學到的事物，進而有可能刺激他們有投票權的父母，寫信給立法者請求支持國會圖書館。坎貝爾表示，圖書館還有一個專門的團體計畫，就是每個夏天會請五十位教師到華盛頓接受一個星期的培訓，當他們回去之後會傳播這些資訊。

在這個政府資源匱乏，但隨著資訊遽增而不得不提高成本的時代，這樣的遊說變得尤為重要。國會的撥款從一九九四年開始，以每年百分之二·五的速度緩慢上升，到一九九九年時達到三·九一億美元。「按照國會圖書館所獲得的十足金額而言，已經是很可觀的數字了，但是相對於發展迅速且多樣形式的新知識，就遠遠不夠。」美國研究圖書館學會的執行主任杜安·韋伯斯特（Duane Webster）如此說道。為了減少開支，國會圖書館已經把一九九四年的四千七百名員工，縮減至一九九九年的四千二百五十名。如果說資訊時代正駕駛著高速快艇乘風破浪，那麼國會圖書館就像是搖著槳奮力追趕的小舢板。圖書館需要全國人民的支持，科爾說：「為納稅人服務，是我們的職責。」

現今的國會圖書館對於拓展捐贈人脈已相當熟練。比林頓在一九八八年創辦了一個官方基金籌募辦公室，並在一九九〇年建立了詹姆士·麥迪遜委員會（James Madison Council），一個由企業經理人與企業家組成的民間部門援助團體。目前的數位化計畫費用需要六千萬美元，國會只能補助一千五百萬美元，其餘部分均來自於諸如大衛·派克（David Packard）和約翰·克魯格（John Kluge），他們分別捐贈了五百萬美元或者更多，以及美國運通（American Express）、AT&T、西方石油（Occidental Petroleum）等其他公司（每家各捐贈一百萬美元）。至一九九九年時，比林頓已經從民間單位募集了九千八百萬美元資金，來進行圖書館的各項活動。

圖書館在小心維護其所收藏的資料之外，也與大眾保持著緊密的聯繫。在有些神秘的氛圍中，奧爾布羅就像他之前展示給記者們看的那樣，謹慎地向我展示了放滿一張長凳的一堆盒子，裡面裝滿了圖書館的鎮館之寶：詹姆士．麥迪遜在普林斯頓大學的學位論文，以及林肯遇刺那天晚上衣著口袋裡的物品，包括聯邦政府發行的五美元鈔票和繫著細線的眼鏡。我還以為他要我對著這些物品行屈膝禮呢。羅莉塔．希爾瓦也是個受到記者們矚目的明星，她的才能使她必須定期接受那些想瞭解圖書館的記者們的採訪。

而一個耗資八千一百萬美元的更新工程，將原本占滿了湯瑪斯．傑佛遜大樓閱覽室的舊式卡片目錄檔案淘汰，騰出了閱覽室。現在研究人員可以把他們的個人電腦接入書桌的插座。圖書館還把積了幾十年的灰塵清理乾淨，如今裡面的柱子、藝術品均變得熠熠生輝。窗明几淨的新空間的利用率，比起以前也高了許多。「我們現在多少也可算是一個博物館了。」科爾有點得意地炫耀著他們的收藏和工作人員。

國會圖書館正在精心計畫兩百週年紀念的日程，其中包括新書《美國國會圖書館：兩百年》（*The Library of Congress: Two Hundred Years*）、紀念幣和紀念郵票、座談會及展覽。兩百週年紀念活動最重要的一項內容，被定為重建湯瑪斯．傑佛遜當年賣給圖書館的藏書，圖書館希望能有私人捐贈那些在一八五二年大火中被毀掉的書籍。達拉斯牛仔隊的老闆傑瑞．瓊斯和他太太吉恩在一九九九年捐贈一百萬美元，作為此次資金募集的開幕。比林頓的工作人員安排了一場，由這對夫婦贈送使用其捐贈資金所購買的第一本書——詹姆士・哈里斯（James Harris）所著的《關於普遍文法的愛馬仕或哲學探究》（*Hermes or a Philosophical Inquiry Concerning Universal Grammar*），一七六五年倫敦第二版——的公開儀式，以及拍照留念。透過這些書我們可以知道傑佛遜的「心智運作」，比林頓有一次這樣說，不過他並沒有解釋哈里斯這本書可以告訴我們什麼，而且那對慷慨的夫婦也承認說他們不大讀書（圖書館的新聞稿中很客氣地未提到這一點）。

「資金仍還沒到位」，圖書館中一名致力於加強公共關係的主管如此說道，因而各個獨立部門均想方設法地為各自所需的保存和收藏計畫籌集資金。圖書館的圖書中心在宣布一九九七至二〇〇〇年的全國讀書促進計畫的記者招待會上，曾經邀請一九九七年的美國小姐塔拉・荷蘭（Tara Holland）前來增添光彩。當芝加哥小熊隊（Chicago Cubs）的山米・索沙（Sammy Sosa）和聖路易紅雀隊（St. Louis Cardinals）的馬克・麥奎爾（Mark McGwire），在一九九八年夏季完成他們的全壘打棒球賽的時候，國家數位圖書館的工作人員動作迅速地將所蒐集到的棒球卡放到網上。「這是我們做過報酬最豐厚的事了。」坎貝爾說。

儘管做了這麼多努力，也並不是每件事情都可以促使圖書館提供比以前更加包羅萬象的服務。保安措施加強了對進入書庫的限制。館際借書，據圖書館稱，「仍然是國會圖書館的一項重要使命，因為國會圖書館是『圖書館藏書的最後選擇』」。但是，評論家們則認為在這一點上，國會圖書館並未具有特別效益。一九九七年，國家醫藥圖書館提供的館際借書有四十萬六千八百四十六冊，而大學圖書館外借第一名的明尼蘇達大學（University of Minnesota）則借出二十六萬四千零九十二冊，國會圖書館卻只借出了二萬二千四百零八冊，與奧克拉荷馬州立大學（Oklahoma State University）的館際外借量一樣。

在一九四〇年代，圖書館開始編纂《全國聯合目錄》（*National Union Catalog*）時，已經收錄了北美一千一百多家圖書館的藏書。現今由於有了線上檔案，這個資料就再也沒有更新過，許多圖書館都認為國會圖書館已經不再重視一般的圖書編目。位於俄亥俄州都柏林市的國際圖書館電腦中心（Online Computer Library Center, OCLC；或譯作線上電腦化圖書館中心）提供了「不太準確」的圖書目錄（意思是其編輯目錄的部分來源不夠精確），但即使如此也比國會圖書館的編目更為全面一些。

有些人擔心國家數位圖書館和此類備受矚目的活動，會瓜分圖書館對傳統收藏的資源。例如，來自AT&T價值三千五百萬美元的捐贈，被用在將亞歷山大．葛拉罕．貝爾（Alexander Graham Bell）[201]和山繆．摩斯（Samuel F.B. Morse）[202]的收藏數位化，毫無疑問會是電信業者所樂見。但是，貝爾和摩斯就應該享有數位化的優先權嗎？

國會圖書館的重量級資金籌募，也會阻礙了國內其他必須依賴民間捐助才能穩健發展的研究型圖書館的資金籌募。就像其他機構的圖書館館長們所看到的那樣，國會圖書館以不公平的方式爭取捐贈者，並提供這些捐贈者與政治領袖們而不是大學校長們一起喝葡萄酒、吃乳酪的機會。更過分

201 一八四七—一九二二年，美國人，一般被認爲是一八七六年有線電話的發明者。

202 一七九一—一八七二年，美國畫家，一八三五年發明了摩斯密碼（Morse Code），成爲電報的原型。

地是，一旦民間部門捐贈到位，國會自動減少撥給圖書館的經費。

有時與國內其他研究型圖書館館長聊起國會圖書館的話題，他們的表情似乎都會帶著無奈。國會圖書館的競爭對手說：國會圖書館不是我們的國家圖書館，我們沒有國家圖書館。他們批評比林頓那個自作主張的包羅萬象的使命，他的「國家」數位圖書館計畫，感覺像是偷偷地在圖書館的頭上安上「國家」兩個字。

評論家們認為，對於國會圖書館而言，一個更好的辦法就是對大學圖書館做出讓步，並讓大家一起承擔國會圖書館的使命。在此一方案下，不同領域的研究型圖書館分別對各自的專業領域負責。在相互網路鏈結的情況下，可以共同建立一個包羅萬象的完整體系。

大英圖書館的首席執行長布萊恩．朗（Brian Lang）說，建立國家圖書館的觀念已經過時了，未來的圖書館「不會再收納任何出版品。而這一概念上的圖書館員，也不再是採購和收集圖書的人員，他們應該是能夠幫助研究者找到一種資訊所在的位置，並協助其獲得這些資訊的人」。在這一背景下，最高級的圖書館將不再是擁有最多出版品的地方，而是擁有最佳、易於網路檢索卡片目錄的地方，也有可能是擁有充裕民間資金的地方。朗在一九九八年提出要向大英圖書館的用戶們收取每年三百英鎊的昂貴費用時，許多人感到相當震驚。《泰晤士報文學副刊》（*Times Literary Supplement*）報導說：「由於厭倦了總是要從大眾的錢包裡籌錢，朗先生終於決定要將其商業化。」

圖書館之間的網路鏈結不僅整合了它們的資源，也提供規模經濟降低成本的機會，但同時也陷入了另一種特殊困境。每個資訊中心都必須維持其自身收藏的品質，許多優秀的專業收藏都在大學裡，而大學的管理者對於經營圖書館的費用卻相當窘迫，當地民眾不會願意花錢維持一家供全國專家使用的專業圖書館。這是個需要做全面考慮的問題。然而，如果每家圖書館只負責自己專業領域的事情，而這又該是由誰來決定的呢？

雖然非圖書館學家會更致力於現代圖書館的活動，但專業圖書館基本上是不願意由比林頓這樣的歷史學家而非圖書館學家，來決定他們的未來。不過，坎貝爾就是個來自民間部門、未受過專業訓練的非圖書館學家。她原本是亞瑟．楊公司（Arthur Young & Company）的高級主管，後來任商務系統整合諮詢公司（QueTel Corporation）的副總裁。而現在的工作，套用她自己的話說，是個造雨人，而不是研究學者。她麾下的工作人員已經超過一百人，基本上都是新人。

直到二〇〇一年，尚未有正式決策來維持國家數位圖書館計畫的進行。坎貝爾顯然是在準備一個她自認為可以成功的案例，她拉出了一個「自誇清單」（在她的清單中，引述了《紐約時報》網路版《資訊週報》〔*CyberTimes*〕對國會圖書館網頁的評價——「不可思議」）。用她的話說，這個列表「有明顯的理由使人們相信，我們正在做的事情已經獲得全國的認同」。

她說，這一數位圖書館可以激勵館內的其他人把更多資料放到網上，整座圖書館的工作人員都被遊說著把他們的收藏製成數位形式。

科爾對這個包羅萬象的新象徵，評論道：「如果你能獲得支持，就能把事情做好。」

比大火還悲慘的命運

刻寫在泥版上的古老文書是沒有題目的，讀者或者收藏者必須根據文本的頭幾行來確定其內容。隨之而來的中世紀時代，依照神聖的順序來排列目錄，一開始先是《聖經》，然後才是世俗的文獻。關於聖徒的著作則按照日曆的順序排列，此種方法讓人們容易依照聖徒的忌日找到相應的書來讀。在若干世紀中，圖書館員依照書籍的大小，或者它們來到圖書館的時間為序，來排列圖書。而書架、書櫃這些我們習以為常的物品，也是在之後逐漸發展而來的。古時候的圖書管理人員會將泥版文字塞進蘆葦編的筐子裡，再放置在寺廟的儲藏室中；而把紙草卷著放入木頭箱子和罐子裡。在十三世紀晚期之前，圖書都不曾從這些容器中取出，放到專門的書架上。*

不過，著作的外觀自四世紀起就一直流存至今，不曾改變：即書籍的基本形式，是用兩張硬紙板將書頁裝幀成冊。此種從紙草卷到書籍的形式轉變，無疑地是由圖書管理人員所完成的。而這樣的作業只要做過一次，書籍基本形式就被固定下來，且仍然毫無變動地延續了將近一千五百年。即使到了古騰堡有所革新，也並未改變這一裝幀方式。查理曼大帝（King Charlemagne）時代聖奧古斯丁（St. Augustine）所著的《上帝之城》（*The City of God*）與《珍芳達健美講座》（*Jane Fonda's Workout Book*）在外觀上，並沒有多大差別。二十年前，絕大部分的人不會去思考書籍的外觀可能會有大幅改變。就像今日的我們，在把一本書放到床頭櫃上、打開電燈之前，我們也不曾想到過三千年前人們是如何捲一個四十公尺長的紙莎草卷軸。

然而，如今改變愈來愈快了。我們有時會從電腦螢幕上查找，以回憶起所有我們曾經在紙上閱讀到的事物——或者尋找上週的軟體程式還無法而此刻正在做的事情。而我們曾經認為理所當然的書籍版面等各部分，以及印刷字體，現今也被拿到桌面上來討論了。其中也包括圖書館。

圖書館員們之間的爭論是熱情且充滿希望，還經常是瘋狂的。而且，很有可能就像一位IBM的行政主管所指出的那樣，總有一天國會圖書館的所有藏書，都將被裝進一張一分硬幣大小的光碟中。「如果所有現存的文本、手稿或者出版品，都被數位化了，」書籍史家羅傑·夏提埃（Roger Chartier）說道，「那麼要取得包羅萬象的文字遺產，也是有可能的了。」但是，沒有人能夠確定這將會如何發生。

「在大多數學生和老師的想像中，未來獲得全面廣泛資訊的途徑，應該是透過單一、多功能的工作站，來與所有可能的媒介相通。」布朗大學（Brown University）負責學術規劃和管理的副校長布萊恩·霍金斯（Brian L. Hawkins）如此評述。但是「對我們該如何實現這一夢想，以及如何從此岸到彼岸，尚未有人做出任何規劃或者預見」。

許多保守的傳統人士擔心我們與電腦過度密切接觸，會毀掉書籍。「向來沒有一種被發明出來

＊同樣地，書的內部組成部分也發展得相當緩慢。當僧侶們在潮濕陰冷的抄書室工作時，他們把文字連續書寫不加標點符號。連續的頁碼、目錄和索引，在十六世紀以前都是不常見的內容。到了十六世紀，隨著印刷技術發展到更高水準，而身處大量書籍中的讀者們也希望把閱讀變得更加容易的時候，這些書籍元素才變得更加常見。

解決問題的技術，最後不變成問題本身的一部分的。」丹尼爾·布爾斯汀說。布爾斯汀是比林頓的前任，是一位歷史學家，其把職業生涯的一部分投注在譴責寧願製作華而不實的作品，而不注重獨創思想的「圖像革命」（graphic revolution）上。

只要仔細瀏覽過國家數位圖書館，幾乎都可以發現其多半都是圖片，卻只有少量的書籍。據圖書館公關部門說，在一九九九年早期，線上只有三百八十八本完整的書。在這些「書」中，《對待勞工的不公平立法》（*Legislative Wrongs to Labor*）有十六頁，而《黃金之地》（*The Land of Gold*）有三百頁。學者們可以仔細閱讀惠特曼的筆記本，或者「點擊」喬治·華盛頓的文章，也可以透過瀏覽布萊迪（Brady）的照片獲得想法。但是，透過數位圖書館進行原創性研究的可能性，則是受限制的。

尚無法確定數位圖書館究竟能載入多少資源。除了技術障礙之外，還有版權問題。仍擁有版權的作者會阻礙電子版的製作，因為他們很清楚如此一來，人們不須花錢就能很輕易地獲得這些書。與圖書館所推廣的相反，數位圖書館事實上無法激起年輕人對知識的渴望，也無法鼓勵他們徜徉在真實的書籍之間。美國研究圖書館學會的杜安·韋伯斯特說：「我們發現到，一旦圖書館自動化了，學生們就只用自動化的那一部分。」

我們如何得知技術將把我們帶向何處呢？一九九九年，鮑德斯集團投資了一家高科技公司，其裝備使鮑德斯在自己的書店中就能印製優質的平裝書，顧客們可以立即取得已經絕版的經典作品。其競爭對手邦諾的發言人，告訴我們與電腦相關的傳統印刷書籍，是他們的「最佳暢銷書」。我們曾經說過，我們這個受電腦驅動的社會，正在使用更多而不是更少的紙，一九八〇年美國用於印刷和書寫的紙張消耗量是一千六百萬噸，十年後上漲到了兩千五百萬噸。另一方面，新聞報導一說，有家非營利公司的古騰堡計畫（Project Gutenberg），正在把《失樂園》和一千多種公共版權的作品數位化，使這些書可以在一種被稱為火箭電子書（Rocket eBook）的可攜式電子書閱讀器上閱讀，這一裝置在一九九八年時要價五百美元。文學評論家告訴我們，詩集是沒有未來的，電腦要的是速度而不是深度。作為證明，只要看看平常我們在寫電子郵件時，所使用的語法和標點就知道了——許多火星文我們是不會把它用在書面文字上的。

圖書館員無法決定是否讓出版社停止出版紙本書籍，他們所能夠決定的是，無論何種形式的出版材質都必須繼續存在。但這種責任令人感到無力。透過電話或是在比林頓他那間可以在暮色中看到傑佛遜大樓圓屋頂的辦公室採訪時，他所說的話就彷彿是漂搖在激浪中一艘逆風而行的帆船。

- 具選擇性並不意味我們減少了包羅萬象的豐富性，如果你能明白我的意思。圖書館必須為其存在提供正當的理由，所以必須收藏所有重要的事物。
- 我認為最重要的事情，是我們不排除任何類別。
- 我一直擔心拿人類的記憶與上帝較量這個問題。沒有什麼比保持多樣性、豐富性，以及過去、現在和未來的存在中未實現的可能性，更加重要的了。

在書籍歷史中的一個重大事件，就是在西元前四十八年燒毀了整座亞歷山大圖書館的大火。但實際上那個故事是個誤傳，當時只有圖書館的一部分毀於火災。在亞歷山大港的肇事者比起大火要糟糕得多，而且提供了一個具影響力的教訓。從某個角度而言，亞歷山大人只是停止了看護他們的圖書。有一個傳說，或許不見得比那場毀滅性大火的傳說更準確，據說亞歷山大的市民們也依賴燒書來取暖。

從那個時候起，集中精力保護圖書的需要就不曾改變過，但是方式必須有所改變。過量且差異不大的資訊，就像被燒成灰燼的圖書一樣沒有價值。必須有人來做選擇，而圖書館員們比其他任何人都更勝任這一職責。若干世紀以來，他們已經受盡了沒有地位的苦楚。卡薩諾瓦在杜克斯堡的領主約瑟夫．查爾斯．德．瓦爾登斯坦伯爵（Count Joseph Charles de Waldenstein）手下，擔任圖書管理員時，度過了很鬱悶的十三年。他感到無聊，而且如他所見，不斷地受到侮辱。在眾多事情中，他抱怨說必須和苦力們一起在佣人餐廳裡吃飯。為了獲得內心的平靜，他寫出了那本著名的回憶錄。在未來的日子裡，圖書館館長會和皇室人員坐在一起。安東尼．史密斯（Anthony Smith）在二十年前一本關於資訊技術的書中，即預期了他們地位的提高。他評論說，圖書館館長「現在成了另種類型的作家」。

此時，回到國會圖書館的麥迪遜大樓，我正要離開羅莉塔．希爾瓦的工作區，並凝視著那個裝滿了書籍的手推車，這台推車中的書所其命運是永久保存。其中，有一本IBM的手冊，我本以為希爾瓦會拒絕收藏。「這本書怎麼樣？」我問。她看了看那本書，說：「顯然是一個心不在焉的工作人員把它放錯了手推車。」希爾瓦毫不猶豫地把那本手冊扔到了它應該去的地方，從推車中「出局」。

附錄 A
圖書推銷：
一項基於我們本性的事業

這裡顯示了本書有一個附錄。

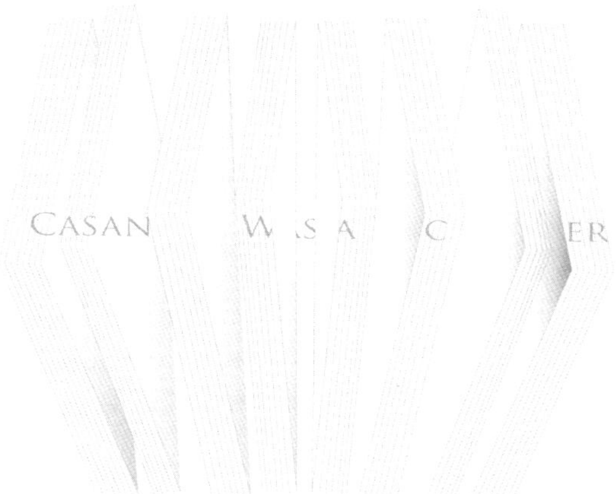

沒有任何事物能像附錄一樣，為一本書賦予如此的分量和尊嚴。

——希羅多德*

娛樂泰斗巴納姆（P. T. Barnum）[203]為了吸引人們參觀由他所創辦位於紐約的美國博物館（American Museum），其不僅主辦了「美國最優雅女士」的選美競賽（他在一家畫廊張貼以達蓋爾照相術〔即銀版攝影術〕呈現的照片），並且在百老匯大街掛了一排星條旗慶祝七月四日國慶，又在當地報紙發表許多故事為他來自斐濟的美人魚展覽預熱（它的外型就像日本漁夫把猴子的上半身和魚的下半截尾巴拼湊一起）。「我在報紙上發表了整個專欄，為我所建立的奇觀開路。」他說。

他在《巴納姆自傳》（*The Life of P.T. Barnum, Written by Himself*）一書中，透露了他的促銷全攻略。為了獲得更多讀者，他把書放在公共場所讓別人可以無限再版，這會為他帶來更多的矚目。「這是一個貿易世界，」他寫道，「男人、女人和孩子們都無法在地球上獨自存在，都需要一些事物來滿足他們更加快樂、輕鬆的情緒和時光，而滿足了此種需要的人，就是在從事一項由我們天生的創造者所開創的生意。」

這位馬戲大師的精神，延續到了今天。在最近一次美國暢銷書聯合會上，透納（Turner）出版社即發送注射針頭形狀的圓珠筆，來吸引人們對《第四級病毒：一對病毒學家與致命病毒的戰爭》（*Level Four: Virus Hunters of the C.D.C.*）一書的關注，這是一本談論疾病管制中心的書。另一家出版

---

* 轉引自馬克・吐溫的《浪跡海外》（*A Tramp Abroad*）。

203 全名Phineas Taylor Barnum（一八一〇—一八九一年），他可以算具原創性善於製造奇觀的表演大師。不管是真實的演出，或者是奇特的偽裝，他的表演總能吸引觀眾，造成轟動。他在二十五歲時曾經偽裝成喬治・華盛頓一百六十一歲高齡的護士，竟然真的吸引大批觀眾前來參觀並信服；本書隨後提到的斐濟美人魚展覽就是一八四二年他接管美國博物館之後策劃的一次假美人魚木乃伊的展覽。

社——美國皇冠出版社，則在飛機維修棚廠為茱蒂·珂琳絲（Judith Krantz）的《回首夢已遠》（*Till We Meet Again*）舉辦新書發表會。

就像馬戲團一樣，書籍也必須依賴促銷方法來推廣。除了學校的指定閱讀，大部分的閱讀都是自發性的。人們必須購買麵包，但他們會選擇——或者在具說服力的刺激之下選擇——購買書籍。這就是為什麼商店會把雜誌和言情小說，放在結帳處並緊鄰著糖果。店家老闆希望當你在排隊等候為麵包付帳時，擺在櫃檯的雜誌會讓你有衝動想知道為什麼雪兒（Cher）不想有比利·葛里翰（Billy Graham，中文名葛培理）的孩子，或者當你一眼看到一本言情小說封面上相擁的情侶，就順便把這本書放進購物籃裡。

也像馬戲團一樣，圖書在很大程度上以娛樂為目的。就像那些來自斐濟的組裝美人魚一樣，圖書也把自己交給所有天花亂墜的廣告噱頭。

事情總是如此，圖書一旦面市，圖書的銷售就開始了。目前所使用的大多數銷售策略，其實都可說是舊瓶新裝。

下面就是一些範例：

當年，馬修·凱瑞（Matthew Carey），一個曾經在事業上得到班傑明·富蘭克林鼓勵的出版人，他有一名員工叫梅森·洛克·威姆斯（Mason Locke Weems）。威姆斯為了推廣他為砍櫻桃樹的喬治·華盛頓所寫的傳記，以及凱瑞出版的其他作家的書籍，曾經「不顧狂風暴雪、蚊蟲叮咬、洪水氾濫和身心疲憊」地四處旅行（在路上仍持續寫作），這是范·維克·布魯克斯（Van Wyck

Brooks）的書中記載的內容。威姆斯直到一八二五年去世之前，一直都在賣書。

如今，作者們雖然對巡迴書展有所怨言，但是只要出版社付錢——或者有任何要付錢的意思，他們還是會上路。經驗豐富的出版人克拉克森・波特（Clarkson Potter）說有些作家，「認為自我推銷是一種降低身分的行為……不幸地是，作家們這種感覺是不對的。你必須販售你自己。」

當年，赫爾曼・梅爾維爾在《大騙子》（*The Confidence-Man*）一書中的故事，以這樣的句子開頭：「在四月的第一個日出，就像的的喀喀湖（Lake Titicaca）上的曼可・卡帕克（Manco Capac）一樣，那裡突然有一個身穿米色衣服的男人出現在聖路易斯城的水邊。」由於意識到伴隨著適當時機所具有的宣傳效果，這本書在四月一日愚人節那天發表上市。

如今，愈來愈精明的作家們找到了其他日程，來為他們提供有利的促銷。同時，關注日期還可避免負面宣傳效果。約翰・歐哈拉（John O'Hara）要求出版社把他的書的上市日期定在感恩節，因為那天《紐約時報》書評人奧維爾・普里斯考特（Orville Prescott）休假，而普里斯考特不喜歡歐哈拉的書。與此同時，作家們也在尋找週年紀念文學的機會，例如做成千禧年圖書。一九九八年年底，《現刊書目》粗略列舉了七十五本以千禧年為主題的書籍。在一九九九年中，亞馬遜網路書店的網站銷售規劃副總經理瑪麗・莫洛斯（Mary Morouse）告訴《出版人週刊》：「我們有一個千禧年專賣。」這時是煙火大會前的六個月。

當年，就在世紀之交前，一家出版社宣傳說他們在百貨公司販售的書籍中，有一本夾了一張一百美元的鈔票，消息發布後的第一天，那家百貨公司所有的書都被搶購一空。

同時，湯瑪斯·查斯汀（Thomas Chastain）寫了一本關於八個未破謀殺案的懸疑小說，比爾·艾德勒（Bill Adler），一個構思行銷策略的書籍包裝業者，也為這本書構思了一套促銷方案。在《誰殺害了羅賓一家？》（*Who Killed the Robins Family?*）的封面上，有這樣一個橫幅廣告：「這件案子的破案獎金是一萬美元，那將是你的！」一丹佛市的四對夫婦贏得了獎金。這本書也上了《紐約時報》的暢銷榜。提供獎金的艾德勒與查斯汀共享著作權，並且平分版稅。

如今，就像奧莉薇·葛斯密那本描繪寫作行業眾生相的《暢銷書》裡，所寫的情況一樣，哈潑柯林斯承諾，誰提交上來未出版過作品的「一頁大綱和三十頁原創小說中的內容」是最好的，就和誰簽合約。他們收到了七千份作品。最後的勝利者是達利·拉賓諾維奇（Dalia Rabinovich）的《芙羅拉的手提箱》（*Flora's Suitcase*），這本書在一九九八年出版。

當年，生性招搖的法國小說家科萊特（Colette），曾經全裸地從一個大蛋糕中蹦出來。

如今，前搖滾評論人伊莉莎白·渥茲（Elizabeth Wurtzel）赤身露體地出現在她那本《BITCH》（*Bitch: In Praise of Difficult Women*）的封面上。

老早以前，劇作家理查·謝雷登（Richard Sheridan）寫了一部喜劇《評論家》（*The Critic*），其中的角色帕夫（Puff）講述了最新的書籍宣傳策略。這些策略之一，就是讓一位評論家故作憤怒之態評論一部作品說：「太過熱衷於描繪女性的敏感部位。」帕夫說，「如此一來，眼前就會出現兩種刺激：——第一，每個人都不應該去讀它；——第二，每個人都會去買它。」

如今，瑪丹娜（Madonna）的《性》（*Sex*）寫真集以鍍銀塑膠套包覆，上面印著「警告！限成年人！」這種不負責任的聲明可以獲得「禁果」效應，使得人們更想看看裡面到底是些什麼。

當年，一九二〇年代，高貴的阿佛烈・克諾夫利用掛在身上的看板來宣傳書籍。

如今，丹妮爾・斯蒂用她的網站（http://www.daniellesteel.com）告訴你，她即將展開的婚姻生活，向你展示她的寵物和古董車的照片，以及講述她為小孩子們所做的那些令人著迷的細節（他們喜歡她的法國吐司和炒雞蛋）。

當年，以《小婦人》（*Little Women*）一書成名的露易莎・梅・奧爾科特（Louisa May Alcott）非常在意讀者的忠誠，她寫作那些令人愉快的兒童書時，會使用自己的真實姓名。但是，在撰寫諸如《波琳的情欲與懲罰，不可告人的祕密》（*Pauline's Passion and Punishment, Skeleton in the Closet*）這樣的書，和其他關於易裝癖、吸毒、女權運動之類的作品時，就會使用筆名巴納德（A. M. Barnard）。

如今，史蒂芬・金在解釋他使用理查・巴克曼（Richard Bachman）筆名創作小說時，總是含糊其辭，最終他還是承認了，因為出版社認為他的名字「在市場上已經飽和了」。作為一名多產作家，金很快就會到達市場的飽和點。他創作小說《奔跑的男人》（*The Running Man*，電影「魔鬼阿諾」）時，只用了七十二個小時。巴克曼在一九八五年死於「虛構的癌症」，但是在巴克曼去世多年後，其《調整者》（*The Regulators*）一書以「遺作」之姿出現在世人面前。

當年，在十九世紀中期，阿貝・賈克—保羅・米涅（Abbé Jacques-Paul Migne）在三十年間，平均每十天就出版一本宗教書籍，而且他還擁有至少十份報紙，其中一份就是今天的《世界報》（*Le Monde*）。因為急於促銷他的《神職人員書目大全》（*Bibliothèque universelle du clergé*），他透過別人的嘴巴來發表吹捧此書的廣告。「價格合理的傑作。」巴黎大主教如此說道。*

如今，《紐約時報》的羅素・貝克（Russell Baker）讚譽同樣屬於《紐約時報》的赫伯特・密特甘（Herbert Mitgang），寫了一本極棒的書。「我輕鬆地讀完了這本《蒙托克斷層》（*The Montauk Fault*）……就像是在讀下個星期的報紙。」而密特甘看完貝克的《這就是墮落》（*So This Is Depravity*）之後，也回報以善意的好評，說貝克是「自馬克・吐溫、孟肯和佩雷爾曼（S.J. Perelman）[204]之後最好的。」

當年，從十九世紀倫敦的文學圈開始，匿名寫作成為一種製造流言蜚語的好途徑，亞歷山大・波普是這群老謀深算行家裡花招最多的一個。為了遵守不應該自行發表個人書信的慣例，波普將其設計成自己的私人書信是在他完全不知情的狀況下被人出版了。然後，他再跳出來大肆譴責（其實他已經拿到版稅了）。他還說未授權的版本是不準確的，而作為一個他自己所謂有榮譽感的人，其有必要出版一個權威版本，並在新版本裡又加進了前一個版本中未發表過的信件。波普其他的花招，還包括收下人家為了阻止他發表作品而給他的錢，然後再用別的辦法把作品出版了。一位研究其作品的學者說，這位作家是「英國文學史上公認最徹底的偽君子之一」。

如今，新聞記者喬．克萊（Joe Klein）「匿名」寫作了《三原色》（*Primary Colors*）一書，而當他的好友向他打探，遭他斷然嚴厲否認其作者身分。這引起了人們對這本書繼承權的廣泛猜測（主要是引起讀者和銷售者的興趣）。「我希望人們評論的是這本書，而不是作者，」他解釋著，並接著說，「我覺得我已經在商業方面受益太多了。」不過，最終他還是承認他撒謊了（這也造成更大的廣告效應），他還說他打算繼續「匿名」寫作（這也意味著，他可以把那些不是他寫的作品也都歸入其名下了）。如果波普還活著，他會捶胸頓足地自責：「我怎麼會沒想到這一招呢？」

不過，在當年和現在之間還是有區別的。有人可能會說這些區別是社會背景上的差異，但即使僅就社會背景來看其差距即已相當大。

當年，行銷是一種新觀念，嘗試者多半是些天生鬼點子多的人，而主流出版社則認為大多數的廣告表現很粗魯，因而鄙視此種行銷觀念。書籍史學家約翰．特貝爾（John Tebbel）曾提到過，「把

* 出身自布匹商人家庭的老好人阿貝，也販售風琴、十字架基座，以及宗教畫和塑像。他還經營許多非法生意，他的印刷車間裡就有一間錢莊。

204 一九〇四—一九七九年，美國作家，以其發表在《紐約客》上的諷刺文章聞名。

《草葉集》描述為『一朵雛菊——你永遠不會忘懷』的廣告文案被解雇了」。而一八八五年《紐約時報》上的一篇社論說：「作家們經常抱怨他們的書無法大賣，他們似乎也不明白這種令人不愉快的情況，是何種原因造成的。原因顯而易見，出版社們並未真正理解何謂廣告藝術……他們僅滿足於『靠書籍本身的價值』來銷售。」書籍「簡介」這個名詞，在一九二〇年代以前幾乎不曾被使用過。

如今，眾多出版社均積極投入市場行銷，而其餘的儘管有些謹慎保守，但也都開始擔心如果他們還不把書籍向大眾廣為宣傳，就會被從架上擠了下來。出版業已經成了一種競爭激烈的大生意，現今投入這一行業的所有人，比其他任何時候都更加關心他們的產品從離開生產線到進入消費者手中的這一環節。

附錄B
自助出版：美國夢

✍

現在有兩個附錄了，顯示本書更加有分量了。

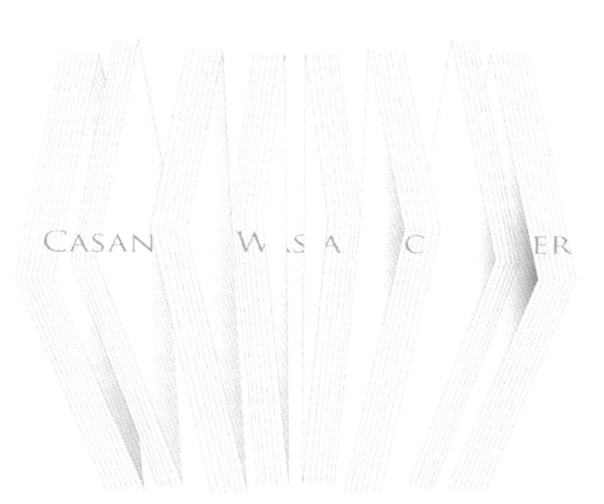

自助出版是美國夢的一種完美證明。

——瑪莉蓮和湯姆・羅斯

自助出版倡導者——瑪莉蓮（Marilyn）和湯姆．羅斯（Tom Ross），自以為是地對那些為了出版自己的作品，而轉向自費印刷書籍出版社的作家嗤之以鼻。他們認為這是一種「滿足自我」的懦弱方式，其實自助出版（self-publishing）和自費出版（vanity publishing）有很多的共同點。兩者都必須花錢請人印刷和促銷，兩者都提供等量的所謂「永垂不朽的名聲」，這是一九五〇年代一位自費出版者所說的，而且兩者都在尋找一個更委婉的措辭來敘述這一作業模式。自費出版自稱是出版「津貼」；自助出版則更樂意說自己是「獨立」出版人。當然，其中一個很大的差異是，自費出版時對方可以拒絕你；若是自助出版，你是否會拒絕自己的書出版，那就不得而知了。還有另一個極大差別是，在自助出版中必須堅持賺錢的立場，這是達成自以為是的美國夢的不二法門。

很難說明究竟有多少人想依賴這個夢想賺錢，所知的是這個數量不小，而且正在成長中。鮑克公司（R. R. Bowker）是國際標準書號（International Standard Book Numbers, ISBN）在美國的國際註冊中心。據負責鮑克公司 ISBN 代理處的唐．萊斯柏（Don Riseborough）表示，一九六八至一九七八年，他們編訂了九千八百六十三個出版者的前綴號（Publisher Prefix，即群體識別號和出版者號碼加在一起；為出版機構在國際上通用的身分識別號）。到了二十年後的一九九八年，他們已經編訂了十一萬二千四百四十五個。一些大型出版社可能擁有多個出版者識別號，例如要使用不同的出版名稱時，但大多都是在短時間內、有限範圍的營業運作。萊斯柏表示，在美國僅一九九八年一年就有八千一百家新出版社出現，其中的百分之九十五都是諸如喬．布萊克那樣，除了出版自己的書之外沒有其他任何人的書。即使如此，還是有許多漏網之魚，因為 ISBN 代號只用於在書店中銷售的圖書，許多自助出版者的書根本不進書店，這些小型出版者通常也不願意費心到《現刊書目》去登記他們的產品。不過，美國在一九九八年還是有六萬兩千家出版社到《現刊書目》登記註冊了他們的書名。「我今天收到了三封電子郵件。」萊斯柏指的是對取得為ISBN代號有興趣的自助出版者提交的申請，而那個下午只有三封。*

現今的自助出版者不同於富蘭克林時代的自助出版者。富蘭克林瞭解出版事業；他們不瞭解，取而代之的是轉向尋求羅斯夫婦之類的協助。羅斯夫婦開辦了一家名為「關於書籍有限公司」（About Books, Incorporated），「一個寫作、出版和行銷的諮詢服務公司」。他們還開辦了SPAN，全稱為北美小型出版商協會（Small Publishers Association of North America），有一千一百個會員，每年召開例會。在他們的刊物《Span通訊》（*Span Connection*）上登廣告的客戶，有書籍封面設計、印刷廠、書籍策展公司、圖書發行人、圖書排版公司、廣告商、版權代理、編輯——任何一種你在出版自己的書籍時，個人所做不了的事情。

這些顧問對於任何促銷活動都不會感到不安。「與媽媽經常教育我們的相反，」羅斯夫婦在《自助出版完全手冊》中建議，「你必須成為一個善於自吹自擂的人。」另一位自助出版顧問傑羅德．詹金斯（Jerrold Jenkins）也持相同看法，他是《暢銷書內幕》（*Inside the Best Sellers*）和《從出版開始就高人一籌》（*Publish to Win: Smart Strategies to Sell More Books*）這兩本書的共同作者（他把另外那個共同作者——職業作家——的名字用很小的字體列印）。詹金斯時時刻刻都在尋找機會推銷他的產品，他對我說要送給我一本他的新書，因為我在我們的電話談話中，說他在自助出版的顧問書籍世界中創造了一個「迷你帝國」。

在演講完後轉身至講堂後方賣書的促銷方式之外，自助出版者們把巡迴書展也變得更有創意。《1001愛情金鑰匙》（*1001 Ways to Be Romantic*）一書的作者及自助出版者格雷葛瑞．柯戴（**Gregory J. P. Godek**），把一輛娛樂彩車的全車身都畫上彩繪，然後開著它去參加圖書交易會，並在那裡分發長莖玫瑰促銷圖書而眾所周知。《心靈雞湯》（*Chicken Soup for the Soul*）一書共同靈感兼共同作者的馬克．維克托．韓森（Mark Victor Hansen），將其稱為「繞過推銷的捷徑」。讀者們可以在他關於麵包店和美甲店的「心靈雞湯」故事中，找到這個說法。

羅斯夫婦和詹金斯經常會提到馬克．吐溫及其他作家兼出版人。他們想要傳達的訊息是，這些值得尊敬的作家們能夠透過出版賺錢，同樣地你也能。然而，實際上並不如此。首先，馬克．吐溫出版自己的書，同時也出版別人的書；其次，他因此破產了。「地獄的巨浪已經把我掀翻。」他如此說完之後便宣布破產，如此做的用意是為了避免讓買賣分散了他對寫作的專心程度。除此之外，還有許多的自助出版者，比如賀瑞斯．沃波爾（Horace Walpole），他出版自己的書是為了顯示他不重視商業利潤。

詹金斯的「迷你帝國」（我再次提到了這個詞）中，有一份雜誌名為《獨立出版人》（*Independent Publisher*），按照這份雜誌上的判斷，所有的自助出版書籍都是優秀的。在一個月內，

---

* 萊斯柏也提供網址給想爲自己的書註冊的自助出版者，網址爲 www.isbn.org/。

該雜誌隨意挑選了一百一十七本進行評論，每一則評論都是一份品質保證書。不過在我們的談話中，詹金斯有點委婉地承認，並不是所有人的原創性想法都值得寫成書。瑪莉蓮．羅斯則說得更清楚明白些：「這些書裡，有一些根本就不應該出版。」

儘管如此，傳統商業出版社在發現到一本成功的自助出版書籍時，也會購其版權重新出版，如此可以把商業出版社的風險降低到最小。例如，羅斯夫婦出版了他們的《自助出版完全手冊》之後，現在交由讀者文摘出版社（Writers Digest Books）重新出版。

保羅．理查茲．伊凡斯（Paul Richards Evans）的《聖誕禮物》（*Christmas Box*），已經成了自助出版行業中成功的美國夢典範。作為一名摩門教的廣告經理，伊凡斯為他的孩子們寫了這本書，由於廣受好評，伊凡斯就把這本書投稿到出版社尋求出版，不過被拒絕了。於是，他索性把主動權掌握在自己手裡，這本八十七頁的故事書印了八千冊，並且發送到猶他州的書店販售。售罄之後，他又再版了更多。當本書上了暢銷榜之後，賽門舒斯特出資四百二十萬美元買下這本書的版權，加入其公司的出版計畫。一方面是認為這本書可以年復一年地出版，另一方面則考慮到伊凡斯會成為一個具競爭力的自助出版倡導者。伊凡斯保留了與他通信的讀者的名字和地址，當他出版新書的時候，這些讀者就會收到新書資訊。現在這些書也由賽門舒斯特出版。

這個例子說明了，一個自助出版者最終得到的最好結果，就是擺脫出版事務——然而仍堅持自我行銷。

附錄C
關於編輯錯誤的四大疏失

一名醫生可以錯誤地割取一個闌尾，

但是一名作者永遠不能錯誤地放入一個附錄。[205]

我反對出版社：他們為我所做的服務之一，就是教導我不要跟他們合作。
他們既不是好的生意人，對文學也沒有正確的判斷，
卻要把商業上的惡劣行徑和他們的附庸風雅結合一起。
在一本書的生產過程中只需要一名作家和一個書商，
不需要中間的寄生蟲。

——蕭伯納

錯誤，就像稻草一樣，總是漂浮在表面上；
想尋找珍珠的人必須潛入水底。

——約翰·德萊頓，《一切為了愛》

我的第一本書剛從印刷廠出爐時，我的太太、小兒子、還有我，一起前往出版社去取樣書。在編輯工作的最後一步，我曾經仔細地、一頁一頁地、檢查再檢查校稿上的錯誤，我還曾經把它們交給我目光銳利的母親閱讀。但是，從出版社出來在回程的路途上，我坐在汽車後座，隨意地從中間翻開書，想要好好地欣賞一下我的辛苦結晶。我讀到的第一個句子裡就有個拼寫錯誤，我想我最好不要再繼續讀下去了。我清楚地記得，那天中午回到家後，我就直接上床，像那些遭到拒絕的人一樣沮喪地昏昏睡去。

那次的經驗和其他一些類似情況，都來自於一種對聖經占卜的虔誠信念，即隨意翻開《聖經》其中一頁，從中尋求上帝所欲對你顯示的智慧啟示。「當那本最終成書，或者更好地、捆紮好一整箱成書送到我門前的一剎那，就是鬥牛中的最後一劍，是幸福的巔峰時刻，」約翰．厄普戴克如此寫道，「但是，這種幸福在發現第一個印刷錯誤之前，最多只能持續五分鐘。」

隨著時間推移，我後來又寫了其他本書，我就愈來愈清楚地明白了：書籍上的錯誤，就像神諭一樣，並不總是它一開始看到的那樣。如果我們仔細注意，它們就會愈來愈多地把自己顯示給我們。我並不是說我們要歡迎書上的錯誤，我們應該避免它們，不過要想有效地避免，就要求我們必須更加瞭解地它們。這就是這部分附錄的目的，啪地一下打開書，從錯誤中尋找珍寶。

205 英文中「闌尾」和「附錄」都是同一個詞「appendix」。

第一大疏失：糟糕的編輯工作是個新問題

「從前，作家們寫作，編輯們編書，」雅各．衛斯伯格（Jacob Weisberg），在他一九九一年一篇獲得普遍認同的文章中如此表示，「如今大多數作家仍然在寫作，但是大多數編輯卻不怎麼注重編輯了。」隨意的編輯、漫不經心的檢閱、草率的書籍設計，還有滿是錯誤的促銷樣書，這些都是作者們的普遍抱怨。

評論家說，那些大型出版社只是無情地想著要提高利潤。據《紐約時報》的多琳．卡瓦加爾報導，一九九〇年代，紐約出版業的職位——主要是編輯——被縮編了百分之十六，「然而與此同時，」她還評論道，「美國圖書出版的數量卻與日俱增。」還有評論者補充說明，而那些留存的編輯們，也不再把注意力集中在為作家提高文字水準上了。「說句實在話，現在已經沒有什麼出版社關心編輯的能力了，」《華盛頓郵報》的評論家強納森．葉爾德里表示，「他們更多地是把編輯當作採購專家，而非修改和校訂的專業人士。」

這些觀察或許是實情，但是簡單追溯一下歷史，就會知道這種糟糕的編輯工作正是正常情況。有些牢騷針對的是出版社把書倉促付印，其實現今沒幾本書會像當年的《簡愛》（*Jane Eyre*）那麼快就被送去印刷的。夏洛特．勃朗特在一八四七年八月二十四日把書稿送到出版社，同年的十月十六日書就問世了。喬治．艾略特（George Eliot）的《織工馬南傳》（*Silas Marner*）在一八六一年三月十日送出，當月二十五日就已裝訂成書送到了作者手中。在勃朗特的時代，高科技都還沒有被發明出來，無法依靠電腦打字，所有列印排版工作都依賴人工完成。電腦技術的唯一優點，可能就是當出現一個錯誤的時候，更難找出是誰造成的。

此外，現在也沒有書籍會像十六世紀一位修道士所著的《彌撒解析》（*The Anatomy of the Mass*）那樣，來處理書中錯誤。這本只有一百七十二頁的書，由於錯誤太多，使得作者必須附加一份長達十五頁的勘誤表才行。他把錯誤歸咎於是因魔鬼反對這本書的出版所致。還有更慘的是，提摩西·戴思特（Timothy Dexter）在十九世紀早期所著的自傳《精明人的困境》（*A Pickle for the Knowing Ones*），書中一個標點符號都沒有，拼寫也稀奇古怪。為了糾正這些錯誤，戴思特在新的版本中加印了一頁的標點符號：

> 出版精明人這本書的先生們抱怨說由於太快的編輯使得這本書沒有標點我現在弄了一堆放在這裡讓大家可以把它們當胡椒粉或者鹽一樣撒到書裡去
>
> ，，，
>
> ，，，
>
> ，，，

;;

;;

;;

........!!!!!!!!!!!!!!!!!........

........!!!!!!!!!!!!!!!.........

...........!!!!!!!!!!!............

.............!!!!!!!!!..............

.................!.............

....

....

,,

,,

............?????????????..........

............?????????????..........

現在的編輯工作讓人感覺更差了，可能是因為與二十世紀初比較好的那段時期相比的緣故。值得注意的是，那是一個出版社把修改的一部分責任，從作家手中承擔過來的時代。衛斯伯格在其《新共和國》（*New Republic*）一書中說，我們都希望有更多麥斯威爾·柏金斯那樣的傳奇編輯出現。儘管如此，如果我們認為那個時代的編輯都那麼熟練有魄力，並對他們進行讚美，這也是錯誤的。柏金斯的老闆小查爾斯·斯克里布納（Charles Scribner, Jr.）回憶道：「這名編輯在編輯和修改文本的工作中，完全沒有作用，這類細節對他而言毫無意義。結果就是一些書的早期版本，例如費滋傑羅的《大亨小傳》（*The Great Gatsby*）的文本，錯誤百出到令人作嘔的地步。」

第二大疏失：大多數錯誤都是草率的編輯工作造成的

一本書可能出現不同程度的錯誤。編輯在一開始隨意篡改初稿時，就會引入大量錯誤。甚至一本已經印刷好正在裝訂的書籍，都還可能出現疏失，就像發生在《無知》（*Ignorance*）這本書上的事情一樣。它剛好被錯誤地包上了另一本書的封面，而那本書的書名為《知識》（*Knowledge*）。

不過，製造錯誤的罪魁禍首還是作者本身。之所以容易有錯誤，通常都是已經出清樣了，作者此時還要修改。為了減少這種情況的發生，出版社試圖在合約中加入條款，要求在出清樣後還修改作品的作家，必須賠償其作品原始成本的至少百分之十。但是，這也無法阻止許多作家繼續在清樣上胡亂修改。在他們初入此行時，還無法理解這種行為會導致快速的超支；而當他們成了著名作家之後，也不在乎了，因為他們已經吃定了出版社。蕭伯納（George Bernard Shaw）曾經說：「你可以因為我的修改，跟我收取生產總成本的百分之九十五。」蕭伯納的此種執著，在導致出版錯誤上是極其令人恐懼的。

有些作家公開對抗編輯。《沉默的羔羊》（*The Silence of the Lambs*）的作者湯瑪斯．哈里斯（Thomas Harris）就不接受採訪、不為書籍簽名，也不接受編輯的任何建議。喬治．奚孟農的《逃脫》（*L'Evade*）裡的英雄，一開始是尚－皮耶（Jean-Pierre）到結束，就變成了尚－保羅（Jean-Paul）。奚孟農並不認為自己在細節上有這些弱點，反而為每一個逗點的修改都在進行抗爭。為了與編輯妥善協調，他把手稿的影本交給他的編輯，讓他在上面隨意修改；之後他會拿著原稿，對著編輯修改的校稿，再按照自己的意思進行修改。再久遠一點的時代，教宗思道五世（Pope Sixtus V）曾經由於嚴格的限制，而使得事情變得更糟。當年為了確保沒有人會混雜錯誤在他的新版《聖經》中，就預先警告說任何書商再版這本書時，若有出現錯誤一律逐出教會。不幸地是，附有警告的第一版就滿是錯誤。

還有一個例子可以說明作者與任何編輯具有相同的罪責，那是關於一個寫作自行車旅行書籍的簽約作家。那位作家保證書中的路線，都已經由另外一名自行車騎士檢查過了，但事實上根本沒做檢查，然而卻說檢查過了，這是非常惡劣的。因為那名作家有讀寫障礙，他把所有路線的方向都弄混了。

第三大疏失：編輯錯誤使書籍變得更差

是的，我們必須承認有些出版錯誤是致命的。例如，潘恩（Penn）的《在美食中快意人生》（*How to Play With Your Food*），這本書中推介給讀者的用氯化鈷染色的矽膠乾燥劑，後來被查出是一種如果攝入會對健康產生潛在危險的物質。還有一本名為《大蛋糕》（*Great Cakes*）的書，提供給讀者更不幸的資訊，該書告訴讀者鈴蘭可以食用，而且適合作為蛋糕中的添加劑，但實際上一旦誤食鈴蘭是會中毒的。

不過，也有些錯誤對書籍是有加分效果的。艾德加・斯諾那本關於中國共產黨的經典著作，初稿題目為《紅星在中國》（*Red Star in China*），他的經紀人誤植為《紅星照耀中國》（*Red Star Over China*），這下他的書有了一個完美的書名。威廉・布洛斯把他的手稿交給他的朋友艾倫・金斯堡，金斯堡又把手稿的一部分念給另一名朋友傑克・凱魯亞克聽。由於布洛斯的字跡太潦草，金斯堡把其中一個詞「裸體欲望」（naked lust）錯念成了「裸體午餐」（naked lunch），凱魯亞克認為他們找到了一個理想書名。布洛斯隨即拋出了一份對《裸體午餐》的解釋：「這個書名的意思正如其字面所表達的：裸體午餐——那是一個當每個人看到刀叉盡頭的景象時，都會為之凍結的時刻。」*

* 布洛斯一向擅長把他的錯誤轉化成優勢。就像那次他喝醉了之後對他的太太瓊安（Joan）說：「現在是威廉・泰爾（William Tell）時間。」於是她把一個玻璃杯放在自己頭頂，布洛斯開槍射擊，但是沒有射中玻璃杯。後來他自己說：「我無法不得出這個令人震驚的結論，要不是瓊安的去世，我永遠也不會成爲一名作家。」

記住，有些優良作品中的錯誤也會提升它們的價值。一本一九二六年初版的《太陽照樣升起》（*The Sun Also Rises*）中，有一個單字「stopped」拼成了三個「p」，這本書現在價值八千美元。

第四大疏失：如果圖書滿是錯誤，人們會注意到的

到底是誰先出現的，糟糕的編輯還是糟糕的閱讀？我們文化的一個特徵，可能就是很多人對於出產高品質的文本根本就不在乎。另一個特徵就是，居然沒人對此表示反對。黑茲爾·巴恩斯（Hazel Barnes）有本書名為《具人文色彩的存在主義：可能性的文學》（*Humanistic Existentialism: The Literature of Possibility*），至少重印了四次，才把封面上的「Possiblity」改正過來。出版這本書的內布拉斯加州大學出版社（University of Nebraska Press）的副總監兼製作人黛布拉·透納（Debra Turner），她曾經說：「讀者從來不會給我們意見，我們能夠從他們那裡明白的一個事實，就是：書籍封面就像騎兵的軍裝一樣，五年就過時。」

讀者才不管這些，丹佛一家書店老闆說，讀者們向來都是長驅直入來到書店，張口就要找《把傷害了我的頭埋起來》（*Bury the Head That Wounded Me*）[206]。

我的一位朋友詹姆士·費瑟（James Feather），英國一家出版社巴茲爾·布萊克威爾（Basil Blackwell）的常務董事，曾經出版一本社會心理學的書。最後出來的版本中，有十一行字弄亂了。

那位作者毫無怨言。之後有一次，費瑟讓作者讀一下那段讓人困擾的錯誤段落，他讀了之後說：「還好啊，不是嗎？」

206 這是一首相當著名的詩，原題目為「Bury the Heart at Wounded Knee」，作者在這裡用這句諧音的錯誤既諷刺了編輯的草率，也諷刺了讀者的不求甚解。

譯後記

這本書不是一部學術著作，它只是一本通俗讀物，一本上了《紐約時報》暢銷書排行榜的通俗讀物。這本書一共引用了四百六十六本書，絕大多數是我所不熟悉的，我在翻譯過程中最大的收穫，可能就是不但在網路或者圖書館查閱了這四百多本書，甚至細讀了其中的至少十分之一，也算是對西方文化的一次惡補了吧！

在這本書的一篇前言、九章正文、三個附錄中，作者用了最大篇幅，也明顯投入了最多心血和情感的，就是關於所謂寫作經濟史的第一章。這也是我翻譯得最帶勁兒而且收穫最大的一個部分，我惡補的那幾十本書大部分亦出自這一章。尤其裡面談論的大多數非天才卻要靠刻鋼板生存之人的苦況，常令我不由自主帶點苦澀地會心一笑。

這本書是美國千禧年時候的暢銷書，算是對上一個千年西方出版史做了一個通俗版的總結，其實主要還是針對上個世紀末美國的出版市場。如今進入二十一世紀已經第七個年頭了，它才來到中國的出版市場（當然，部分要歸咎於我的翻譯速度太慢），但其中所描述業界的現象種種，倒恰好和我們今天的出版市場頗為合拍。我在翻譯過程中覺得身邊正在發生的樁樁件件，都在為我的工作提供及時的注解：沒有名氣的文學青年投告無門、名人寫書到處火爆登場、電視廣播媒體對紙媒出版物的巨大衝擊和影響、寫作出版業的市場運作方式，還有那些書前空洞無物的致辭、尷尬的書評人，等等等等，都是我們這些身在其中的人深有體會的。

翻譯這本書的過程中，我一直非常關注北京的圖書市場，在出版業如此熾熱的今日，尚未看到一本關於中國出版史的同類作品。我是說一本在相關領域中依靠堅實深厚的學術研究做基礎而寫出的通俗讀物。

其實我們的圖書市場上，在這方面的匱乏不僅僅是關於出版史的讀物。其他的研究領域我不懂，只說一說我比較瞭解的人文社會科學領域。市面上其實不乏研究扎實、見解精到的學術著作，通俗讀物中也不缺少妙趣橫生的選題和文采飛揚的筆墨。但是沒有可讀性的深入研究，除了幾個圈內人，是很難使得廣大讀者從中獲益的；而光靠拍拍腦瓜靈光一現的有趣選題加老到的文筆，卻全無實際內容的通俗讀物，又真正能夠暢銷幾時呢？寫作作為一種職業，其中也是應該有詳細分工的。有些人透過研究原始資料，寫出艱深的學術著作給行家看；有些人研究行家的作品，並將其轉化為通俗讀物給非專業領域卻有閱讀興趣的廣大讀者看；還有一些人趁著一時一陣的出版熱潮拾人牙慧、炒冷飯，抱著一堆所謂的暢銷書，從中尋章摘句製造出新的貌似暢銷書。我們不缺這個產業鏈條上兩端的人，我們的寫作產業中缺少的恰恰是中間那部分人。

這一兩年間，學者寫通俗讀物似乎成了個大家矚目的焦點，支持和反對的聲音都很響亮，也很嘈雜，看不出到底是支持的多還是反對的多，反正在我經常出入的貌似文化圈裡面，似乎反對的聲音要多一些。但實際上在這看似熱鬧非凡的出版熱潮中，到底有多大的閱讀市場被真正調動起來了呢？如果這也要被文化人打倒的話，那麼請問他們到底想要什麼樣的閱讀市場呢？他們又將如何去培養他們所需要的讀者群呢？

無論如何，一個受過正規訓練的學者靠自己的研究和思考，吸收廣大普通讀者所不熟悉的專業學術成果寫出來的通俗讀物，總比一個熟練的寫手就著市面上的暢銷書，改頭換面再攢出新的貌似暢銷書要好得多吧？

本書作者在最後一個附錄中提問：「到底是誰先出現的，糟糕的編輯還是糟糕的閱讀？」這個句式也可以換個主語來發問：到底是誰先出現的，低水準的閱讀還是低水準的寫作？或者我們不妨換個態度來發問：到底誰會先出現，高水準的閱讀還是高水準的寫作？在寫作被捲入滾滾商業大潮的今日，我們必須承認，讀者是上帝，閱讀的水準提高了，寫作的水準自然就上去了。而閱讀水準的提高，反過來還要靠大多數投身寫作工業的作者們對寫作的良知。

王藝
於荷蘭萊頓

國家圖書館出版品預行編目資料

卡薩諾瓦是個書癡 /約翰・麥斯威爾・漢彌爾頓（John Maxwell Hamilton）-- 初版. -- 臺北市：麥田, 城邦文化出版：家庭傳媒城邦分公司發行, 民99. 02
面；公分.--（麥田叢書56）
譯自：Casanova was a book lover : and other naked truths and provocative curiosities about the writing, selling, and reading of books
ISBN 978-986-173-612-9（平裝）
1. 閱讀 2. 書評
019 99000427

麥田叢書56
卡薩諾瓦是個書癡：寫作、銷售和閱讀的真知與奇談
作者——約翰・麥斯威爾・漢彌爾頓（John Maxwell Hamilton）
譯者——王藝
選書人——陳蕙慧
責任編輯——劉素芬、林毓瑜
總經理——陳蕙慧
發行人——涂玉雲
出版者——麥田出版
城邦文化事業股份有限公司
104台北市中山區民生東路二段141號5樓
電話：（02）2500-7696 傳真：（02）2500-1966

發行——英屬蓋曼群島商家庭傳媒股份有限公司城邦分公司
台北市104民生東路二段141號11樓
讀者服務專線：（02）25007718・（02）25007719
24小時傳真服務：（02）25001900・（02）25001991
服務時間：週一至週五09:30-12:00・13:30-17:00
郵撥帳號：19863813 戶名：書虫股份有限公司
讀者服務信箱E-mail：service@readingclub.com.tw

香港發行所——城邦（香港）出版集團有限公司
香港灣仔駱克道193號東超商業中心1樓
電話：（852）25086231 傳真：（852）25789337
E-mail：hkcite@biznetvigator.com

馬新發行所——城邦（馬新）出版集團
Cite(M)Sdn. Bhd.(458372U)
11, Jalan 30D / 146, Desa Tasik, Sungai Besi,
57000 Kuala Lumpur, Malaysia.
電話：603-9056 3833 傳真：603-9056 2833

美術設計／鄭子瑀
內文排版：林鳳鳳
印刷：前進彩藝股份有限公司
初版一刷：2010年（民99）2月初版
定價：420元
ISBN：978-986-173-612-9（平裝）